AV

Der Nachweis der Grabbe-Zitate erfolgt unmittelbar im fortlaufenden Text in runder Klammer mit römischer Band- und arabischer Seitenangabe, z. B. (I, 123).
Zitiert nach: Christian Dietrich Grabbe: Werke und Briefe. Historisch-kritische Gesamtausgabe in sechs Bänden. Hrsg. von der Akademie der Wissenschaften in Göttingen. Bearb. von Alfred Bergmann. Emsdetten 1960-1973.

Grabbe-Jahrbuch 2015
34. Jahrgang

Im Auftrag der Grabbe-Gesellschaft
herausgegeben von
Lothar Ehrlich und Detlev Kopp

AISTHESIS VERLAG
Bielefeld 2016

Die Drucklegung des Grabbe-Jahrbuches 2015 förderten:

Für die Menschen.
Für Westfalen-Lippe.

Bibliographische Information der Deutschen Nationalbibliothek
Die Deutsche Nationalbibliothek verzeichnet diese Publikation in
der Deutschen Nationalbibliographie; detaillierte bibliographische
Daten sind im Internet über http://dnb.ddb.de abrufbar.

www.grabbe.de

Redaktionsschluss: 31. August 2015

© Aisthesis Verlag Bielefeld 2016
Postfach 10 04 27, D-33504 Bielefeld
Satz: Germano Wallmann, www.geisterwort.de
Druck: Hubert & Co, Göttingen
Alle Rechte vorbehalten

ISBN 978-3-8498-1139-6
www.aisthesis.de

Inhaltsverzeichnis

LOTHAR EHRLICH

Der Grabbe-Preis. Gegenwart und Vergangenheit

I. Grabbe-Preis 2014

Am Tage der Premiere von *Herzog Theodor von Gothland* am 16. Januar 2015 wurde nach zehnjähriger Pause wieder ein Christian-Dietrich-Grabbe-Preis verliehen. Es war in der Geschichte dieses Literaturpreises der fünfte. In diesem Jahrbuch werden sowohl die *Gothland*-Inszenierung von Tatjana Rese als auch die Verleihung des Grabbe-Preises an Henriette Dushe dokumentiert.[1] Aus diesem Anlass soll an die Geschichte des Grabbe-Preises erinnert und einige aktuelle Erfahrungen aus der Tätigkeit der Jury vermittelt werden. Insofern kann an frühere Veröffentlichungen in den Grabbe-Jahrbüchern angeknüpft werden.[2]

Während der Grabbe-Preis in den Jahren 1994, 1997, 2001 und 2004 gemeinsam von der Grabbe-Gesellschaft und der Stadt Detmold, die ihn finanzierte, vergeben wurde, erfolgte das in diesem Jahr erstmals in Kooperation mit dem Landestheater Detmold und der Zeitschrift *Theater der Zeit*. Die Stadt Detmold sah sich außer Stande, den Preis weiterhin auszuloben. Fast zehn Jahre versuchte die Grabbe-Gesellschaft vergeblich, eine neue Finanzierung zu finden, bis im Verlaufe des Jahres 2013 in Gesprächen mit dem Landestheater Detmold die Voraussetzungen dafür geschaffen werden konnten, den Grabbe-Preis wieder ins Leben zu rufen. Das Landestheater sicherte nicht nur die Finanzierung aus Sponsorengeldern zu, sondern verpflichtete sich zur Uraufführung (UA) des ausgezeichneten Dramas. Dazu war es bei den vergangenen vier Grabbe-Preisen leider nicht gekommen.

Der Christian-Dietrich-Grabbe-Preis wird – in Würdigung der Bedeutung des Dichters für die Herausbildung des modernen epischen Dramas – nun alle drei Jahre für ein zeitgenössisches, noch nicht veröffentlichtes und aufgeführtes dramatisches Werk in deutscher Sprache verliehen, das eine künstlerisch innovative Leistung darstellt. Das Preisgeld in Höhe von 5.000 Euro dient der Förderung des künstlerischen Nachwuchses in Drama und Theater. Es ist beabsichtigt, das ausgezeichnete Werk in *Theater der Zeit* zu veröffentlichen.

Der Präsident der Grabbe-Gesellschaft, Dr. Peter Schütze, und der Intendant des Landestheaters Detmold, Kay Metzger, beriefen für die Vergabe des Grabbe-Preises 2014 auf Grundlage der neu ausgearbeiteten Satzung eine Jury. Ihr gehörten an:

Harald Müller (Verlags- und Redaktionsleiter von *Theater der Zeit*)
Dr. Christian Katzschmann (Chefdramaturg des Landestheaters Detmold)
Martin Heckmanns (Dramatiker)
Prof. Dr. Lothar Ehrlich (stellvertretender Präsident der Grabbe-Gesellschaft)

Die Jury wählte auf ihrer konstituierenden Sitzung am 13. September 2014 im Grabbe-Haus Harald Müller zum Vorsitzenden. Seit der Ausschreibung des Grabbe-Preises in *Theater der Zeit*, *Theater heute* und *Deutsche Bühne* sowie auf den Internetseiten der Grabbe-Gesellschaft und des Landestheaters im März 2014 gingen bis zum 31. August 2014 insgesamt 69 Texte ein, die den Jurymitgliedern nach und nach bei strikter Wahrung der Anonymität der Autoren zugesandt wurden.

In intensiver, kontroverser Verständigung während und in den Wochen nach der Sitzung in Detmold, in der zuletzt fünf Stücke in die nähere Auswahl gelangten, fiel am Ende einstimmig die Entscheidung für *In einem dichten Birkenwald, Nebel* von Henriette Dushe. Als Laudator wurde – mit Blick auf die Inszenierung – Dr. Christian Katzschmann gebeten. Und die Jury entsprach dem Wunsch des Landestheaters, die Preisverleihung nicht – der Tradition entsprechend – an Grabbes Geburtstag am 11. Dezember 2014 durchzuführen, sondern erst zur *Gothland*-Premiere am 16. Januar 2015.

Von links: Peter Schütze, Henriette Dushe, Kay Metzger,
Christian Katzschmann, Tatjana Rese
Foto: Bernhard Preuss (Lippische Landeszeitung)

Grabbe-Preisträgerin 2014

Die Grabbe-Preisträgerin Henriette Dushe wurde 1975 in Halle/Saale gebo-
ren, arbeitete zunächst als Erzieherin und Theaterpädagogin und studierte
dann von 2001 bis 2006 an der Fachhochschule Potsdam Kulturarbeit (Diplom
im Fachbereich Angewandte Ästhetik). Von 2002-2011 war sie Dramaturgin
und Autorin beim freien Autoren- und Schauspielkollektiv unitedOFFpro-
ductions Braunschweig/Berlin und bekam 2008 ein Werkstattstipendium der
Jürgen-Ponto-Stiftung.

Für ihr erstes Theaterstück *Menschen bei der Arbeit* erhielt Dushe den Retz-
hofer Dramapreis (UA 2010 am Schauspiel Chemnitz). 2010 folgte ein Werkstattstipendium für *Sprachlos die Katastrophen im Bereich der Liebe* am Staatstheater Mainz (UA). Von 2011 bis 2013 studierte Henriette Dushe Szenisches
Schreiben an der Karl Franzen Universität Graz (uniT Graz). Dabei entstand *In
einem dichten Birkenwald, Nebel* – eine *Bühnenelegie für drei Schauspielerinnen
und einen Männerchor*. Das Stück ist mittlerweile im Bühnenvertrieb von hen-
schel Schauspiel Theaterverlag Berlin.

Im Jahre 2013 erhielt Henriette Dushe den Jakob Michael Reinhold Lenz-
Preis der Stadt Jena für *In einem dichten Birkenwald, Nebel* sowie den Autorenpreis des Heidelberger Stückemarkts für *lupus in fabula*, 2014 den Autorenpreis
der Stadt Essen für das Bühnenwerk *Von der langen Reise auf einer heute überhaupt nicht mehr langen Strecke*, das am 14. Juni 2015 im Schauspiel Essen uraufgeführt wurde.

Dass eine außerordentlich talentierte Theaterautorin von der Jury für den
Grabbe-Preis nominiert wurde, belegen die in kurzer Zeit erfolgten literarischen
Auszeichnungen. Das betrifft zumal die glückliche Koinzidenz von Lenz- und
Grabbe-Preis, die dramengeschichtlich im Sinne des Begründers des epischen
Theaters, Bertolt Brecht, plausibel sein dürfte. Er hatte bei der Skizzierung sei-
ner Traditionslinie unter anderem den Sturm und Drang-Dramatiker und den
Vormärz-Dramatiker in einem Atemzug als seine Vorbilder gewürdigt.[3]

II. Erfahrungen

Bewunderungswürdig ist zunächst, dass so zahlreiche Autoren Theaterstücke
verfassen und sich einem Wettbewerb stellen, mit der geringen Hoffnung, sie je
aufgeführt zu sehen. Bereits ein flüchtiger Blick auf die Portale deutscher Thea-
terverlage lässt erkennen, welches quantitative Missverhältnis besteht zwischen
den in den Bühnenvertrieb immerhin aufgenommenen und zur Uraufführung
freien Stücken und den tatsächlich an einem Theater inszenierten oder gar an

weiteren Bühnen nachgespielten. Viele Hunderte Stücke warten auf ihre Uraufführung, abgesehen von den ohnehin nicht im Bühnenvertrieb befindlichen.
Das betrifft die meisten der Texte, denn nur etwa 10 % der für den Grabbe-Preis
eingereichten Werke werden bereits von einem Verlag vertrieben.

Wichtigstes Kriterium bei der Entscheidungsfindung durch die Jury war die
innovative literarische und theatralische Qualität eines Textes. Nahezu alle eingereichten Stücke wiesen dabei einen experimentellen Ansatz auf. Allerdings
ist auch festzustellen, dass etwa zwei Drittel der vorgelegten Stücke nicht den
ästhetischen Anforderungen an ein einigermaßen qualitätsvolles theatralisches
Kunstwerk entsprachen.[4] Offensichtlich entstanden solche Texte ohne Distanz
und Reflexion der – meist unbewusst – angewandten literarischen und theatralischen Gestaltungsmittel. Der Wille, ein Theaterstück zu schreiben, ist das eine,
seine überzeugende sprachliche und dramaturgische Ausformung das andere.
Offensichtlich sind die meisten dieser Stücke ohne fremde Hilfe entstanden,
nicht im Kontakt zu einer der Schreibwerkstätten, die es an Hochschulen und
Theatern gibt. An fast jedem Stück lässt sich jedoch erkennen, dass sich die
Autoren kritisch mit Problemen des gegenwärtigen Weltzustandes auseinander-
setzten. Dabei fällt eine breite Skala der Stoffe, Gegenstände und Themen auf.
Eine Klassifizierung der gestalteten Themen ist freilich schwierig, weil sie sich in
der szenischen Darstellung oft überlagern und daher nicht voneinander abzugrenzen sind.

Die meisten Stücke – etwa 35 % – wenden sich den verunsicherten zwischenmenschlichen Beziehungen zu, und zwar sowohl zwischen den Generationen
als auch zwischen den Geschlechtern, unter auffälliger Einbeziehung femi-
nistischer und homoerotischer Konstellationen. Die Arbeits- und Geschäfts-
welt stellt dabei nur in wenigen Fällen Gegenstand und Ort der dramatischen
Auseinandersetzung dar. Oft werden die individuellen Konflikte zwischen den
Figuren auf erotische und sexuelle Ansprüche und Beziehungen fokussiert,
manchmal mit ausgesprochen triebhaften und gewalttätigen Tendenzen. In
diesen Stücken herrscht eine jugendliche Redeweise vor, die sich an der unteren
umgangssprachlichen Stilebene bewegt und vulgäre sexuelle Wörter und Wendungen einbezieht.[5]

Während diese Stücke die objektiven Weltprobleme, die auf die Menschen
nicht nur mit der Folge entfremdeter erotischer Beziehungen einwirken, weitgehend ausblenden, weitet sich der Horizont bei anderen Texten (etwa 30 %)
auf die moderne bürgerlichen Gesellschaft im Ganzen, auf die staatlichen Institutionen, auf den Merkantilismus des Kapitalismus (Gier nach Geld und
Konsum), auf gesellschaftliche Entfremdung, Zerstörung der Umwelt, auf die
Macht der Medien oder die Computerwelt. Hierbei dominiert zuweilen das
Gefühl der Ohnmacht, auf die gegenwärtigen globalisierten Lebensverhältnisse

noch human reagieren zu können oder sie sogar zu verändern. Viele der gestalteten dramatischen Figuren sind durch Unproduktivität und Perspektivlosigkeit gekennzeichnet. In dieser Gruppe gibt es Stücke, die die Kriege und den Terror der Gegenwart, die politischen, sozialen und religiösen Auseinandersetzungen sowie die mentalen Herausforderungen der globalisierten Welt sowie den Terrorismus in Deutschland (NSU) künstlerisch reflektieren. Einige Texte thematisieren multikulturelle Fragestellungen, z.b. die Integration von Migranten in Deutschland.

Außerdem wurden Dramen mit vergangenheitsgeschichtlichen Stoffen eingereicht, z.b. über die Hermannsschlacht (nicht nach Grabbe), zur französischen und ungarischen Geschichte etc. Es fällt auf, dass im Unterschied etwa zu 1994 in nur drei Stücken eine – periphere – Auseinandersetzung mit der friedlichen Revolution 1989 in Deutschland stattfindet und dass dabei Ost-Westprobleme nach 25 Jahren keine Rolle mehr spielen.[6] Die übrigen Texte wenden sich spezifischen Stoffen und Themen zu, darunter sind zwei moderne Märchen, eine englische Kriminalkomödie und ein Werk, das aus dem Repertoire eines bayerischen Bauerntheaters stammen könnte, sogar eines über den Kunstsammler Cornelius Gurlitt.

Der thematischen Weite und Vielfalt der Texte entspricht ihr Reichtum an Genres und Formen. Obwohl einige Stücke streng in Akte und Szenen gegliedert sind, gibt es keine nach klassischem Vorbild geschlossen strukturierten Dramen. Die Stücke bestehen eigentlich aus mehr oder weniger offenen Szenenfolgen, die keinerlei traditionellen oder modernen ästhetischen Mustern verpflichtet sind und assoziative spielerische Performanz bevorzugen. Sie sind nahezu ausschließlich in Prosa abgefasst.

Fast 60 % der Texte besitzen keine Genrebezeichnung. Einige der wenigen dramaturgisch charakterisierenden Untertitel seien genannt:

Fatale Farce, Ein komödiantischer Wahnsinnsakt für einen Schauspieler und zwei Garderobieren, Kammerspiel nach dem Ende des Automobilen Zeitalters, Eine Humoreske über den Zustand der Welt in fünf Monologen mit einem Chor und – von der diesjährigen Preisträgerin – *Bühnenelegie für drei Schauspielerinnen und einen Männerchor.*

Nachdem die Entscheidung der Jury über die Vergabe des Preises definitiv gefallen war, wurde die Anonymität der Autoren aufgehoben. Daher können noch einige aufschlussreiche Informationen über Geschlecht, Alter und Beruf bzw. Tätigkeit mitgeteilt werden.

Die Texte stammen zu 60 % von Autoren und zu 40 % von Autorinnen. Folgende Altersgruppen sind vertreten:

Bis 25 Jahre 15%
25-35 Jahre 45 %
35-45 Jahre 20 %
45-50 Jahre 20 %

Der ganz überwiegende Teil der Werke entstand in Deutschland, darunter von zwei iranischen und einem russischen Autoren; daneben kamen vier aus Österreich und je einer aus der Schweiz und aus Luxemburg.

Die meisten Einsender – und zwar unabhängig von ihrer Nationalität – sind freiberuflich für das Theater im weitesten Sinne tätig: entweder als Theaterwissenschaftler, Dramaturg, Regisseur, Schauspieler, einige auch als Sprecher und Rezitator sowie in der Filmbranche, oder eben vorwiegend oder ausschließlich als Autor von Theaterstücken, Hörspielen und anderen literarischen sowie publizistischen Texten. Nur ganze wenige Verfasser hatten oder haben ein (ohnehin vorübergehendes) festes Engagement an einem Theater oder anderswo. Insofern entsteht die Frage, ob und inwieweit die Dramatiker von ihrer literarischen Tätigkeit leben können. Sicher nicht. Unter den Bewerbern waren außerdem ein Studierender und ein Lehrer.

Dieser Befund dokumentiert, dass die Autoren nahezu ausschließlich professionell in irgendeiner Weise mit dem Theater zu tun haben, es also mehr oder weniger genau kennen. Selten handelt es sich jedoch um Schriftsteller, die bereits eine oder mehrere Uraufführungen ihrer Stücke erlebten. Mehreren waren zwar schon private oder öffentliche Stipendien verliehen worden, doch fand sich unter ihnen lediglich ein Träger eines Literaturpreises.

Insgesamt kann festgestellt werden, dass die fünfte Ausschreibung des Grabbe-Preises internationale Resonanz erreichte und trotz der im Vergleich zu den 1990er Jahren geringeren Anzahl der Bewerbungen[7] zu einer – bei allen formulierten Einschränkungen – ästhetisch höheren Qualität führte.

III. Rückblick

Im Horizont der Verleihung des Grabbe-Preises 2014 dürfte interessant sein, welche Entwicklung die früher ausgezeichneten Preisträger genommen haben – inwiefern sie als Dramatiker tätig geblieben und gegenwärtig mit Inszenierungen auf Bühnen vertreten sind.[8] Dadurch wäre zu erkennen, ob die Jury bei ihren Entscheidungen eine glückliche Hand hatte und sich die Ausgezeichneten letztlich literarisch durchsetzten und auf dem Theater praktisch bewährten.

Zwischen 1994 und 2004 gibt es fünf Preisträger:

1994 Igor Kroitzsch: *Das Drama*, keine UA
1997 Ralf N. Höhfeld: *Erschossen nach dem ersten Satz*, UA Stadttheater
  Heilbronn 1998
1997 Johann Jakob Wurster: *Fitzfinger, ab geht er!*, UA Städtische Bühnen
  Freiburg i. B., Kamera 1998
[1997 wurden zwei Grabbe-Preise anteilig verliehen]
2001 Anna Langhoff *Eisfelder*, keine UA
2004 Johannes Schrettle *fliegen/gehen/schwimmen*, UA Stadttheater Osnabrück 2005

Alle Preisträger werden durch einen Verlag vertreten, der ihre Stücke in den
Bühnenvertrieb genommen hat: Höhfeld, Langhoff und Schrettle sind im hen-
schel Schauspiel Theaterverlag Berlin; Wurster im Fischer Theater Verlag Frankfurt a. M.; Kroitzsch früher im Rowohlt Theater Verlag, Reinbek, gegenwärtig
im Press-Bühnenvertrieb, Berlin.

Alle geehrten Dramatiker arbeiten seit der Zuerkennung des Grabbe-Preises
kontinuierlich für das Theater, freilich auf unterschiedliche Weise, und sie sind
mit ihren Stücken auf der Bühne mehr oder weniger vertreten.

Der erste Preisträger von 1994, Igor Kroitzsch (geb. 1960 in Potsdam), sein
ausgezeichnetes Stück *Das Drama* 1993 bei Rowohlt und in der *Edition Solitude*
in Stuttgart 1996 gedruckt, hat seitdem ca. 20 Texte fürs Theater geschrieben,
die manchmal gelesen, manchmal szenisch und musikalisch umgesetzt wurden. Aber lediglich von zwei Werken gab es Uraufführungen, allerdings nicht
in einem Stadt- oder Landestheater, sondern auf einer Off-Bühne: *Nachspiel*
im Theater an der Rott in Eggenfelden 2001 und *Ernst* im Orphtheater Berlin
2005. Damit ist eine Besonderheit benannt: Viele Werke von Nachwuchsauto-
ren gelangen vor allem über Off-Theater an die Öffentlichkeit, nur gelegentlich
auf kleinen Bühnen von Stadttheatern, selten jedoch auf der Hauptbühne dieser Häuser. Kroitzsch erhielt mehrere Stipendien und schrieb auch (gesendete)
Hörspiele.[9]

Ralf N. Höhfeld (geb. 1964 in Marl) und Johann Jakob Wurster (geb. 1962
in Hamburg), den 1997 gemeinsam Ausgezeichneten, gelang es demgegenüber,
ihre Dramen auf der Bühne ausprobieren zu lassen. Höhfeld brachte vier Stü-
cke zur Uraufführung: Neben dem Preisstück *Erschossen nach dem ersten Satz*
(UA Stadttheater Heilbronn 1998); Ädipös – *das fette Stück*" (UA Theater der
Landeshauptstadt Magdeburg 2000, Nachspiel Staatsschauspiel Dresden 2000);
Pärchen Passion (UA Stadttheater Freiburg 2002, Nachspiel Theater Apron
Halle 2008) und *Mein letzter Sexfilm meine letzte Puppe meine letzte Zigarette*
(UA Schauspiel Leipzig 2004); *David und Madonna* (UA Landestheater Linz
2005, Nachspiel Stadttheater Bern 2006); *24 Stunden in der fünften Woche*

(UA Württembergische Landesbühne Esslingen 2010) und *Die Bushaltestellen-küsser* (UA Theaterhaus Frankfurt a. M. 2013, Nachspiel Theater im Pfalzbau Ludwigshafen 2014). Höhfeld schrieb weitere Dramen, die noch nicht aufge-führt wurden.[10] An dieser Aufzählung wird ein gravierendes Symptom bei der Inszenierung zeitgenössischer Dramatik erkennbar: Nach der (erfolgreichen) Uraufführung eines zeitgenössischen Theaterstücks kommt es nur sehr selten zu einer zweiten Inszenierung an einem anderen Haus.

Der Schauspieler, Regisseur und Autor Johann Jakob Wurster ist auf dem Theater erfolgreich. Fritz U. Krause, der von ihm 2004 in der Theaterkirche am Süsterplatz in Bielefeld *Staub, nichts als Staub* unter dem Titel *So was hab ich in 182 Jahren noch nicht gesehen* inszeniert hat, resümiert schon im selben Jahr: „Das Grabbe-Preis-Stück *Fitzfinger, ab geht er!* ist auf vielen deutschen sowie deutschsprachig-ausländischen Bühnen gespielt worden und findet ständig neues Bühneninteresse."[11] Und der Fischer Theater Verlag verkündet aktuell, dass dieses Stück, das 1997 den „C.F.D. [!] Grabbe-Preis" erhielt, „mehr als zwanzig Inszenierungen im deutschsprachigen Raum, in Italien und Australien" erfah-ren habe.[12] Das ist mit Abstand die kräftigste anhaltende theatralische Resonanz eines Grabbe-Preisträgers! Neben *Fitzfinger, ab geht er!* befinden sich gegen-wärtig noch zwei Texte im Bühnenvertrieb, die für eine Uraufführung frei sind: *Strandnah – Sonnig – Abgeschieden* und *Sturmfest*.[13]

Über die 1965 in Berlin geborene Anna Langhoff finden sich im Grabbe-Jahrbuch 2004 Informationen über ihre Arbeit für das Theater bis zum Jahr der Preisverleihung 2001.[14] Danach schrieb sie vier Stücke und sechs Hörspiele. Sie wirkte daneben als Dramaturgin, Übersetzerin und Regisseurin. Seit 2008 arbei-tet sie für das Theater CTB Companhia de Teatro de Braga in Portugal, wo sie interaktive künstlerische (integrative theatralische, filmische) Projekte entwirft und verwirklicht.[15]

Ebenso wie Ralf N. Höhfeld und Johann Jakob Wurster darf als auf den Büh-nen durchgesetzter zeitgenössischer Dramatiker der 1980 in Graz geborene Johannes Schrettle, der Preisträger von 2004, gelten, der als 25jähriger 2005 neben der Osnabrücker Uraufführung von *fliegen/gehen/schwimmen* in seiner Heimatstadt die seines Stückes *Dein Projekt liebt dich* erlebte. Und es folgten Uraufführungen in Osnabrück: *wie ein leben zieht mein koffer an mir vorüber* (2007), die österreichische Erstaufführung am Schauspielhaus Wien ebenfalls im gleichen Jahre, und *Die Kunden werden unruhig* (2013) mit einer zweiten Inszenierung in der Theaterkapelle Berlin (2013). 2009 erfolgte die UA des Theaterstücks *Wie Licht schmeckt* im jungen schauspiel des Niedersächsischen Staatstheaters Hannover, 2010 die Schweizer Erstaufführung von *fliegen/gehen/schwimmen* durch Friendly Fire Productions Zürich, Bern, Aarau. Für den seit 2007 als Autor, Regisseur und Performer der Gruppe „zweite Liga für Kunst und Kultur" in Graz tätigen Schrettle sind das in einem Jahrzehnt immerhin sechs Uraufführungen und drei Nachinszenierungen an meist größeren Berufstheatern.[16]

Die Grabbe-Preisträger weisen also eine durchaus positive Resonanz auf: In- und ausländische Bühnen inszenieren Ralf N. Höhfeld, Johannes Schrettle und Johann Jakob Wurster mit einiger Regelmäßigkeit. Die seltener aufgeführte Anna Langhoff wirkt indessen in Deutschland und Portugal als Autorin, Regisseurin und Managerin von integrativen Theaterprojekten. Igor Kroitzsch ist durch seine dramatischen Texte präsent.

Bedauerlich bleibt, dass das Landestheater Detmold keines der Stücke der Grabbe-Preisträger – wie vereinbart – uraufgeführt hat. Das ändert sich mit Henriette Dushes *In einem dichten Birkenwald, Nebel* in der Spielzeit 2015/16. Die Premiere ist für den 15. Januar 2016 bereits angekündigt.

Anmerkungen

1 Vgl. zur *Gothland*-Inszenierung die Beiträge von Tatjana Rese und Peter Schütze, zum Grabbe-Preis die Laudatio von Christian Katzschmann und die Dankesrede von Henriette Dushe.

2 Vgl. Grabbe-Jahrbuch 13 (1994), S. 10-49; insbes. Werner Broer: Der Christian Dietrich Grabbe-Preis. Erste Erfahrungen, S. 45-49; 17/18 (1998/99), S. 18-75; 21 (2002), S. 47-54; Fritz U. Krause: Gibt es eine dramaturgische Richtung bei der Auswahl der Stücke der Grabbe-Preis-Dramatiker? 23 (2004), S. 206-217; 24 (2005), S. 78-96, insbes. Fritz U. Krause: Grabbe-Preis und Modernität, S. 88-96. – Zu Grabbes 200. Geburtstag 2001 wurde außerdem der *Cid*-Preis für eine Komposition von Grabbes Dichtung an Jens-Uwe Günther und Charles Robin Broad verliehen. Vgl. Grabbe-Jahrbuch 21 (2002), S. 55f.

3 „Die Linie, die zu gewissen Versuchen des epischen Theaters gezogen werden kann, führt aus der elisabethanischen Dramatik über Lenz, Schiller (Frühwerke), Goethe (*Götz* und *Faust*, beide Teile), Grabbe, Büchner." Akademie der Künste, Bertolt-Brecht-Archiv, Berlin, Mappe 58, Blatt 12.

4 Dass diese und andere Wertungen subjektiv sind – wie die Vergabe eines Preises durch eine Jury –, versteht sich von selbst. Verlässliche Einschätzungen im Spannungsfeld zwischen qualifiziertem, gleichsam „professionellem" Schreiben für Theater und „krasse[m] Dilettantismus" sind sehr schwer. Vgl. dazu für 1994 Broer: Der Christian Dietrich Grabbe-Preis (Anm. 2), S. 48: „Ohne Schönfärberei wird man wertend sagen müssen, daß sich in vielen Einreichungen krasser Dilettantismus austobte, daß etwa drei Viertel eindeutig nicht preiswürdig war."

5 Das war schon 1994 der Fall. Vgl. ebd.

6 Ebd. Broer erwähnt neun Stücke zur „Wende in Deutschland".

7   Eingereicht wurden 1994 dreiundachtzig, 1997 einhunderteinundzwanzig, 2001 zweihundert und 2004 einhundertachtzig Texte.

8   Vgl. zur Situation bis 2004 Krause: Gibt es eine dramaturgische Richtung (Anm. 2).

9   Zu korrigieren ist Krauses Feststellung: „Danach verliert sich seine [Kroitzschs] Spur. Alle Suchmaschinen und die bundesweite Telefonauskunft sind ratlos." Ebd., S. 209. Die aktuellen Informationen nach http://kroitzsch.de/start.htm.

10 Vgl. Krause: Gibt es eine dramaturgische Richtung (Anm. 2), S. 209-211; für die aktuellen Informationen www.henschel-schauspiel.de/theater/autor/800/ralf-n-hohfeld.

11 Krause: Gibt es eine dramaturgische Richtung (Anm. 2), S. 212. Martin Linzer, Jury-mitglied und -vorsitzender von 1994 bis 2004, stellte 2001 in seiner Laudatio auf Anna Langhoff fest, Wurster habe „mehrere erfolgreiche Aufführungen erlebt, im Westen wie im Osten unseres Landes." Grabbe-Jahrbuch 21 (2002), S. 51.

12 www. fischertheater.de.

13 Ebd.

14 Krause: Gibt es eine dramaturgische Richtung (Anm. 2), S. 215.

15 Vgl. http://de.wikipedia.org/wiki/Anna_Langhoff; www.henschel-schauspiel.de/theater/autor/72/anna-langhoff.

16 Vgl. www. henschel-schauspiel.de/theater/autor/1346/johannes-schrettle.

CHRISTIAN KATZSCHMANN

Innehalten, Ausbrechen und Lichten
Strategien des (Über-)Lebens und Abschieds in Texten von Henriette Dushe.*

O.K., das Setting, noch mal neu, noch mal ganz anders, die Bühne: ein Wald, ein dichter Birkenwald. Sacht aufsteigender Nebel, der Tag ist noch jung, milchig und weich ist das Licht der Sonne, es verspricht warm zu werden, jetzt aber ist es noch angenehm kühl, der Gesang einer Amsel, ach, und da! Hört ihr? ja! Das ist ein Kuckuck, und da, dort drüben?[1]

Drei Frauen definieren einen angemessenen Raum für ihre gemeinsame Lebens-Erinnerung, für das Rückbesinnen, die Jetztschau und die Zukunftsaussichten, für Abschiednehmen und Begrüßung. Es sind drei Frauen unterschiedlichen Alters, die sich in Henriette Dushes Stück *Lupus in fabula* am Sterbebett des Vaters einfinden und sich ihrer Lebensgeschichte vergewissern, der jeweiligen und der zusammen bewusst wahrgenommenen, und vorübergehend, vorläufig diese neblige Birkenwaldlandschaft imaginieren als adäquate Umgebung für Ihre Selbst-Befragung nach den Resultaten und dem Limit des Daseins. Ihr Gespräch spart die Dürftigkeit der eigenen Erkenntnisfähigkeit nicht aus, dieses Defizit an sicherem Wissen und Glauben wird wiederkehrend benannt und beklagt, dass „kein Mensch sagen kann, woran er überhaupt, was er eigentlich hat, was das ist, was ihm da fehlt, was ihn da auffrisst, was ihn da so innerlich verbrennt, irgendeine Diagnose darf man doch erwarten"[2], denn die stünde „einem doch zu, eine Diagnose, irgendeine Erklärung für das, für dieses". Nur liefert einem diese Erklärung, warum man ist und wonach man strebt, weshalb man wie und wann geht, keiner, am wenigsten ist sie von den Apparaten rings um das Sterbebett zu erhoffen, aber an die richtet sich die Forderung auch nicht. Dushes Frauen sinnieren mit einem so merklichen Bedürfnis nach Transzendenz über die letzten Dinge und jenes „Irgendwas" als „Auslöser"[3] der Existenz, dass ihr Gespräch am ‚Abschiedsort' des nebligen Birkenwalds zwangsläufig eine jenseitige Instanz der Existenz-Begründung im Abschiedsmoment erfasst – „Was ist das, dort drüben" –, zugleich aber den Zweifel in die Erwägung einschließt, ob es „ein beschissenes metaphysisches Märchen" ist, „das mit der Seele und dem Fenster"[4].

Ihr Miteinandersprechen, der Gedankenaustausch, das Vereinbaren von gemeinsamen Grundannahmen in einer Umgebung von existentiellen Irritationen, Brüchen und Abbrüchen, erschließt sich als Gemeinschaft stiftende, vielleicht einzige bleibende zwischenmenschliche Qualität erneut, wenn sich die Frauen generationenübergreifend auch in Dushes Stück *Von der langen Reise auf einer heute überhaupt nicht mehr weiten Strecke*[5] ihres Zusammenhalts, ihrer gemeinsamen Geschichte von Bewährungen und Prüfungen versichern. Und mit ihrem Gespräch setzt sich die Erinnerungsarbeit zur Geschichte einer deutschen Familie fort, allerdings nun anhand früherer Kapitel. Jene Vaterfigur, von der in *Lupus in fabula* Abschied genommen wurde, macht sich in dem hier ins Gedächtnis gerufenen Lebensabschnitt zusammen mit Frau und Töchtern und unter Zurücklassen der Großmutter auf den Weg vom Osten in den Westen.

Das von drei Frauen in Episoden und mittels Objekten rekapitulierte, archivierte und verbalisierte Familienleben umfasst die Geschicke der Kriegs-, Nachkriegs- und der Wendegeneration als ein „Puzzle"[6], dessen Teile nicht mehr zusammenpassen, das nicht vollständig wird, lückenhaft bleiben muss: Wie bereits in *Lupus in fabula* gehen die Gespräche der Figuren über ihre Lebenswirklichkeit von einem Moment des Abschiednehmens aus: Die Familie sortiert und verpackt ihre Habseligkeiten vor der Ausreise aus der DDR. Das familiäre Davor kommt dabei zur Sprache, die Verfehlungen, das Mitläufertum der Großelterngeneration während der Nazizeit. Diese Generation wird folglich in einem symbolischen Akt mit der Ausreise ebenso als abgeschiedene Vergangenheit zurückgelassen wie die zweite, die sozialistische Diktatur mit allem erinnerten Schikanösen des Überwachungsstaats und der deprimierenden Erfahrung, aufgrund eigener Überzeugungen, des Glaubens isoliert und geschmäht worden zu sein.

Die als untauglich angesehene Lebensumgebung, die man verlässt, ist Ausgangspunkt, die unbekannte Realität der freiheitlich verfassten Gesellschaft der Ort, den man ansteuert, der Hoffnung verheißt auf Zugehörigkeit, ein durch Welthaltigkeit reicheres Leben. Mit letzterem war etwas Anderes gemeint als das „Hochglanzding"[7], die Realität der bunten Konsumwelt, die nunmehr wiederum Irritationen, psychosomatische Abwehrreaktionen hervorruft, das Empfinden von Fremdheit und Ermüdung. Dass man auch hier intellektuell limitiert ist, allzu oft „Miniaturbürgern mit den Herzen im Kleinstformat" begegnet, daran leiden die widerständigen Fragestellerinnen neuerlich.

Ihre dringlichen Auseinandersetzungen zum individuellen und gemeinschaftlichen Selbstverständnis bereiten die in *Lupus in fabula* angestrengten Gedanken über die letzten Dinge vor:

> MUTTER Es wird alles gut werden, mmh?
> EINIGE Das versprichst Du uns jetzt schon eine ganze Weile
> MUTTER Was?
> EINE Wie bitte, das heißt wie bitte
> EINIGE Du versprichst uns das jetzt schon eine ganze Weile, das mit dem Gutwerden,
>   aber es wird nicht gut, Mama, es wird überhaupt gar nicht gut werden
> MUTTER Aber anders. Es ist doch anders geworden.
> EINIGE Anders heißt aber nicht gut.

MUTTER Ja.

EINIGE Anders heißt einfach nur anders.

MUTTER Ja!

EINIGE –

MUTTER Anders heißt schon mal ein Schritt in die richtige Richtung.

EINIGE Anders kann aber auch der Schritt in die falsche Richtung sein

MUTTER Schluss jetzt.

EINIGE Anders kann der Schritt in die komplett falsche Richtung sein, anders kann
der der komplett falsche Weg

MUTTER Schluss habe ich gesagt, Schluss jetzt!

ALLE –

EINE Überhaupt nichts wurde gut!

EINIGE Überhaupt gar nichts wurde gut, nichts, nichts, nichts wurde gut, und das
weißt du auch.[8]

Wiederum dient der Gedankenaustausch dem gegenseitigen Versichern der existentiellen Zweifel. Die Rede über das eigene Befinden, das versuchte Vergegenwärtigen der eigenen Vergangenheit, Lebensgeschichte anhand von Objekten, die Erinnerung anregen, ist in ihrem Willen zur Selbstentblößung direkt und wahrhaftig. Statt vorgeschützter Zuversicht und leichtgläubigem Vertrauen auf ein gelingendes Dasein wird konsequent in Frage gestellt. Lebenskluge Skepsis bestimmt die von Dushes Figuren unternommene Bewegung durch die Gedächtnislandschaften, bevölkert von Dauer- und Gelegenheitsbesuchern und angereichert mit alltäglichen mehr oder minder belangvollen Gegenständen aus dem Einst und Jetzt. Immer dann, wenn beim gemeinsamen Sinnieren Idealisierung beginnt, die Erinnerung vage wird, erhebt eine der Sprecherinnen Einspruch, um gegebenenfalls einer anderen Sicht auf das Geschehene zum Recht der Erzählung zu verhelfen. Dieser Ansatz gedanklicher und praktischer Geschichtssicherung, zumindest gesprächsweise Souverän des eigenen Lebens und der eigenen Lebenszweifel zu sein, frei, darüber nachdenken zu können und zu müssen, was war, mit mir, mit uns, was mich, was uns früher ausmachte, dieses nahezu zwanghafte Unterfangen wird stets als Prozess auch mitreflektiert. Was bedeuten Gedächtnis und Erinnerung, die mit ihrem Träger vergehen? Haben die bewahrten Informationen überhaupt einen Nutzen, wenn es doch ohnehin für den Einzelnen „meist immer in die falsche Richtung"[9] geht, die Vergangenheitsreferenzen keinen Einfluss auf die Gegenwart haben.

Weshalb soll das im Gedächtnis Gespeicherte noch aktiviert und mitgeteilt werden, wenn es doch nichts bewirkt? Schwächt dieser Prozess des Sich-Erinnerns, Sich-Befragens nicht? Ist es nicht besser, mit dem Gewesenen abzuschließen, sich nicht mehr zu besinnen, nichts aufzubewahren, an nichts mehr sich emotional zu binden?

Für die sich Befragenden, Erinnernden, über sich Nachdenkenden bedeutet sowohl die Konfrontation mit der eigenen Vergangenheit, den Ängsten Ost – Überwachung, Indoktrination, Unfreiheit – und den Ängsten und Verunsicherungen West – der neu empfundene höhere Status des Geldes einerseits, von dem die Verwirklichung von Wünschen abhängt[10], der registrierte Bedeutungsverlust immaterieller Werte andererseits[11] –, die im Körpergedächtnis haften bleiben, Anstrengung, wie auch diejenige mit einem Lebensumfeld Unbehagen auslöst, in dem die intensive Auseinandersetzung mit sich selbst Sozialisierung nicht fördert, wenn man vollends dazugehören, integriert sein will. Ist der Reflektierende denn immer in Opposition, angewiesen auf die allerkleinste Gemeinschaft derer, die sich nicht scheuen, Unsicherheit zu bekennen, sich auszusprechen? – „Es wird schon werden, ja?"[12] Nein, sicher sind sich die skeptischen Sprecherinnen in Dushes Texten allenfalls in ihrem grundsätzlichen Zweifel, gleich, welches gesellschaftliche Umfeld sie umgibt. Das Gefühl des Unbehaustseins wird nicht geringer, zumal die diversen Gewährsobjekte der eigenen Identität, in *Von der langen Reise auf einer heute überhaupt nicht mehr weiten Strecke* etwa Schallplatten mit Werken Bachs und Händels oder Bücher von Volker Braun und Peter Hacks, durch welche die Erzählerinnen ihren Erinnerungsraum versuchsweise abstützen, Objekte, die ebenso von einem System ins andere übersiedeln, von einem deutschen Staat in den nächsten, ihre Wirkung als potentielles Stabilisationsmaterial des Selbst in der neuen Umgebung der Konsumgesellschaft einbüßen. Sie können ihren Lesern und Hörern keine Orientierung mehr bieten, ihre Aufzählung ist eine Verlustliste von Kulturgut, das einmal zweifelsfrei Halt bedeutete und dessen Wert nun fraglich ist.

Der Versuch, sich auf dem unsicheren Seinsgrund auch mittels solcher Behelfe fremder Hand kurzzeitig Halt zu verschaffen, findet sich ebenso in der „Bühnenelegie für drei Spielerinnen und einen Männerchor von drei Stimmen" *In einem dichten Birkenwald, Nebel*[13], nun aber in Form direkter Zitate oder gesanglicher Reminiszenz, wobei ins Reservoir künstlerischer Lebenshilfe neben den Hervorbringungen der Altvorderen von Shakespeare bis Robert Burton hier auch solche von Iggy Pop oder Tocotronic aufgenommen werden. Und dies nicht grundlos, sehen sich doch die miteinander Sprechenden im „Birkenwald" im Unterschied zu jenen in *Von der langen Reise* und in *Lupus in fabula* vollends und ausschließlich mit der freiheitlich konsumistischen Wirklichkeit konfrontiert, die es wenigstens partiell zu verstehen gilt. Die von den anderen Stücken vertraute Figurenkonstellation ist in *Birkenwald* modifiziert und erweitert, denn zur jungen Frau, der anderen, die es schon lange nicht mehr ist (Wedernoch), und der alten und noch viel älteren Frau ist nun eine Gruppe dreier Männer beigesellt an jenem auch in *Lupus in fabula* beschworenen Gedächtnisort des nebligen Birkenwalds, der in diesem Stück aber tatsächlich Refugium ist und zugleich Platz des Erinnerns, Beräumens, Lichtens.

Zunächst aber wird dieser Erinnerungsraum von einem neuen Ton beherrscht: Die Frauen bleiben zunächst schweigsam, während sich die Männer bemühen, sich zu besinnen, einen nicht vorhergesehenen Moment zu beschreiben, der ihr Leben veränderte. Sie versuchen, den jeweiligen Einschnitt in die Normalität, der diese fortan unmöglich machte, sprachlich zu ermessen: Eben noch hat man etwas vollkommen Alltägliches getan, etwas Banales, Belangloses, eben war es noch wie immer, gedankenlos schaltete man im eigenen Dasein, plötzlich aber wurde das Heft des Handelns aus der Hand genommen, sind „alle Lichter ausgegangen"[14]: eine plötzliche Unaufmerksamkeit beim Autofahren aus Erschöpfung etwa, seitdem gibt es ein Davor und Danach und vor allem jetzt auch erst den Gedanken an ein grundsätzliches, ein definitives Danach, ein Moment physischer und psychischer Erschöpfung vielleicht, in dem man sich im eigenen gelebten Leben mit Arbeit und Familie nicht mehr wiedererkennt, sich nicht und auch die eigenen Kinder nicht mehr, in dem man das Gefühl hat, das Gesicht zu verlieren, dass sich die „Existenz Stück für Stück aufzulösen"[15] scheint.

In dieser Krise, die die in Gang gesetzte Selbstüberprüfung noch verstärkt, beginnt alles nichtig zu werden, man ist haltlos, kann und möchte aber auch nicht mehr wie zuvor fraglos funktionieren.

Was die Betroffenen zunächst als Eintrübung der Wahrnehmung, Verdunkelung des Lebenslichts beschreiben, stellt sich im Erinnerungs- oder Gedächtnisraum, an dem sie sich als einander verwandte Versehrte zu ihrer Analyse zusammenfinden, als allmähliche Aufklärung, erhellende Arbeit am Selbst heraus, es ist ein Vorgang des gedanklichen Lichtens, gleichzeitig mit dem sinnbildlichen Platzschaffen des Baumfällens am Treffpunkt dieser speziellen Selbsterfahrungsgruppe.[16]

Alle Beteiligten haben offenkundig, wenn sie sich gerade hier einfinden, die Erfahrung des freiwilligen oder unfreiwilligen Ausstiegs aus ihrem gedankenlosen, zuvor nicht hinterfragten Dasein hinter sich. Die einmal begonnene Befragung, mit der man die Modalitäten des eigenen Lebens ergründet, wird fortgesetzt, und damit geraten auch eigene Lebensweisheiten oder solche aus zweiter und dritter Hand auf den Prüfstand, von „Du hast ja ein Ziel vor den Augen, damit du in der Welt dich nicht irrst, damit du weißt, was du machen sollst, damit du einmal besser leben wirst"[17], das aus der Vergangenheit der übel zugerichteten sozialistischen Weltverbesserungsutopie herüberweht, bis zu „Ich will Teil einer Jugendbewegung sein"[18], dem boshaften Abgesang westdeutscher Wohlstandsjünglinge auf gemeinschaftliche Sinnsuche.

„Wer weiß, für was man da abgestraft wird, und von wem eigentlich, ist's der Herrgott, der einen da so an der Kandare oder ist es nur eine Reihung unglückseliger Zufälle oder" – das fragt sich nicht nur der Chor der drei Männer, auch die drei Lebensalter und verschiedene Temperamente verkörpernden Frauen sind befasst mit der Erinnerungsarbeit, dem Ans-Licht-Bringen des Verschütteten im eigenen Leben. Ihre Selbstschau bestätigt zum einen die grundsätzliche Differenz, Fremdheit, die sie in ihren Beziehungen, Ehen spüren, wenn der Partner ein anderes Gefühl von Sicherheit beansprucht als sie selbst, ein Glück beschreibt, dem sie misstrauen. Ihre Reflexion bestärkt sie zum anderen nochmals in der Ablehnung materieller Güter als Treibstoff des Lebens und all der damit verbundenen Optionen zur Ablenkung vom Nachdenken über sich selbst: ein Garten vielleicht, eine Fahrt in den Süden... Ihr Nachdenken ist zugleich Mutmaßung, dass Ost und West mit ihren Lebensgeschichten nicht zueinanderfinden können, da ein unbeschädigtes Leben von der „goldenen Seite des Landes"[19] auf eines trifft, das beschädigt ist, zweifelnder, weil es eben nicht da aufwuchs, „wo keiner was zu verbergen hat, und wo es auch keinen etwas angeht, was man nicht zu verbergen hat"[20], da längst fraglos Selbstsichere auf lange schon Selbstzweifelnde treffen. Und die „Unbekümmertheit"[21] der ersteren bestätigt nur den Verdacht der Nachdenklichen, dass das, was jene als Lebensglück definieren, „eine schöne Zeit zu verleben, eine wirklich schöne, eine unbeschwerte"[22], doch etwas zu wenig sein dürfte für ihre Ansprüche an sich selbst.

Der Selbstzweifel ist diesen Skeptikerinnen aus Lebenserfahrung oder Lebensklugheit untilgbar eingeschrieben, ist ihr nicht zu verleugnendes Wesensmerkmal, das zwar womöglich ihre Gesellschaftskonformität einschränkt, aber sie ziehen es vor, ramponiert und ihrer selbst bewusst zu sein, als mit „ein bisschen Chemie" oder „ein wenig Sport", „Stretching" oder einem „fröhliche[n] Lied"[23] die allseits als Leitbild propagierte Fitness, Munterkeit, Kerngesundheit und Optimismus zu simulieren oder weiter daran zu glauben, dass solche wie die rekapitulierten eigenen Unternehmungen, sich irgendeiner Gruppe anzuschließen, in ihr aufzugehen, sich also im Chor, bei den Veganern oder sonst wo anzupassen[24], eventuell dauerhaft oder vorübergehend die isolierende Skepsis verdrängen, aufheben, aussetzen könnten.

Auch wenn ihre Form der Reflexion keine profitable sein mag nach den gesellschaftlichen Normativen – „Die Erinnerung hat keine Konsequenz"[25] –, Henriette Dushes Akteure beharren auf dem Gespräch, Selbstgespräch als ihrer einzigen Option, sich zu verstehen, verständlich zu machen, die Sinne zu schärfen, so dass in den Aussagen das, was den Blick verstellt, gefällt, gerodet wird, bis sich die Gedanken im nebligen Birkenwald der Introspektion lichten. Das heißt, in der Folge des einmal begonnenen Prozesses der Reflexion wird all jenes, das „Lähmung"[26] verursachte, zunächst konstatiert, der Wille zum Innehalten, zum Beendigen sinnentleerter Aktivität und die Abtrennung aus Verhältnissen, Beziehungen, die „Glück" vortäuschen, erwogen. von den vorgeblichen

Sicherheiten der Wissenschaft bis zu jenen des Glaubens – „Von guten Mächten wunderbar geborgen, erwarten wir getrost, was kommen mag"[27] –, auch von den eigenen Illusionen, Erwartungen hinsichtlich der meditativen Selbstschau: „so zurückkommen zu mir, das wollte ich", aber damit wird es „nicht wieder früher"[28], der Zustand vor dem Zweifel ist nicht zurückzuerlangen, das Streben nach dem kleinen Glück auf Dauer, einer Souveränität in Äußerlichkeiten:

> Über was wollen Sie denn sprechen? Wollen wir ein bisschen über den Tod plaudern vielleicht? Über diesen Abgrund zwischen Ihnen und der Welt, über den Ihnen weder die körperliche Liebe noch das geistige Wohl Ihrer Kinder hinweg hilft, wollen wir darüber ein bisschen sprechen vielleicht?[29]

Ist eine solche Illusionslosigkeit zu ertragen? Kann man so leben? Offenkundig nicht jeder. Mancher zieht es vor, ein solches vom Selbstbetrug befreites Dasein zu beenden, in dem, wenn man mit sich ehrlich ist, alles, was man unternimmt, die Existenz höchstens anders macht – aber „Anders heißt doch noch lange nicht gut, oder?"[30]

Dies gilt insofern, wenn man Henriette Dushes genannte Theatertexte als aus Einzelstimmen oder chorischen Meinungsbekundungen zusammengesetzte Reflexionen liest, deren Basis das Bewusstsein der Transformation ist und die von dieser geprägte individuelle und gemeinsame Lebenserfahrung. Da Dushes Akteure aus der sozialistischen „Disziplinargesellschaft"[31] in eine vermutetermaßen freiheitliche überwechseln, um nicht mehr „Gehorsamssubjekt"[32] zu sein, sind sie, zumal nach dem endgültigen und vollständigen Verschwinden der ostdeutschen „Gesellschaft der Negativität", des „Nicht-Dürfen[s]"[33], alternativlos konfrontiert mit „eine[r] ganz andere[n] Gesellschaft [...], nämlich eine[r] Gesellschaft aus Fitnessstudios, Bürotürmen, Banken, Flughäfen, Shopping Malls und Genlabors", „nicht mehr die Disziplinargesellschaft, sondern eine Leistungsgesellschaft" umgibt sie, in der sie „Leistungssubjekt", „Unternehmer ihrer selbst"[34] sind, eine Gesellschaft, die sich der Negativität entledigt hat und sie durch einen „Kollektivplural der Affirmation", des Alles-ist-möglich ersetzt. „An die Stelle von Verbot, Gebot oder Gesetz treten Projekt, Initiative und Motivation."[35]

Die allerdings auch „der Leistungsgesellschaft innewohnende *systemische* Gewalt"[36], die nunmehr „Freiheit und Zwang zusammenfallen" lässt, sodass das „Leistungssubjekt" in effizienter Selbstausbeutung „im *freien Zwang* zur Maximierung der Leistung" den „Exzess der Arbeit und Leistung verschärft"[37], ruft Erschöpfungszustände hervor und provoziert Krisen gerade bei jenen, die, wie Dushes Akteure, über das „erschöpfte *Selbst*" nachdenken, ihre „erschöpfte, ausgebrannte Seele"[38] zu kurieren oder vor dem psychischen und physischen

Zusammenbruch zu bewahren suchen. Wenn es dazu nicht bereits zu spät ist, stellen sie für sich und ihre Existenz Sinnfragen, „warum alle menschlichen Tätigkeiten in der Spätmoderne auf das Niveau des Arbeitens absinken, warum es darüber hinaus zu einer so nervösen Hektik kommt"[39], worin die Orientierungsoptionen für ein gelingendes Leben in dieser Gesellschaft liegen könnten jenseits der abgewirtschafteten Utopien oder abgedankten Glaubenssicherheiten.

Dieser „Glaubensverlust", den die Sprecherinnen in Dushes Text vielfach direkt oder indirekt konstatieren[40],

> der nicht nur Gott oder Jenseits, sondern auch die Realität selbst betrifft, macht das menschliche Leben radikal vergänglich. [...] Nichts verspricht Dauer und Bestand. Angesichts dieses Mangels an *Sein* entstehen Nervositäten und Unruhen. [...] Auch die Religionen als Thanatotechnik, die einem die Angst vor dem Tod nähmen und ein Gefühl der Dauer hervorbrächten, haben ausgedient. [...] Aufgrund der fehlenden narrativen Thanatotechnik entsteht der Zwang, dieses bloße Leben unbedingt gesund zu erhalten[41],

mit „Sport", „Stretching", Gymnastik"[42], „Yoga", „Qi Gong" oder „Psychoanalyse" in immer neuen Anläufen, hektischer, manisch werdenden Exkursionen, Autonomie zu erlangen, zu sich selbst zu kommen und zugleich dem „Ende"[43] so lange irgend möglich zu entgehen. Doch, wie Dushes Schwermütige und Sinnsucherinnen nach geraumer Zeit feststellen, ist dies ein Leerlauf, nur durch eine Vielzahl kurzfristig funktionstüchtig machender Mittel von „Abilify"[44] bis „Zyprexa"[45] durchzuhalten, und „eine Illusion zu glauben, je aktiver man werde, desto freier sei man"[46]. Jener gesellschaftlich oktroyierten ‚puren Aktivität' in fragloser Fortsetzung des permanenten Leistungsnachweises kommen Dushes Figuren nach mitunter drastischen Momenten „des Innehaltens"[47] nicht mehr nach, es ereilt sie „das Gefühl, dass meine Angelegenheiten nicht mehr von mir durchlebt werden wollten"[48]. Sie existieren „in einer Welt, die sehr arm ist an Unterbrechungen, arm an Zwischen und Zwischen-Zeiten. Die Beschleunigung schafft jede Zwischen-Zeit ab"[49]. Eine solche Unterbrechung aber erleben Dushes Akteure als Möglichkeit, vorübergehend, aber besser noch dauerhaft aus dem fremdbestimmten, bedenkenlosen Funktionieren nach den Konventionen ihrer Lebenswelt auszuscheiden in eine nur ihnen zustehende autonome ‚Zwischen-Zeit': „Wir scheißen auf die Zeit, Herr Doktor, hören Sie? [...] Unser größter Feind ist die stetig fortlaufende Zeit"[50]. Es ist nicht nur ein Ausbruch aus der Routine des Berufs- und Familienlebens, sondern auch einer der sonst gemäß der sozialen Verhaltensnormen unterdrückten Emotionen, von „Lust und Schmerz"[51], Trauer und Wut, die sie nun mit Vehemenz zulassen, neu an sich entdecken, denn:

Im Zuge einer allgemeinen Beschleunigung und Hyperaktivität verlernen wir auch die Wut. [...] Die Wut ist ein Vermögen, das in der Lage ist, einen Zustand zu unterbrechen und *einen neuen Zustand beginnen zu lassen.* [...] Die zunehmende Positivisierung der Gesellschaft schwächt auch Gefühle wie Angst und Trauer ab, die auf einer Negativität beruhen, d.h. Negativgefühle sind.[52]

Wer sich in auf den ‚neuen Zustand' von Melancholie, Nachdenklichkeit und Wut einlässt, produziert, reproduziert sich nicht mehr, ist aus dem Takt, entspricht nicht mehr der Norm und ihren Vorgaben eines gelingenden, erfolgreichen Daseins. „Vielleicht wäre es doch besser gewesen für mich, ein bisschen leichter oder beschwingter"[53], doch das Diktat einer „fröhliche[n] Zeit"[54] – „fröhliche Herzen, strahlender Blick"[55] – gleich, unter welcher gesellschaftlichen Ordnung, wird nicht mehr akzeptiert, weil es nur das einschließt, was „unbeschädigt"[56] ist, ohne Skrupel und Bedenken eine vom „Scheiß-Geld"[57] gewährleisteten „Unbekümmertheit"[58] anstrebt, jenen „Spaß"[59] der permanenten ablenkenden Aktivität, der alle Aspekte des Zweifels, des Innehaltens und „Nicht-Könnens"[60], von Nachdenklichkeit als zunächst passivem Widerstand eliminiert:

Wenn man nur die Potenz, etwas zu tun, besäße und keine Potenz, nichts zu tun, so käme es zu einer tödlichen Hyperaktivität. [...] Unmöglich wäre das *Nachdenken*, denn die positive Potenz, das Übermaß an Positivität, lässt nur das *Fortdenken* zu. Die Negativität des *nicht-zu* ist auch ein Wesenszug der Kontemplation.[61]

Eine solche Negativität, mündend in Hinweise auf den ultimativen „Abschied"[62], gegeben mit sarkastischer Unerbittlichkeit, „Langmut"[63] oder (Auto-)Aggression, entfaltet sich in Henriette Dushes allmählich gelichtetem Birkenwald, wenn dort nach der deprimierenden „Erschöpfungsmüdigkeit" als „Müdigkeit der positiven Potenz", die „unfähig [macht], *etwas* zu tun", dem Ausstieg aus der Leistungsgesellschaft, nun die kontemplative „Müdigkeit, die inspiriert", ausgekostet wird, „eine Müdigkeit *der negativen Potenz*, nämlich des *nicht-zu*", „eine *Zwischenzeit* [...], eine Zeit ohne Arbeit, eine *Spielzeit*"[64] und sei es auch nur für ein „*Abschiedslied*"[65]. Derart „der Aktivgesellschaft entgegengesetzt"[66] zu „spielen", zu sein, ist der „Trumpf"[67] jener „Gesellschaft der Müden im besonderen Sinne", die als „*Müdigkeitsgesellschaft*"[68] der Skeptiker und Illusionslosen, der Nachdenker anlässlich zur gemeinsamen „*Lichtung*"[69] zusammenfindet. Und diese erlaubt es einem, sei es nun „*unschlüssig*"[70], „*ernst*"[71] oder „auf die allereinfachste Philosophie reduziert"[72], sich dem „*Nichts*"[73] zu stellen, und zugleich, damit konfrontiert und deseingedenk, sich mit solchen bewusst gemachten spielerischen Optionen der Kontemplation wie dem offensichtlichen Schönen

der Erinnerung in ihr selbst Dignität mit mehr oder auch „*weniger Pathos*"[74]
zu bewahren. Insofern ist die Fiktion des fürsorglichen Vaters, welche Dushes
Stück *In einem dichten Birkenwald, Nebel* beschließt, als Hommage an die
Gemeinschaft herstellende Kraft der eigenen Phantasie, die Literatur zu verstehen, zumal sie als Erfindung und ephemer publik gemacht wird. Darauf können
sich Henriette Dushes besonders Skeptische und besonders Müde einigen, und
wenn nicht darauf, so doch immerhin auf geistige Getränke:

ALTE	Erinnerst du dich noch, früher, ganz früher, als wir noch viel klei-ner, als wir noch zu Hause waren.
WEDERNOCH	[...]
ALTE	Erinnerst du dich an den Vater.
WEDERNOCH	Wer nicht.
ALTE	Wie er jeden Morgen aufgestanden ist.
WEDERNOCH	[...]
ALTE	„Er ist jeden Morgen als erster von allen aufgestanden und servierte dann jedem seiner Mädchen ein eigenes Frühstück."
WEDERNOCH	Das denkst du dir aus.
ALTE	Für die eine Kaffee, Kakao für die andere, und Milch für die Jüngste.
WEDERNOCH	Das stimmt doch gar nicht.
ALTE	„Auch als wir schon erwachsen waren, kochte er, sofern wir Mäd-chen früh genug aufstanden, diese Getränke."
WEDERNOCH	[...]
ALTE	Jeden Morgen machte er das, zuerst kochte er den Kaffee, und dann die Milch für den Kakao.
WEDERNOCH	Er hat sich nur den eigenen Tee gekocht, für sich allein hat er den gekocht, und dann hat er ihn schweigend zur Zeitung am Küchen-tisch getrunken.
ALTE	„Wirklich jeden Morgen machte er das, nicht nur an den Sonnta-gen, sondern wirklich jeden Tag."
WEDERNOCH	So ein Unsinn.
ALTE	Haben wir noch irgendetwas zu trinken im Haus?
WEDERNOCH	[...]
ALTE	Mmh?
WEDERNOCH	Was ist mit dem Whiskey, wir hatten doch...
ALTE	[...]
WEDERNOCH	Der Whiskey ist aus?
ALTE	Der Whiskey ist aus, ja.
WEDERNOCH	[...]
ALTE	Tut mir leid, tut Tut mir wirklich leid. Noch einen Wein vielleicht?[75]

Anmerkungen

* Der Text basiert auf der Laudatio anlässlich der Verleihung des Christian-Dietrich-Grabbe-Preises 2014 an Henriette Dushe für *In einem dichten Birkenwald, Nebel* am 16. Januar 2015 im Grabbe-Haus.

1 Henriette Dushe: Lupus in fabula. Berlin 2013, S. 45.

2 Ebd., S. 52.

3 Ebd., S. 53.

4 Ebd., S. 65.

5 Henriette Dushe: Von der langen Reise auf einer heute überhaupt nicht mehr weiten Strecke. Berlin 2014.

6 Ebd., S. 15, auch S. 24f., z.B. „Wenn ich mich nicht an ein kleines Puzzle erinnern kann, wie soll ich mich denn daran erinnern, ob das Nicht-Erinnerte mir gehört hat?"

7 Ebd., S. 26.

8 Ebd., S. 42f.

9 Ebd., S. 21.

10 „Wir haben die Welt dann doch nicht gesehen, Mama, gib's zu, dafür hat's dann nie gereicht, für die ganze Welt war's immer zu knapp und viel zu wenig." Ebd., S. 63.

11 „Mein Verhältnis zu Gott hatte sich ein wenig abgekühlt." Ebd., S. 66.

12 Ebd., S. 68.

13 Henriette Dushe: In einem dichten Birkenwald, Nebel. Berlin 2013.

14 Ebd., S. 6.

15 Ebd., S. 11.

16 Von den philosophischen Stichwortgebern für diese Denkarbeit sei Martin Heidegger genannt, vgl.: Der Ursprung des Kunstwerks. In: Holzwege. Frankfurt a. M. 1950, S. 61, von den literarischen beispielhaft Thomas Bernhard: Korrektur. In: Werke, Bd. 4. Frankfurt a. M. 2005, S. 317f.

17 Dushe: Birkenwald, S. 11.

18 Vgl. ebd., S. 24.

19 Ebd., S. 21.

20 Ebd., S. 22.

21 Ebd., S. 23.

22 Ebd., S. 25.

23 Ebd., S. 31f.

24 Vgl. ebd., S. 40ff.

25 Ebd., S. 38.

26 Ebd., S. 38.

27 Ebd., S. 48.

28 Ebd., S. 53.

29 Ebd., S. 59.

30 Ebd., S. 57.

31 Byung-Chul Han: Müdigkeitsgesellschaft. Berlin 2010, S. 19, unter Bezugnahme auf die Terminologie und Gesellschaftsanalyse Michel Foucaults.

32 Ebd., S. 19.
33 Ebd., S. 20.
34 Ebd., S. 19.
35 Ebd., S. 20.
36 Ebd., S. 22.
37 Ebd., S. 24.
38 Ebd., S. 22.
39 Ebd., S. 35.
40 Dushe: Birkenwald, S. 28: „Sorry, Herr Doktor, sorry, ehrlich, tut uns jetzt wirklich herzlich leid, aber an eine uns tröstende, an eine uns alle heilende Zeit, ha!, daran glauben wir schon lange nicht mehr." Ebd., S. 29: „Das Paradies, Herr, das Schlaraffenland, das Nirwana, El Dorado und das Goldene Land, das gibt es nämlich alles nicht."
41 Han: Müdigkeitsgesellschaft, S. 35f.
42 Dushe: Birkenwald, S. 32.
43 Ebd., S. 49f.
44 Ebd., S. 40.
45 Ebd., S. 43.
46 Han: Müdigkeitsgesellschaft, S. 42.
47 Ebd., S. 42.
48 Dushe: Birkenwald, S. 11.
49 Han: Müdigkeitsgesellschaft, S. 43.
50 Dushe: Birkenwald, S. 28f.
51 Ebd., S. 29.
52 Han: Müdigkeitsgesellschaft, S. 43ff.
53 Dushe: Birkenwald, S. 57.
54 Ebd., S. 25.
55 Ebd., S. 13.
56 Ebd., S. 21.
57 Ebd., S. 16.
58 Ebd., S. 23.
59 Ebd., S. 24.
60 Ebd., S. 15.
61 Han: Müdigkeitsgesellschaft, S. 46f.
62 Dushe: Birkenwald, S. 45 und 53.
63 Ebd., S. 29.
64 Han: Müdigkeitsgesellschaft, S. 62.
65 Dushe: Birkenwald, S. 56.
66 Han: Müdigkeitsgesellschaft, S. 63.
67 Dushe: Birkenwald, S. 59.
68 Han: Müdigkeitsgesellschaft, S. 63.
69 Dushe: Birkenwald, S. 13.
70 Ebd., S. 61.

71 Ebd., S. 56.
72 Roland Barthes: Fragmente einer Sprache der Liebe. Frankfurt a. M. 2004; zit. nach Dushe: Birkenwald, S. 58.
73 Dushe: Birkenwald, S. 54.
74 Ebd., S. 62.
75 Ebd., S. 61f. Zitate frei nach Monika Maron: Pawels Briefe. Frankfurt a. M. 1999; vgl. Dushe: Birkenwald, S. 63.

Henriette Dushe

Dankesrede zur Verleihung des Grabbe-Preises 2014

Sehr geehrter Herr Metzger,
sehr geehrter Herr Dr. Katzschmann,
sehr geehrter Herr Dr. Schütze,
sehr geehrter Herr Prof. Dr. Ehrlich,
sehr geehrte Damen und Herren der Grabbe-Gesellschaft,
sehr verehrte Damen und Herren,

vielen herzlichen Dank für die vorangegangenen Worte, vielen Dank für den schönen und liebevollen Empfang hier im Geburtshaus Grabbes – Und ein Dankeschön aus tiefstem Herzen für den mir – beziehungsweise für den meinem Text – zugestandenen Christian-Dietrich-Grabbe-Preis, der mich für ein paar Monate dem Zwang enthebt, jeden Auftrag, der Lohn verspricht, anzunehmen, und mir so ein intensives Schreiben ermöglicht, und der dann aber doch noch sehr viel mehr ist, als eine finanzielle Zuwendung: Die mit dem Preis verbundene Uraufführung verstehe ich als Anerkennung meiner Arbeit, und diese Anerkennung ermutigt mich, weiter zu schreiben, weiter schreibend zu denken, weiter nach dialogischen Formen der Auseinandersetzung mit der Welt und mit dem Leben zu suchen.

Man bat mich, ein paar Worte vorzubereiten für den heutigen Nachmittag: Zu den Strategien meines Schreibens vielleicht oder zu meinen Prämissen als Theaterautorin – „Ihnen fällt schon was ein", sagt Herr Dr. Katzschmann am Telefon, und ich überlege, ob ich nicht gleich noch einmal zurück rufen sollte, um zu sagen: „Es tut mir leid, ich kann das nicht, so offen und öffentlich sprechen, das macht mir Angst und allein die Vorstellung lässt mich kaum schlafen". Aber weil mir das Absagen einer Rede zu einem Anlass mir – beziehungsweise meinem Text – zu Ehren peinlich erscheint, und ich mich damit bestimmt ganz deutlich als viel zu empfindlich zeige, lasse ich das.

Empfindsamkeit – Meines Erachtens eine wesentliche Grundvoraussetzung für das Schreiben, für das schreibende Denken, aber auch: bloß nicht als zu empfindlich gelten, bloß nicht als Autorin offen leiden am Betrieb, an der Welt und am Leben, und schon gar nicht vor einer Theateröffentlichkeit – Im vergangenen Jahr war ich mit einem anderen Stück zum Autorentag am Theater Essen eingeladen. Unter dem Titel „Stück auf!" konkurrierten zehn eingeladene Stücke und ihre Urheber um den Gewinn eines ansehnlichen Reisegeldes und einer Anerkennung in Form einer Uraufführung. Kurze Gespräche mit den Autoren bildeten den Auftakt zu Werkstattinszenierungen – Jedem Autor, jeder Autorin wurde dabei die Frage gestellt, wie er es mit dem Theater hielte, ob er im Falle des Sieges den Anspruch habe, den Proben beizuwohnen, gar mitzureden, oder aber ob er das Feld den eigentlichen Fachkräften überlassen würde, und es verwirrte mich zutiefst, dass alle Kolleginnen und Kollegen eifrig beteuerten, sie würden sich natürlich zurückziehen, den Betrieb nicht stören, sie könnten ihren Text los lassen, hätten ihre Arbeit ja schon getan und dergleichen mehr. Ich war die einzige, die offen bekannte: Ja, ich würde mich gerne mit den Menschen auseinandersetzen, die sich mit meinem Schreiben auseinandersetzen, was ist das Theaterschaffen anderes als permanenter Dialog auf allen Ebenen aller Beteiligten: mit der Sprache und der Empfindung, mit dem Körper, der auf einen Text trifft, mit Musikalität und Rhythmus, mit dem Intellekt und mit der Geschichte, und warum sollte mich dieser Dialog mit den Spielenden, den Inszenierenden als Urheberin eines Textes nicht interessieren, oder anders: Warum sollte ich als Urheberin eines dialogischen Textes vorwegnehmend beteuern, dass ich den eigentlichen Theaterprozess nicht stören werde? Warum begreifen sich Autorinnen und Autoren heute mehr denn je als Störende im Theaterbetreib und nicht als bereichernder Teil desselben?

Genau hier liegt meine Scheu, über Prämissen und Strategien der Theater-Autorenschaft zu reden, vergraben: Viel zu schnell schaltet mein Kopf auf Verteidigung meines Metiers, auch wenn das hier und heute an diesem Tage beileibe niemand gewollt, oder gar gefordert hat: Ich schiebe mich selbst sogleich mitten hinein in der seit nun mehr als einem Jahr neu angefachten und mitunter heftig und bitterböse geführten Debatte über die Nützlichkeit und Notwendigkeit der Autorin, des Autoren im Theaterbetrieb.

Manch Beitrag und manche Äußerung zu dieser Debatte sind regelrecht schmerzhaft, gerade wenn man sie am Schreibtisch liest, an dem man eigentlich gerade arbeiten will, und warum auch immer vielleicht gerade nicht kann und daher auf den einschlägigen Diskurs-Seiten des Internets spazieren geht: Da wird der und dem Schreibenden der Geniebegriff um die Ohren gehauen, den man sich selber zuschreibe, da wird der und dem überförderten Schreibenden abgesprochen, auch nur irgendeine Ahnung vom Theaterbetrieb im Allgemeinen und den Gegebenheiten einer Probe im Besonderen zu haben, da wird angemerkt, dass die Regisseure und kollektiv arbeitenden Gruppen heute die besseren AutorInnen wären, die die wesentlicheren Abende zu Stande brächten, die thematisch wirklich relevanten und nicht um sich selber kreisenden, und diese seien dann dabei auch nicht so kompliziert wie die echten Genie-Autoren, da werden verschiedene Arbeitsweisen und -formen gegeneinander vermessen, als ob nur das Eine ginge und Bestand hätte, und sich nicht an seinem Thema finden müsste, und ohnehin schaffe es aus jeder Generation Schreibender nur einer

über seine Zeit hinaus Relevanz zu haben, wenn überhaupt, dafür werden pro
Jahrgang gerne auch männliche Beispiele aufgezählt: Also lass es doch gleich,
lebst du schon oder schreibst du noch?

Man muss nicht darauf einsteigen, auf diese Debatte, am besten ignoriert man
sie, zumal die, die sie führen, häufig nicht-Schreiber oder ehemals-Schreibende
sind, ich nehme wieder öfter Freud zur Hand, und wundere mich, wie einfach
mitunter die Übertragung beispielhaft zu begreifen ist, und doch sickern die
Diskurs-Worte, die die Notwendigkeit des für das Theater schreibenden Autoren hinterfragen, die den für das Theater Schreibenden mitunter sogar lächerlich
machen, in mich hinein – Jetzt kann ich die Freudschen Thesen auch an mir
selber beobachten: Identifikation mit dem Angreifer – Aber auch: ein Beweis,
wie mächtig Worte sind, und wie bildend, im positiven wie auch im negativen
Sinn, die öffentliche Sprache ist: Sie hat von mir Besitz ergriffen, die Infragestel-
lung meines Metiers, ich fange an, mich für das Schreiben zu rechtfertigen, mich
vor allem für das dialogische Schreiben bestmöglich zu rechtfertigen, Gott sei
Dank: Da ist Theatererfahrung in der Vita vermerkt.

Ich muss sie wirklich derzeit immer wieder abschütteln, diese Debatte, die
viel zu laut ist, und das Wesentliche des Schreibens, des künstlerischen Aktes
unberücksichtigt lässt. Ich muss meine Empfindlichkeit dem Außen gegenüber
wieder in jene Empfindsamkeit zu Welt und Mensch eintauschen, die nicht nur
Grundvoraussetzung, sondern immer auch Anfangspunkt eines jedes Schreibens ist, und dieser erste Impuls jeder Arbeit ist das Stille-halten, ist die Ruhe;
der Impuls, der mich zum Schreiben kommen lässt, der liegt in einem Meer von
Zeit am Stück, so wie ich sie gerade von Ihnen geschenkt bekommen habe.

Und vielleicht wäre das eine wesentliche Prämisse meiner Arbeit: Die mich
umgebene Welt immer wieder anhalten und die allgegenwärtige debattenreiche
Hysterie alles und allem gegenüber vor die Tür verweisen – Wenn ich stolpere
über eine Erfahrung, über etwas Gehörtes, Gelesenes, Gesehenes, Vorgestelltes
oder Erzähltes, wenn ich etwas nicht aushalten kann, wenn mich etwas nicht
zur Ruhe kommen lässt: das eigene Ich und die gesamte debattierende Welt:
anhalten, weg schalten, entgegen der inneren Unruhe versuchen, stille zu sein
und nachzuhorchen, Eigenzeit behaupten, so, wie es die Frauen im *Dichten Birkenwald* tun:

A   Im Frühjahr wars, im frühen Frühjahr, an einem für diese Jahreszeit unge-
      wöhnlich milden Abend Mitte April. Bis vor einigen Tagen hatte es noch
      geschneit: Dicke schwere Flocken, die die Sonne bis nachmittags halb zwei
      vom Boden aufgeleckt hatte, zwei Schneeglöckchen behaupten sich unter
      der Kastanie im Hof, noch etwas unsicher auf den Beinen.

B Ja, wir erinnern uns genau, im Frühjahr war dieser Abend, an dem wir sitzen blieben und uns zur konsequenten Erinnerung entschlossen, das Fenster stand offen und ließ den ersten Frühlingswind zu uns hinein, in dem die Sehnsucht liegt, und das sommerliche Versprechen, und wir erinnern uns, ihn angefleht zu haben, diesen ersten Frühlingswind: Dass er sich noch Zeit lassen möge, viel Zeit

A Vom Stuhl waren wir herab auf die Knie gerutscht. Ohne großen Widerstand hatten sich unsere Hände wie von selbst zur längst vergessen geglaubten Geste des Gebets geformt: Wir wären noch nicht soweit, haben wir mit leicht brüchiger Stimme zum Herrgott gesagt, wir wären noch nicht bereit für einen neuen Sommer, haben wir zum Herrgott gesagt, wir wären nicht mehr und nicht länger bereit für den Fortgang der Zeit.

Die Welt und all ihre öffentlich ausgefochtenen Debatten anzuhalten ist nicht immer, wie im Stück, der Ausgangspunkt einer schweren Depression – Der Zweifel an sich, an der Welt und ihrem Gerede scheint mir der wesentliche Anfangspunkt jeder künstlerischen Auseinandersetzung zu sein – Nicht, um sich der Welt zu entziehen, nicht, um alle Debatten als sinnloses Gekreisch zu überführen, sondern um allem Gesagten nachzuspüren, ihm auf den Grund zu gehen, sich ihm in aller Ruhe und mit denkender Empfindung gegenüber zu stellen, um es zu prüfen, um es zu verstehen, ihm eine passendere Sprache zu geben, als die Dinge vorgeben zu haben, eine Sprache, die komplexer und vielschichtiger ist, als die niemals müde werden wollende Meinungshysterie – Im besten Falle findet sich über eine solche Einkehr eine künstlerische Form, ein sinnlicher Ausdruck für den Zweifel am Weltenzustand, ein dialogisches Prinzip, ein erkenntniserweiternder Rhythmus, die die Zustände unserer Zeit nicht nur bloß nacherzählen, sondern sie in all ihrer Dichte und Schwere, in ihrer Brisanz, Bedeutung und auch Komik erfahrbar machen. Ob das allein in einem abgeschiedenen Arbeitszimmer oder im Zusammenschluss mehrere Menschen in einem Proberaum geschieht, erscheint mir dabei als einerlei: Es gilt allein, Räume zu öffnen, um in ihnen den Debatten der Zeit mit Ruhe und Konzentration, mit eigenem Gefühl und eigener Sprache zu begegnen – Und ich meine damit nicht die Debatte um die Notwendigkeit der oder des Theaterautorin, ich meine vielmehr die echten Zweifel: Zweifel an sich selbst, Zweifel am Leben und an der Welt und ich meine die Verzweiflung darüber, wie ich selbst, wie die Welt, wie Gesellschaft und Politik mit dem Zweifeln umgehen – Das Theater kann und soll und muss ein solcher Ort sein, und es erfüllt mich mit Glück, für einen solchen Ort schreiben zu können und zu dürfen. Vielen Dank.

Tatjana Rese

Notate zur Inszenierung *Herzog Theodor von Gothland* am Landestheater Detmold 2015

Das unspielbare Stück.

Eine Wiederbegegnung nach 30 Jahren. Wir hatten 1984 – ich war künstlerische Mitarbeiterin von Alexander Lang am Deutschen Theater – den *Gothland* für die DDR neu entdeckt. Über diese damals sehr artifizielle Interpretation ist die Zeit hinweggegangen; gravierende gesellschaftliche Entwicklungen in Deutschland, in der Welt, die globale Umwälzung der menschlichen Kommunikation und der Beginn einer territorialen und wirtschaftlichen Neuordnung der Welt mit Mitteln des kalten und heißen Krieges, das Wiederaufflammen des Rassismus und die Geburt eines neuen, globalen Terrorismus konfrontieren Grabbes alten Text mit einer anderen Realität.

Jetzt arbeite ich seit einigen Jahren am Theater in der Heimatstadt dieses Dichters, den ich seit meinem Studium verehrt habe. Verehrt habe ich in ihm den Einzelgänger, das Tragisch-Kompromisslose, das radikale Denken – für das alles hat er einen hohen Preis bezahlt –, es war eine Zuneigung zu einem unbekannten Bekannten, dessen bedrückende, beengende Lebensumstände den in der DDR sozialisierten Theaterleuten, Künstlern sehr verwandt und nachempfindbar erschienen. Jetzt verfolge ich seine Spuren in der kleinen Stadt im Lippischen, die diesen Sohn nie wirklich mochte, ihn wohl immer als anmaßend und spinnert empfunden hat, diesen „betrunkenen Shakespeare", diesen Nestbeschmutzer. Grabbes Grab versteckt im Schatten eines Altenheims, schmucklos neben dem seiner ihn überlebt habenden Mutter.

Die Idee, Grabbes Erstling wieder einmal anzufassen, kommt uns im Zusammenhang mit dem Thema unseres Jahresspielplans 2014/15 „Schlachten. Feste. Katastrophen." Es ist das Jahr des Gedenkens, der Erinnerung an den Ersten Weltkrieg, dieser Urkatastrophe des 20. Jahrhunderts, die uns als Nachfahren, Erben bis heute prägt, deren Folgen bis in die weltpolitische Gegenwart spürbar sind. Wir wollen den inhaltlichen Bogen von der philosophischen Frage nach Gewalt und Krieg als Existenzformen des Menschen hin zu den Folgen des Ersten Weltkrieges bis ins Jetzt spannen. So entsteht die Idee eines Doppelprojektes mit Grabbes *Gothland* im Großen Haus und dem Stück *Weltkrieg für alle* von John von Düffel auf der Studiobühne des Landestheaters, das in Grabbes Geburtshaus beheimatet ist.

Das unspielbare Stück.

Nun also Grabbe in Detmold. Der ehrgeizige Erstling eines jungen Mannes. Ich lese den *Gothland* nach fast 30 Jahren das erste Mal wieder. Es drängen sich nur wenige Erinnerungen an unsere damalige Arbeit auf, stärker ist die Wucht des Textes: verrückt, verquer, voller Widersprüche, mit drastischen, zum Teil unzumutbaren dramaturgischen Wendungen, eine Zumutung, aber mich überzeugt seine Wut, die aus jeder Zeile spricht. Weltenwut. Es ist die Wut eines jungen Mannes, der mit seinem ersten Stück hinausschreit: Ich will ein großer Dichter werden! Ich will die deutsche Dramatik und das deutsche Theater verändern! Es ist die Wut des Zuchtmeistersohns, der sich hinausschreibt aus dem Strafwerkhaus, in dem er Kindheit und Jugend erlebt, hinaus aus der geistigen Enge der lippischen Kleinstadt, hinaus ins Weltgeschehen. Da kommt mir ein großes Gedicht, ein Poem entgegen, hier hat einer den Kopf voll. Ich sehe die „zwergigte Krabbe" in der Mansarde des Hauses in der Bruchstraße 27 sitzen, zwischen Shakespeare und Schiller und frisst die Bücher in sich hinein, Reisebeschreibungen, Geschichtsbücher, entdeckt lesend die weite Welt. Grabbe glaubt, dass ihm schon „alle Höhen und Tiefen des Lebens" begegnet sind, und schreibt, 17jährig, an seiner Tragödie. „Verzweiflung ist der wahre Gottesdienst", das ist sein Credo für das geplante Drama: Es soll radikal sein, von der Verzweiflung eines Menschen erzählen, der durch eigene Schuld, aber auch durch die Bösartigkeit des Schicksals und seines Gottes – ja Gott verachtet er, das wird er der Welt sagen – ins Unglück gestürzt wird und viele, viele Hunderte und Tausende mit in den Untergang reißt. Die private Schlacht soll zur Völkerschlacht werden; der Teutoburger Wald ist um die Ecke. Er erfindet seine Gegenspieler: schwarz und weiß, der Europäer und der Fremde, der Neger, auch ein bisschen vom verehrten Shakespeare ausgeliehen, so gegensätzlich, dass er sie immer wieder aufeinander hetzen kann. Er spitzt das Geschehen, neben vielen großangelegten Schlachtszenen, kurzfristigen Wechseln zwischen Freund- und Feindeslagern und vielem Auf und Ab der feindlichen Heere, auf einen ebenso terroristischen wie listenreichen Zweikampf zu, in dem sich seine beiden Alter Egos am Ende zerfleischen.

Das soll eine Provokation werden! Ich bin ihm auf der Spur und empfinde mit, wie der junge Mann anschreibt gegen die Verlogenheit der biedermeierlichen Kleinstadt, in die immer wieder der modrige Geruch der Schlachtengräber des nahen großen Waldes hineinweht.

I c h und j e t z t, ein Fisch im Morast, der doch nicht stirbt, sondern sich durchdrängt. Die Welt ist mir bisweilen eine I, denn alles ist eins und einerlei, und nicht einmal Null(obgleich die Erde und der Himmel und der Menschenschädel ohngefähr so rund wie eine Null aussehen wollen). Vor Nullen kann man doch Zähler setzen, aber setz einmal vor die Welt eine 9, es werden doch keine 90 daraus.

Das schreibt Grabbe über sich; ich muss ihn mitreden lassen in der Aufführung.

Das unspielbare Stück.

Da liegt also dieses Monstrum vor mir. 217 Seiten. Mindestens 6 Stunden Theater. Ein eklektizistisches Machwerk. Es ist eine Mixtur aller seinerzeit existierenden Dramenformen: Schauerdrama und Schuldtragödie, Rührstück und Ritterschauspiel, Intrigenstück und auch ein wenig Geschichtsdrama. Es ist ein gigantisches Schlachtengemälde, und der Autor scheint von Bosheiten, Verraten, Intrigen, Totschlägern und Mördern nicht genug zu bekommen. Aber gerade hinter dieser Quantität verbirgt sich eine echte Qualität. Ist nicht das scheinbar Unwahrscheinliche nicht nur sehr wohl wahrscheinlich, sondern sogar real? Ist nicht unsere Welt voller dieser unglaublichen kriegerischen Finten und Wendungen, voller Intrigen, eine Massenschlacht von Gewalttätern? Beruht nicht unsere gesamte westliche Welt mit ihrem neoliberalen Kapitalismus auf Kriminalität? Der moderne Kapitalismus, der Finanzkapitalismus ist ein grundsätzlich kriminelles System, das nur mit krimineller Energie aufrecht und am Leben gehalten werden kann. Die Schlachtfelder haben wir verlegt, in andere Kontinente, in die Dritte Welt, wir versuchen sie weit von uns weg zu halten, aber die Brandherde kommen doch immer näher. So aktuell ist plötzlich das Stück. So antizipatorisch.

Obgleich Detmold von der Weltgeschichte eher ausgeklammert wird, entwirft Grabbe eine Welt, die weit aus seiner Zeit hinausreicht, er ahnt schon Auseinandersetzungen und Umwälzungen, die erst nach Jahrzehnten auf spätere Generationen zurollen werden.

Das Stück handelt vom Menschen in Europa. Es ist ein Abgesang auf unser Abendland, das wir gern auch die Festung Europa nennen, die sich schützt vor der modernen Völkerwanderung aus der Dritten Welt oder dem Nahen Osten. In unser Haus passen keine Flüchtlinge, und die Decke der Zivilisation ist schon ganz fadenscheinig geworden.

So wird Gothland unser Zeitgenosse: Er ist von dem uns allen bekannten kulturellen Dünkel erfüllt: „Der Neger lügt!" In der Illusion unserer abendländischen Werte gefangen, deklamiert er zu Beginn des Stückes noch seine Ode an die Freundschaft, bevor er kurz darauf schon einer eilig und eigentlich schlecht gestrickten ersten Intrige Berdoas auf den Leim geht und seine demokratischen Werte sehr schnell aufgibt. Der Glaube an humanistische Werte verklingt in aller Eile, und die Idee der Rache um jeden Preis wird mehr und mehr zum Lebenssinn und -ziel.

Gothland ist der Europäische Großsprecher, das Recht immer auf seiner Seite wähnend, wird er zunächst zum Brudermörder, von da ist es zum Massenmörder nur noch ein kleiner Schritt. „Ich bin böser, denn ich war gut", sagt er zu Berdoa, dem Erzfeind.

Im Zeitraffer sehen wir der Demontage des humanistisch gebildeten bürgerlichen Individuums zu. Der Terrorist aus Afrika besiegt den Europäer, indem dieser sein Antlitz zur Schreckensfratze verzerrt im Kampf gegen den Terror, sterbend sind sich am Ende beide gleich oder doch zumindest zum Verwechseln ähnlich geworden. Das ist die Gefahr, in die wir uns heute angesichts von Foltergefängnissen und Abhörskandalen begeben.

Weder uns noch dem Gothland und seinen Schweden hilft dabei das Postulat: „Doch nicht in diesem Norden, / wo schon der Mensch zum Menschen ist geworden!" Dieser Satz wird in der Aufführung oft wiederholt, geradezu beschworen, es bleibt vergebens, denn der Mythos Mensch ist der Natur, aus der er stammt, nie ganz entkommen und ist bis heute das soziale Wesen, das er sein möchte, nie ganz geworden. Er ist der „geschminkte Tiger" geblieben. Und die Gewaltspirale ist unsere Realität.

Es wehen Kälte und Zynismus durch den Text, auch diese sehe ich bereits als Vorboten unserer heutigen postmodernen Lebensrealität. Unser moderner europäischer Trend zum Atheismus korrespondiert mit der Radikalität Grabbes im Umgang mit der Religion, mit Gott: Für Gothland und Grabbe gibt es ihn nicht. Hier geht er einen wesentlichen Schritt weiter als Schiller in den *Räubern*, da ist Gotteslästerung und Gottlosigkeit noch ein ernst zu nehmendes Problem, hier, im *Gothland* sind alle von Gott verlassen, und sie erwehren sich seiner. Auch das ist eine bewusste Provokation, die durchaus heute noch greift, gerade in ihrer Unerbittlichkeit, die auch zynisch ist: Ein Gothland betet nicht, nicht einmal im Angesicht des Todes.

Grabbes sowohl inhaltlich als auch formal anarchischer Zugriff macht den Text interessant und modern. Es ist ein Wurf, ein Entwurf, komplex und gleichsam zerrissen wirkt er wie ein Fragment, etwas nicht Fertiges. Durch das Aufbrechen der klassischen Dramenstruktur kommuniziert der Text mit der Moderne, mit neuen dramaturgischen Prinzipien, und er ist bereits ein Vorläufer des späteren Epischen Theaters. Und so muss und darf man das Stück als Material begreifen, ein Theatermaterial, mit dem gespielt werden darf, das wir uns aneignen, indem wir unseren eigenen Focus setzen.

Das unspielbare Stück.

Jetzt muss es auf die Bühne. Das Stück wäre in seiner Gänze heute wirklich nicht spielbar. Insofern haben alle Aufführungen der letzten Jahrzehnte mit einer eigenen Spielfassung gearbeitet.

Wir schälen den gedanklichen und dichterischen Kern heraus; müssen allerdings bei der Umsetzung der reduzierten Fassung immer darauf achten, dass wir die – z.T. dichterisch und dramaturgisch skrupellose – Mechanik der Handlungen, der Handelnden immer sichtbar lassen.

Schnell ist klar: Den Schlachtengemälden kommen wir auf der Bühne und mit den technischen und finanziellen Möglichkeiten des Detmolder Theaters nicht bei. Wir wollen gar nicht versuchen, sie mit den üblichen Theatermitteln nachzustellen. Deshalb werden gleich zu Beginn folgende Postulate aufgestellt:

ES GIBT KEINE SCHLACHTSZENEN.
ES GIBT KEIN THEATERBLUT.
ES GIBT KEINE WAFFEN.
Der Krieg tobt im Menschen, in seinem Kopf, in seinem Körper.
DAS DRAMA wird ein KAMMERSPIEL.

Wir reduzieren die Figuren auf ein kleines Spielensemble und konzentrieren die vielfach verwobenen Handlungsstränge auf einige wenige für die Handlung unbedingt notwendige. Es werden Figuren zusammengezogen, es entfallen ganze Handlungskomplexe, wie z.B. die gesamte Königswelt. So erreichen wir eine überschaubare und verfolgbare Figurenkonstellation, die sich auf das engste Umfeld der beiden Protagonisten beschränkt. Interessanterweise wird im Laufe der Probenarbeit deutlich, dass durch diese Ausdünnung die jetzt agierende Personage eine ganz neue Bedeutung innerhalb der Stückstruktur erhält. So rückt die Figur des Rolf, eines Dieners Gothlands, mehr ins Zentrum der Erzählung, und die Geschichte seines Betrugsversuchs auf der Tiefstatusebene wird wesentlich deutlicher als Spiegelung des Themas Betrug und Intrige auf der Hochstatusebene; zumal sein tragikomischer Tod dies noch besiegelt.

Gothlands Frau Cäcilie rückt so als einzige Frau des Stückes weiter ins Zentrum des Geschehens. Entlastet von Vater und anderen Begleitern, hat die Frau und Mutter jetzt Raum für ihre Bitte um Vernunft und Frieden, und obwohl ungehört verhallt, so ist ihr leises Sterben, „ohne Hoffnung und Verzweiflung", ein erhabener menschlicher Moment in dieser männlich dominierten Welt des Krieges.

Der Vater-Sohn-Konflikt bekommt ebenfalls ein stärkeres Gewicht und das böse-ironische Vexierspiel zwischen Altem Gothland, Theodor und seinem

Sohn Gustav schält sich als einer der wichtigen Handlungsstränge deutlich heraus: Die zynischen und verbrecherischen Erziehungsmethoden des Theodor finden im Sohn Gustav ihren Meister, indem er schließlich nicht nur gegen seinen Vater rebelliert, sondern intrigiert.

Alles in allem gehen wir mit unserer Spielfassung auf den Rohbau des Stückes zurück und legen die unseres Erachtens nach wichtigsten Handlungen und Vorgänge damit offen.

Die große Gruppe der schwedischen und finnischen Heer- und Staatsführer werden von nur zwei Schauspielern gespielt, die wechselweise in den Lagern hin und her switchen und somit durchaus komisch und ironisch den Wankelmut, die Bereitschaft zum Verrat, die fortwährende Suche nach dem eigenen Vorteil und den Kampf ums Überleben in einer unruhigen Zeit verkörpern.

Zudem entwickeln wir ein Video- und Ton-Konzept und erfinden einen Chor, der die amorphe Masse der Heere, der Völker der Finnen und Schweden vertreten soll. Massenszenen, der Krieg, die Schlachten sollen so übersetzt werden. Im rasanten Tempo schießen die Kriegsbilder bildhaft-verzerrt und akustisch an uns vorbei, Texte und Dialoge wie aus Megaphonen, ein bizarres Hörspiel. Dabei stehen die immer wiederkehrenden Stimmen und Gestalten eben nicht nur für die Schlacht, sondern sie sind auch die Stimmen in Grabbes Kopf.

Das unspielbare Stück

und sein Schöpfer Grabbe. Natürlich stellt sich bei der Erarbeitung der Spielfassung eines klassischen Textes immer die Frage der Implementierung, um den Text an uns heranzurücken und aktuell rezipierbar zu machen. Sicher gibt es dafür verschiedenste dramaturgische Methoden. Ich sah zwischen den beiden Gegnern Gothland und Berdoa immer den Autor, wie er schreibend in seiner Mansarde in der Bruchstraße 27 aufbegehrte. Und so entstand die Figur des Grabbe in unserer Aufführung.

Wenn die beiden Protagonisten sich gegenseitig spiegeln, immer mehr sich selbst unkenntlich die Vernichtung des Anderen, des Fremden im Visier haben, bedeutet dessen Vernichtung in letzter Konsequenz auch die eigene Zerstörung bzw. Auslöschung. Diese Bereitschaft, die eigene Existenz zu gefährden und aufs Spiel zu setzen, trägt autobiografische Züge des Autors, dessen Leben immer nahe der Selbstverleumdung und Selbstvernichtung war. Aber es ist keineswegs nur eine Hommage an den Dichter, sondern ein Kommentar zum Stück, eine zweite Ebene, die den alten Text mit dem 20. Jahrhundert konfrontiert. Wir wollen zeigen, dass Grabbes Thema im Theater, in der Literatur weiterverfolgt wurde, dass die Auseinandersetzung mit dem Thema Krieg, Gewalt,

Gewaltherrschaft, Kampf zwischen der Ersten und der Dritten Welt, Kampf der Sklaven gegen die Herren bis ins Heute reicht.

Deshalb haben wir uns entschieden, dass der Grabbe unserer Aufführung sich seine Stimme bei einem Autor leiht, der sich sehr intensiv mit seiner Dramatik auseinandergesetzt hat: Heiner Müller. Und wir haben uns bedient bei einem seiner Stücke, dem *Auftrag*, in dem die Problematik der Europäischen versus Dritte Welt auf besondere Weise verhandelt wird. Verbunden sehen wir damit die auch an uns selbst Frage: Was ist unser Auftrag? Haben wir noch einen Auftrag? Was ist, wenn uns der Auftrag verloren gegangen ist? Letztlich ist es eine Frage, die man sich bei jeder neuen Theaterarbeit stellen muss. Eine absurde Höhe erlangt diese Fragestellung mit dem „Fahrstuhlmonolog" aus dem Stück Heiner Müllers, den wir Grabbe in einem kleinen, in die Kriegslandschaft des Gothland herabschwebenden Glashaus sprechen lassen: Der Autor landet in der von ihm selbst geschaffenen Fiktion und ist ein Fremder.

Die Nähe im Denken zwischen Müller und Grabbe, der Hang zum Prozesshaften in ihrer Dramaturgie, bei Müller die Fragmentarisierung von Vorgängen, die antiillusionistischen Theatermittel, alles dies scheint uns Grund genug, diese beiden Autoren in unserer Grabbe-Figur zusammenzubringen.

Und ein weiteres verbindet die beiden: ihr Hang zur Komik; oftmals brechen beide in ihren Texten durchaus tragische Situationen mit einer plötzlichen und grotesken Wendung.

„Er gähnt", schreibt Grabbe in der Regieanweisung in der letzten Szene. Finnen und Schweden, Brüder, Diener und Soldaten sind ermordet, und sein Gothland ist (lebens)müde: „Aber / das ist mir einerlei. – – Ja ja." Müllers Lakonie entstammt den Katastrophen des 20. Jahrhunderts, Grabbes Lakonie entsteht am Vorabend des Kapitalismus. Auf die Geschichte dieser letzten Jahrhunderte zurückblickend bis in die Gegenwart gilt offensichtlich immer noch Gothlands Erkenntnis: „Der Mensch trägt Adler in dem Haupte / Und steckt mit seinen Füßen in dem Kote!"

Für den Schluss der Aufführung war es mir wichtig, das Überleben des Militarismus, der Kriegsgläubigkeit deutlich zu machen. Immer noch ist für uns der Krieg eine Lösungsmöglichkeit von Konflikten, Mittel zur Verteidigung scheinbarer Rechte, Mittel sich Hegemonie zu sichern, territorial und vor allem ökonomisch. Längst ist auch in Europa der Krieg nicht mehr kalt.

Deshalb erhebt sich der Alte Gothland, der alle seine Söhne überleben musste, der alte Militarist mit Ernst Jüngers im Ersten Weltkrieg zweimal durchschossenem Helm auf dem Kopf, er aufersteht aus seinem Rollstuhl wie ein Gespenst aus der Vergangenheit und tanzt mit der Lazarettschwester zu einem alten amerikanischen Heimkehrerlied aus dem Jahr 1919 in der Cover-Version der *Einstürzenden Neubauten* von 2015:

All of No Man's Land is ours, dear,
Now I have come back home to you,
My honey true,
Wedding bells in Junie-June
All will tell by the tunie-tune,
The victory's won, the war is over,
The whole wide world is wreathed in clover!

Wenn der Vorhang fällt, rollen unsere Panzer weiter, in Endlosschleife.

Vorn: Roman Weltzien (Grabbe), hinten von links: Markus Hottgenroth (Graf Holm), Stephan Clemens (Graf Arboga), Henry Klinder (Der alte Herzog von Gothland) [Fotos: Jochen Quast]

PETER SCHÜTZE

Herzog Theodor von Gothland am Landestheater Detmold

Was reizt Theaterleute unserer Zeit so ungemein an Grabbes Frühwerk? An dieser wilden, überproportionierten Mischung aus Shakespeare, frühem Schiller und biedermeierlichem Schicksals- und Horrordrama? Einsichten in historische Zusammenhänge vermitteln Grabbes späte Werke sehr viel differenzierter und gründlicher, ihre Helden sind komplexer und widersprüchlicher gezeichnet als Theodor und Berdoa. Warum also heute eher *Gothland* als *Napoleon* oder *Hannibal*? – Ist es der allgemeine Verlust der Fähigkeit, in größeren historischen Zusammenhängen zu denken? Die Unfähigkeit, sich im Wirrsal der Gegenwart noch zurechtzufinden und eine lebenswerte Zukunft ausmachen zu können? Mit einer Welt klarzukommen, in der ein Glaube an sinnvoll waltende Schöpfungsmächte so geschwunden ist wie der Glaube an Wahrheitsliebe und Kompetenz der Politiker? In der Waffenlieferungen als Friedensstrategie ausgegeben werden? Ist unser Weltgeschehen nur noch krank von wahnhaftem Treiben, hat es alle Aufgeklärtheit verloren? Gibt es dem ins Hirn der USA eingemeißelten Grundsatz, dass eine Welt ohne Krieg nicht richtig, nicht nützlich, nicht wünschenswert sei, Recht und Passierschein? Dazu freilich passt die Tragödie vom Herzog Gothland und seinem fatalen Weltbild.

Gibt die Aufführung des Dramas, die am 16. Januar 2015 im Landestheater Detmold ihre Premiere hatte, eine Antwort? Das vorweg: Problembewusst und klug haben Regie und Dramaturgie ihre Vorlage durchleuchtet, komprimiert und in Szene gesetzt.

Die Handlung in Kürze: Schweden wird von den Finnen bedroht. An die Spitze der feindlichen Armee hat sich Berdoa, ein ehemaliger Negersklave, geschwungen. Einst gepeinigt und misshandelt, verfolgt er Europa und seine Kultur mit unersättlichem Hass – und stellvertretend dafür nimmt er sich vor, dem siegreichen Feldherrn Schwedens, dem Herzog Theodor von Gothland, das Genick zu brechen. An ihm persönlich will er sein Racheexempel statuieren, ihn will er physisch wie psychisch zugrunderichten. Theodor hat zwei Brüder, den Kanzler Friedrich und Manfred. Als dieser stirbt, findet Berdoa den Hebel: Es gelingt ihm, Theodor davon zu überzeugen, Friedrich habe den gemeinsamen Bruder umgebracht.

Durch den von Berdoa inszenierten, angeblichen Brudermord wird ein unaufhörlicher Amoklauf des Bösen in Gang gesetzt, bei dem das Leben von Freund und Feind und schließlich das der Völker den Kontrahenten gleichgültig werden. Gothlands Glaube bricht sich an der Wirklichkeit – die nur

Gaukelwerk ist; die Folgen sind umso schlimmer. Die Negation schlägt in Wahn um. Gezeigt wird die Selbstüberhebung der öffentlichen Person, des Staatsmannes, der meint, mit Gott – mit einem finsteren, grausamen Gott – und dem Kosmos auf Augenhöhe hadern und sich anlegen zu können. Am Ende ist er nur noch ein Häufchen Elend und Unglück, der Bodensatz aller angehäuften Verbrechen, eine „Laus" auf der Erdkruste. Berdoa, der seinen Amoklauf kühl, gescheit, berechnender als sein Erzfeind beginnt, wird schließlich von seiner Passion, der ungezügelten Rachsucht, selbst besiegt.

Überall und nirgends. Grabbes Skandinavien hat außer dem Namen nichts mit dem wirklichen gemein. Es ist eine Gegend wie Shakespeares Böhmen oder Helsingör. Wie ein Königsdrama Shakespeares baut der junge Grabbe seine „Tragödie" auf. Kampf, Intrige, blutiger Einsatz, der in eine neue Geschichtsetappe leitet. Doch hier stock ich schon: Hier führen keine feudalen Rosenkriege zum Absolutismus hin; Grabbes Königreich Schweden bleibt am Ende, was es war, überschattet von der Botschaft, dass die Herzöge von Gothland dem Lande bald fehlen könnten. Aber immerhin: bei Grabbe richtet das Reich sich wieder auf. Doch der junge Autor meint keineswegs die Geschichte eines Landes, er meint die Welt, gespalten in zwei feindliche Lager. ‚Gothland' ist überall und nirgends, ein böses Utopia. Schon der Name ist ein Vexierspiel: Gott-Land und Koth-Land in einem – „Der Mensch", räsoniert Grabbes Held, nachdem, wie er meint, das Schicksal aus ihm einen Brudermörder gemacht hat, „trägt Adler in dem Haupte / Und steckt mit seinen Füßen in dem Kothe!" Aber Grabbe tut so, als schriebe er ein historisches Drama. Muss eine Darstellung auf der Bühne das nachvollziehen?

Die Regisseurin Tatjana Rese und ihr Dramaturg Christian Katzschmann haben die von Grabbe erfundenen, fingierten kriegspolitischen Zusammenhänge gekappt. Die staatlichen Hierarchien, die „Ordnung", die Grabbe in der Gestalt des König Olaf den martialischen Helden gegenüberstellt, scheinen sie nicht oder wenig interessiert zu haben; die Figur des Königs ist gestrichen. Übrig bleibt eine Welt, die aufs Schlimmstmenschliche reduziert ist, auf Heimtücke und Schlächterhandwerk. Da gibt es keinen Staat, der Einhalt gebieten könnte: Alles wird mit ins Chaos gerissen. In diesem Sinne konsequent sind einige Partien und Figuren in Grabbes Drama getilgt. Abgesehen von vielen weltanschaulichen Disputen, die stark verknappt wurden, fehlen die umfängliche Auseinandersetzung mit dem Bruder vor dem Gericht des Königs, dessen Spruch Theodor nicht anerkennt, und das lange Sterben Friedrichs, als dessen Mörder Theodor für vogelfrei erklärt wird. Auch die Rolle des alten Gothland hat an Raum verloren: Übriggeblieben ist ein in seinen Ehrbegriffen gefesselter ewig Gestriger, der seinen Stahlhelm auch noch im Rollstuhl trägt – eindringlich borniert gezeichnet von dem vorzüglichen Henry Klinder.

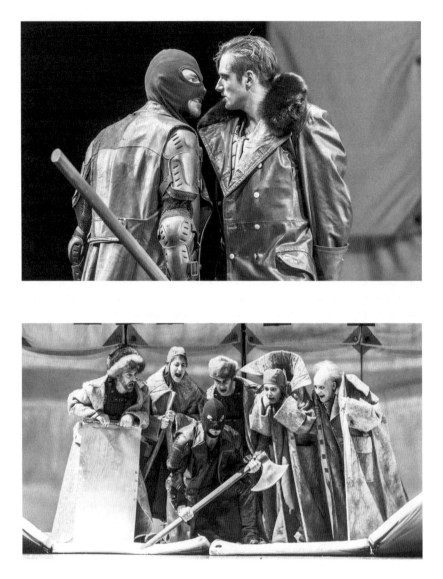

Oben: Christoph Gummert (Berdoa),
Philipp Baumgarten (Theodor, Herzog von Gothland)

Unten: vorn: Christoph Gummert (Berdoa), hinten von links: Markus Hottgenroth,
Helene Grass, Stephan Clemens, Karoline Stegemann, Roman Weltzien

Oben: Philipp Baumgarten (Theodor, Herzog von Gothland),
Karoline Stegemann (Rolf)

Unten: Christoph Gummert (Berdoa),
Philipp Baumgarten (Theodor, Herzog von Gothland)

Beginn: Projektion auf den Eisernen. Kriegsgeschehen im Film. Wilde Klänge
(Thomas Wolter). Der Vorhang ruckt hoch, um Tatjana Reses Inszenierung
Platz zu schaffen: ein Kammerspiel mit chorischen Sequenzen. Die Regisseurin vermeidet alle konkreten Schauplätze (Bühne und Kostüme: Reiner Wiese-
mes). Das Spiel ist in einem Niemandsland zwischen den Fronten angesiedelt, in
einem abstrakten Raum, wo die Gegenspieler sich jederzeit begegnen und ihre
Sachen verhandeln können. Lokalitäten werden nur assoziativ, zeichenhaft angedeutet. Ein Aushang aus rechteckigen Matten oder Matratzen, das bald Wand,
bald, tiefer und tiefer herabgelassen, Biwak, Lazarett, Feldlager sein kann, eine
Vertiefung des Orchestergrabens, die wie ein Massengrab die Toten verschluckt,
Filmprojektionen mit rollenden Panzern, Kriegsszenen, Hinrichtungen. Und
ein Glaskasten, aus dem, wie aus einer Taucherglocke, die Stimmen nur mühsam
in den Zuschauerraum dringen. Taucher im Weltbösen ist der Dichter persönlich (in großartiger Maske und subtil gespielt von Roman Weltzien), der von
hier aus zuschaut und seinen Helden Theodor ins Spiel der Gewalten entlässt:
Nun wirk es fort, Unheil, du bist am Zuge. Gelegentlich spaziert er auch selbst
auf die Bühne und an die Rampe. Aber er spricht nicht Grabbes Worte, sondern
Partien aus dem Theatertext *Der Auftrag* von Heiner Müller, glasklar, mit treff-
licher Diktion. Durchgespielt wird das gemeinsame Thema beider Autoren, die
sich über die Zeiten hinweg die Hand reichen: Das Thema der Unterdrückten,
der Verachteten, der „Sklaven", die ihre Freiheit nur zerstörerisch benutzen können, und der Herren, die, überlistet, dem Terror nur mit Terror von oben begegnen können: ein überzeugender, gelungener Versuch, die wutgetränkte Atmosphäre des *Gothland* mit zeitgenössischer Dichtung und real nachvollziehbarem
Geschehen in Verbindung zu bringen.

In diesem Raum entfaltet die Regie kein kohärentes Geschehen, entwickelt
keine stringente Handlung, sondern montiert die herausragenden Momente
und Ereignisse des Stücks in einer skelettierten Fassung hintereinander. Das
hat einen sehr vordergründigen, fast plakativen Effekt, der gelegentlich aber
umschlägt in erschütternde, niederschmetternde Wirkung – wie in der Darstellung der verstoßenen und im Wintersturm erfrierenden Cäcilia, der Gattin
Gothlands, durch Helene Grass.

Der ‚Neger' – das Andersartige – erst mit Halbmaske, später mit Schminke
angedeutet: Die Farbe ist das Kainsmal des Antipoden – der mehr und mehr
zum Doppelgänger des gehassten Europäers wird. Berdoa (Christoph Gummert)
verkörpert den Aufstand der Verachteten gegen ihre Verächter, verbunden mit
dem Drang, sie zu überbieten, sich an ihre Spitze zu setzen, Befehlshaber (wie
Othello) zu werden und seine ehemaligen Unterdrücker (wie Jago) in zügellos
zynischem Umgang mit ihren moralischen und religiösen Werten auch seelisch
in den Bankerott zu treiben. Er treibt Schindluder mit dem Menschenleben und

folgt allein dem rücksichtslosen Drang, seinen Erzfeind (Philipp Baumgarten) ins Unrecht zu setzen, ihn zu stürzen, ihm Höllenqualen zu bereiten und erst dann physisch zu vernichten – bis er selbst das Opfer seiner Strategie wird.

Die beiden Hauptdarsteller stürzen sich in ihre Rollen und tragen sie mit jugendlichem Überschwang und gespannter Kraft bis in hinein den Selbstvernichtungsrausch – und doch bleibt ein Rest: Die blutige Größe, die luziferische Ausstrahlung, die der Dichter sich vorgestellt haben mag und die wir in anderen Aufführungen auch erlebt haben, erreichen sie nicht. Sie bleiben Marionetten an den Fäden ihres Erfinders. Aber vielleicht ist dieser Nachteil auch von Vorteil: Sie kommen dem Studenten Grabbe, seinem vollmundigen, aber auch großmäuligen Hadern mit Gott und der Weltordnung damit vielleicht näher, als diesem lieb gewesen wäre. Denn wer und was ist dem kaum der Schule Entwachsenen nicht alles ins Hirn gesprungen? Nicht nur *Macbeth, Richard III., Othello* und *Titus Andronicus* und Lord Byron sind dabei, sondern auch der Nihilismus von Schillers Mohr, dem Muley Hassan, und des Franz Moor, der an seiner geleugneten Gottes- und Höllenfurcht am Ende doch zaghaft zerbricht. Und der Dichter spielt Mephistopheles, der ein infernalisches Gelächter anhebt über die Machtidioten und ihre Handlanger, die sich überall ähneln in ihrer Gier und Unzuverlässigkeit. Diese Figuren scheinen das *principium individuationis* kaum erlebt zu haben, so sehr sind sie nur Maske ihres Handelns, die Charaktere scheinen austauschbar. In Detmold: Hüben wie drüben derselbe Schauspieler in einer Doppelrolle. Die Darsteller verwandeln sich kaum, bleiben weitgehend identisch mit sich selbst. Oft stecken in den Männerkostümen Schauspielerinnen (Karoline Stegemann als der verratene Verräter Rolf und Gothlands in die Irre geführter Sohn; Helene Grass nicht nur als Gothlands Frau, sondern auch als sein Bruder Friedrich). Die Funktionäre und Speichellecker beider Seiten unterscheiden sich kaum in ihrem Wankelmut, ihrer Machtgier und Verlogenheit. Die Schergen, die ihre Herren umdienern, sind hier wie dort korrupte Schlächter und Verräter und, je nach ihrem Spielraum, nicht weniger blutrünstig als ihre Befehlshaber. Für die sie wiederum nichts sind als nützliche Idioten, die, wenn sie nichts mehr taugen, ausgelöscht werden: Das sind Stephan Clemens und Markus Hottgenroth, dessen Janusgestalt, lakonisch, zynisch und sprachlich exzellent, ein wahrhaft Grabbesches Geschöpf ist.

Was bleibt am Ende zurück? Ein Leichentuch über unzähligen Opfern. Der Tyrann hat mit seiner Menschenverachtung, seinem Nihilismus ein nimmersattes, schwarzes Loch geschaffen. Er ist zäh und will nicht eher sterben, als bis sein Zerstörungswerk vollbracht ist, Rache und Blutdurst gestillt und ganze Völker für die eigene Sicherheit dahin geschlachtet sind. Er, der den Bund mit seinem ärgsten Widersacher, dem Repräsentanten der dunklen Seite Gottes schloss, nimmt sich – denn auch der Himmel morde – das Recht heraus, den ihm anvertrauten Geschöpfen ein blutgetränktes Grab zu schaufeln. Und wenn das Vernichtungswerk vollendet ist, gibt er dann Ruhe? Bei Grabbe bleibt ein jämmerliches Häufchen Mensch zurück, das auf dem Schindanger der Geschichte landet. In Detmold ist kein Ende der Geschichte abzusehen.

2004 hat Tina Lanik das Stück im Münchner Residenztheater inszeniert: Damals wurde Berdoa von einer Frau gespielt: Die Todfeinde wurden zum Paar, sich hasserfüllt und brünstig umschlingend; die Eine ist nichts ohne den Anderen.[1] – Wir erinnern uns an Karlsruhe, 2011, an den imponierenden darstellerischen Gewaltakt von André Wagner und Timo Tank in der Inszenierung von Martin Nimz. Gothland, ein denk- und gefühlsschwacher Mensch, leicht beeinflussbar und eher geneigt, den bösen Einflüsterungen des Gegners Glauben zu schenken als den Beteuerungen der Seinen. In seiner Oberflächlichkeit nicht zu wenig, sondern zu tief in seinen Wertvorstellungen befangen, wirft er sie, als er sie geschändet glaubt, radikal über den Haufen. Wer Freund, wer Feind ist, das bestimmt er nun noch nach dem Nutzen für sich und sein Zerstörungswerk. Getrieben von Größenwahn und Paranoia: der Psychopath an der Macht. („Ich war nur das Beil. Das Schicksal war der Mörder.")[2]

Diese Erinnerungen vermag Tatjana Rese nicht auszulöschen, so viel Individualität gibt es im Detmolder Bilderbogen nicht. Der laut, wild und doch kalt gezündete Bühnenbrand erlischt und lässt uns zurück – nicht mit einer erleuchteten Antwort, sondern mit der brennenden Frage, die Grabbe (und Heiner Müller) der nach wie vor gespaltenen, von Krieg und Hass durchloderten Welt gestellt haben: Wird es immer so bleiben, dass Antipoden aufeinander prallen, dass Schwarz und Weiß einander anziehen und aufeinander losgehen, Todfeinde, die, einander schrecklich ähnlich, nicht voneinander lassen können, Highlanders, von denen nur einer den anderen ablösen kann, um dann die nächste Komplementärgestalt anzulocken? Oder, in Heiner Müllers Worten: „Irgendwann wird DER ANDERE mir entgegenkommen, der Antipode, der Doppelgänger mit meinem Gesicht aus Schnee. Einer von uns wird überleben."

Anmerkungen

1   Vgl. Peter Schütze: Grabbe auf deutschen Bühnen. In: Grabbe-Jahrbuch 24 (2005), S. 65-75, hier S. 71-74.

2   Vgl. Peter Schütze: Grabbe auf der Bühne. „Herzog Theodor von Gothland" im Badischen Staatstheater Karlsruhe. In: Grabbe-Jahrbuch 30/31 (2011/12), S. 26-39; Nina Steinhilber: Annäherung an eine „Monstertragödie". Zur Spielfassung von Grabbes „Herzog Theodor von Gothland" in Karlsruhe. Ebd., S. 40-63.

ANNA-KATHARINA MÜLLER / DOROTHEA WAGNER

Gespräch über die Inszenierung von *Scherz, Satire, Ironie und tiefere Bedeutung* an den Leipziger Cammerspielen 2014

> *Ein Teufel auf Erden fiele sicherlich niemandem weiter auf und glitte in Anbetracht der schier übermächtigen menschlichen Konkurrenz sehr bald in eine tiefe Identitätskrise.*
>
> Peter Rudl

Anna-Katharina Müller: Als ich mit Leuten vom Theater über unseren Plan sprach, dass wir *Scherz, Satire, Ironie und tiefere Bedeutung* inszenieren wollen, hatte ich es mit merkwürdigen Reaktionen zu tun, die mich bis heute noch nicht ganz loslassen. Keiner konnte so recht verstehen, warum wir das machen wollen. Nach dem Motto: Hat ja nichts mehr mit uns zu tun so ein klassischer Stoff! Was sagst du dazu? Was hat dich veranlasst, *Scherz, Satire* in den Cammerspielen Leipzig zu inszenieren?

Dorothea Wagner: Ich habe vor einigen Jahren eine Inszenierung des Stücks gesehen, woraufhin ich mir sehr schnell den Text besorgt habe. Das Stück habe ich mir jedoch erst 2013 zufälligerweise auf eine Reise mitgenommen, komplett durchgelesen und währenddessen Notizen zu möglichen Änderungen im Text gemacht. Daraufhin ließ mich der Gedanke nicht mehr los, dass man gerade dieses Stück inszenieren müsse und es dadurch auch ein wenig aus der Versenkung ziehen könnte.

Ich fand und finde das Stück nach wie vor wunderbar, zeitlos aktuell und unglaublich witzig. Sei es für diejenigen, die die Anspielungen auf Literaten verstehen, den Wortwitz der Figuren mögen oder auch Passagen, die überraschenderweise auch noch heute sehr politisch sind. Der Text ist einer der wenigen, bei denen ich bei der reinen Lektüre schon lachen musste. Auch die Herausforderung, ein Stück mit knapp unter 20 Rollen als einer Art Kammerspiel mit wenigen Schauspielern, bei uns sind es ja am Ende sechs Spieler geworden, auf die Bühne zu bringen, hat mich gereizt.

Anna-Katharina Müller: Grabbe ist tatsächlich ein wenig in Vergessenheit geraten; kaum Stadttheaterbühnen führen ihn auf, und wenn man das Stück *Scherz, Satire* mal bei dem Videoportal *youtube* sucht, dann findet man viele amüsante Schultheater-Inszenierungen. Du hast dich trotzdem für eine Inszenierung entschieden. Was wolltest du damit erzählen, und was sollte an der Leipziger Inszenierung so besonders werden?

Dorothea Wagner: Was man im Internet häufig findet, ist der berühmte Ratten-gift-Monolog, der mir in jeder zu findenden Inszenierungsweise an der Intention des Stückes vorbei zu gehen schien. Rattengift wurde als ernsthaft leidender Poet dargestellt, was nach meiner Auffassung mit dem Scherz, der Satire und Ironie und Natur des Stücks nichts zu tun hat. Die Figuren sind durchweg erhöht und überspitzt beschrieben, weshalb für mich ein veristisches Darstellerspiel außer Frage stand. Ich wollte den Text so auf die Bühne bringen, wie ich es beim Lesen verstanden habe, und natürlich in starkem Bezug zum Titel. Das Stück nimmt sich selbst nicht ernst. Die Figuren werden auf die Schippe genommen, und der Autor ironisiert seine Macht über sie am Ende gänzlich. Warum sollte also nicht auch die Inszenierungsweise satirisch mit Figuren und Stereotypen umgehen, sich der gängigen, oft konventionellen Stadttheaterpraxis entgegensetzen?

Eine veristische Darstellung menschlicher Charaktere war also von vornher-ein ausgeschlossen. Diese Überlegung wurde auch in die Kostüme weitergetra-gen. Es gibt übergroße Bäuche und Hintern, barocke Frisuren, riesige Schulter-polster und Männer, die allesamt in engen Leggins spielen müssen. Die einzig ‚natürlichen‘ Züge sollte der Teufel bekommen; als Spielführer über die Schach-figuren der Erde. Die Dorfbewohner sind des Teufels Marionetten. Wir woll-ten ein Theater voller Überdrehungen, Albernheiten und Groteske machen; die literarischen und gesellschaftlichen Anspielungen dienen hier nur als Beiwerk.

Anna-Katharina Müller: Die Strich- und Spielfassung haben wir gemeinsam vor Beginn der Proben entwickelt. Es hat sich relativ wenig im Probenprozess geän-dert, was mich zwar etwas gewundert hat, aber doch konnten wir feststellen, dass unsere Fassung auf der Bühne funktioniert. Was war dir am Text wichtig? Was sollte bleiben, was musste gehen?

Dorothea Wagner: Dass knapp die Hälfte des Textes gestrichen wurde, hatte bei uns sowohl einen logistischen als auch pragmatischen Grund. Mit sechs Akteuren lassen sich manche Szenen nur stark verändert wiedergeben. Wernthal bekommt bei uns auch nur eine Szene; da er ansonsten in den Szenen am Hofe nur als Stich-wortgeber und eben Verlobter Liddys fungierte. Deshalb bekam die Rolle des Rattengift einen Teil seines Textes. Die Essenz der Geschichte und die – schon im Original übersichtliche – Handlung ist dieselbe geblieben. Viele lange Dialoge wurden aber auf die wesentlichen und humoristisch gelungensten Stellen herun-tergekürzt. Dies hatte für mich auch den einfachen Zweck, dass das Stück nicht drei Stunden dauern sollte, sondern auf knackige eineinhalb Stunden gekürzt wird. Was gut funktioniert! Die Spielweise der Akteure füllt viel Raum aus, der durch vermehrten Text nur kleiner geworden wäre. Ich beobachte immer wieder, dass Zuschauer in Stücken mit zu viel Text, mit einer gewollt intellektuellen, aber eben oft nur bedeutungsschwangeren Inszenierung, gelangweilt sind. Was bringt mir ein hochtrabendes Stück, wenn es langweilt? Wir wollten kein Theater fürs sogenannte Bildungsbürgertum machen, kein Theater, wie man es leider zu oft sieht.

Anna-Katharina Müller: Bis auf die Schauspielerin der Liddy müssen alle anderen fünf Spieler mehrere Rollen spielen. Wie hat das funktioniert? Was hast du dir bei den Doppelbesetzungen gedacht?

Dorothea Wagner: Die Doppelbesetzung gerade in einem kleinen Rahmen, wie dem unseren, war für mich zunächst eine reine Notwendigkeit, die uns in der Vorbereitung des Stückes vor einige Herausforderungen gestellt hat, da sowohl die Konstellation der Rollen pro Schauspieler als auch die Szenen selber ja funktionieren sollten. Welche Figur war in welcher Szene ersetzbar, welche unabdingbar, und wie viel Zeit bleibt dann hinter der Bühne noch für den Umzug in die nächste Rolle? Alles Fragen, die wir zum Glück klären konnten und bei denen wir auf das Können der Schauspieler vertrauen mussten. Die Kombination von Figuren pro Schauspieler fand ich spannend, da sich hierbei viele Gegensätze, teilweise Welten zwischen den Charakteren auftun, die das Zuschauen fürs Publikum spannend machen. Auch die strikte Besetzung nach dem biologischen Geschlecht der Figuren und Schauspieler war keine einzuhaltende Notwendigkeit. Der Teufel wird bei uns von einer Frau (Lisa Rubin) gespielt, die aber nicht als solche klischeehaft inszeniert wird.

Anna-Katharina Müller: Und alle anderen, was ist dir dabei durch den Kopf gegangen?

Dorothea Wagner: Auch die Kombination Teufel – Gottliebchen hätte nicht spannender werden können. Die großen Unterschiede in den Abhängigkeits- und Machtverhältnissen springen einem hierbei nur so entgegen. Wobei ich mir ziemlich sicher bin, dass der Name mit dem sich der Teufel vorstellt, ‚Theophil‘, und der dümmliche Schüler nicht umsonst dieselbe Bedeutung haben.
Thalja Illerhaus verkörpert sowohl den Baron als weltlichen Machthaber sowie Tobies, den Bauern und Konrad, den Schmied, die bei uns ein und dieselbe Person wurden. In einer Szene stolziert sie mit aufgebauschtem Hintern umher und weist Rattengift zurecht. Fünf Minuten später sehen wir sie mit einem Finger in der Nase popelnd zu Füßen des Teufels.
Der Freiherr von Mordax und Mollfels, Charaktere die unterschiedlicher nicht sein könnten – der Böse und der Gute, der nach Geld gierende und der um Zuneigung bettelnde –, werden von ein und demselben Schauspieler (Julian Thomas) gespielt. Bevor in unserer Inszenierung der offensichtlich große Bruch

geschieht, in dem Eric Schellenberger als Rattengift schimpfend die Bühne verlässt, fällt Mordax auf der Bühne aus seiner Rolle, zieht seinen karierten Pullunder aus der Hose, korrigiert seine Frisur, entschuldigt sich beim Publikum für die Pause und springt dann in die Rolle des Mollfels zurück. Dieses Spannungsfeld zwischen dem Schauspieler als ,Privatperson' und mehreren Rollen, die er mimt, löst beim Zuschauer einen der größten Lacher des Stücks aus.

Unser Rattengift wird zum Ende des Stücks nur widerwillig zur Großmutter des Teufels. Er löst in dieser halb-fertigen Rolle nun also das Stück auf und befreit seinen Enkel aus dem Käfig; vorher ist Rattengift eher der Fußabtreter des Barons. Das offensichtliche Rollenspiel wird hier noch klarer, wenn Eric Schellenberger als Großmutter, mit schlecht sitzendem Lippenstift und genervt ob des erneuten Auftritts – da er sich ja schon wütend verabschiedet hatte – auftritt.

Dass der Spieler des dauerpräsenten und -trunkenen Schulmeisters (David Wolfrum) auch den versnobten Verlobten Wernthal spielt, lag dann auch nicht mehr fern.

Diese einfachen Stereotypen kommen über die ihnen zugedachten Eigenschaften kaum hinaus, viele Lacher ergeben sich aus der Verzweiflung und Unfähigkeit genau dieser heraus. Sie sind klar gezeichnet, sind Typen, eine Dorfgemeinschaft, die in einigen Zügen an die commedia dell'arte erinnert, wo es ebenfalls festgelegte Eigenschaften und Typisierungen der Figuren gab.

Anna-Katharina Müller: Die Inszenierung lebt vom Tempo, von den exakten Pausen, vom Slapstick, den überzogenen Kostümen und der Musik. Jeder Blick muss passen, sonst geht schnell ein Witz verloren. Hierbei darf man nicht vergessen, dass die Cammerspiele ein Amateurtheater sind und die SchauspielerInnen keine Profis. Klingt nach einer Menge Arbeit.

Dorothea Wagner: Ein Großteil der Arbeit bestand tatsächlich in der Vermittlung und Ausarbeitung der Spielweise; bei jedem ist da meiner Meinung nach zu einem anderen Zeitpunkt der ,Knoten geplatzt'. Ein großer Schritt war aber der allererste grobe Durchlauf, bei dem sich die Schauspieler gegenseitig beobachten und verbessern konnten. Sie konnten sehen, wie und dass Blicke ins Publikum, Blicke zueinander, wortlose Kommunikation auf der Bühne und in den Zuschauerraum funktionieren. Die Musik kam ja schon in den Einzelproben dazu, wir haben immer wieder ausprobiert, welche Melodie wann und zu wem passt. Viele der Figuren haben auch ihre eigene Auftrittsmusik als weiteres Erkennungs- und Persönlichkeitsmerkmal. Nach einigem Hin und Her stand jedoch schon zu Beginn der Probenzeit fest, dass wir Stummfilmmusik aus den 1920ern benutzen wollten. Ein weiteres Element, das das Spiel der Schauspieler unterstützen sollte. Einzig am Anfang des Stücks hört man *The Typewriter* von

Leroy Anderson aus den 1950ern, während das Vorwort mit Kreide an unsere Tafelwände geschrieben wird.

Anna-Katharina Müller: Wir sind beide Studentinnen der Theaterwissenschaft in Leipzig. Und, wie der Name schon sagt, ist es eine Wissenschaft und kein künstlerisch-praktischer Studiengang. Hat dir dein Studium trotzdem Impulse für die Inszenierung gebracht?

Dorothea Wagner: Das Studium und die damit einhergehende Auseinandersetzung unter anderem mit alten, neuen und vergessenen Schauspielstilen, hat sicherlich einiges zur Art und Umsetzung des Stückes beigetragen. Sei es durch Impulse, die man durch bisher unbekannte Produktionen bekommt oder den ständigen Austausch untereinander. Zudem besteht unsere Produktion zu einem Großteil aus angehenden Theaterwissenschaftlern. Drei der Schauspieler, sowie das komplette Team hinter der Bühne, studieren noch am Institut.

Aus dem Programmheft

> *Den Teufel spürt das Völkchen nie,*
> *Und wenn er sie beim Kragen hätte.*
> J. W. Goethe: Faust I.

„Wichtigstes Bindeglied in diesem das rein Subjektive objektivierenden teuflischen Lustspiel ist selbstverständlich der Teufel, denn mit seinem Auftritt setzt die eigentliche Handlung ein, die wiederum mit der Vereitelung seiner Machenschaften und seiner Gefangennahme endet. Gerade als Bindeglied nimmt er an der niedrigen

Komik teil, und zwar vor allem wegen seiner körperlichen Eigenschaften (z.B. friert es ihn trotz der sommerlichen Hitze, und muss er sein Hufeisen vom Schmied ersetzen lassen). Noch wichtiger ist aber der Beitrag des Teufels zur Satire. So können die Naturwissenschaftler nicht einmal seine Existenz akzeptieren, denn der Teufel passt nicht in ihr System. Es fällt ja jedem auf, dass Grabbes Lustspiel vor allem der Tradition der Literatursatire verpflichtet ist, und dies wird dadurch bestätigt, dass fast alle Gestalten direkt oder indirekt an dieser Satire teilnehmen. Gerade die Verteilung der Literaturkritik auf beinahe alle Charaktere dient zur Erhöhung des scheinbar Willkürlichen und Chaotischen des Stücks, deutet aber damit auch an, dass Kunstkritik größtenteils eine Sache des gemeinen Menschenverstands ist."
(Roy C. Cowen: Christian Dietrich Grabbe. Dramatiker ungelöster Widersprüche. Bielefeld: Aisthesis, 1998, S. 72f.).

Kritik

Der Teufel in guter Gesellschaft

Die junge Regisseurin Dorothea Wagner bringt Christian Dietrich Grabbes *Scherz, Satire, Ironie und tiefere Bedeutung* auf die Bühne der Cammerspiele
    Weil in der Hölle gerade geputzt wird, kommt der Teufel auf die Erde und will Verwirrung unter den Menschen stiften – doch deren Falschheit und Intrigen machen selbst ihm einen Strich durch Rechnung. Das ist der Ausgangspunkt von Grabbes großer Komödie. In der Umsetzung von Dorothea Wagner treten die Figuren ganz klassisch in Szenen auf und geben sich mit grotesk überzeichnetem Gestus und irrwitzigen Kostümen der Lächerlichkeit preis. Auch wenn eine Menge gekürzt wurde, bleibt die Inszenierung dabei nah am Originaltext. Neben Grabbes Sprachkomik sorgen vor allem die schauspielerischen Leistungen der Darsteller für viele Lacher: Eric Schellenberger beispielsweise, dessen Auftritte zu Beginn eher irritieren, gewinnt als peinlich talentfreier Dichter Rattengift zusehends an Fahrt. Auch David Wolfram und vor allem Julian Thomas, die jeweils zwei Rollen spielen, beweisen in ihren abstrusen Monologen ein großes komödiantisches Talent. Weniger glücklich getroffen ist der zurückgebliebene Schmied Konrad (Thalja Illerhaus), und auch der Teufel selbst (Lisa Rubin) bleibt eine etwas blasse Erscheinung. Die beiden Schauspielerinnen zeigen jedoch in ihren anderen Rollen eine respektable Leistung. Doch nicht nur schauspielerisch, auch inhaltlich ist der Abend durchaus ambitioniert – zumindest lassen das Programmheft und der Einstieg das erwarten. Die Vorstellung beginnt mit einer klaren Ansage. Auf die Bühne, die durch Tafel-Stellwände begrenzt ist, treten zwei Schauspielerinnen und schreiben das Vorwort zu dem Stück auf die hintere Wand:

> Findet der Leser nicht, dass diesem Lustspiel eine entschiedene Weltsicht zugrunde liegt, so verdient es keinen Beifall. Im Übrigen verspottet es sich selbst und werden daher die literarischen Angriffe von den beteiligten Personen leicht verziehen werden.

Diese Ankündigung erweist sich im Laufe der Vorstellung allerdings als etwas zu hoch gegriffen. Die „entschiedene Weltsicht", also der Nihilismus Grabbes, mag während des Vormärz' schockiert haben – heutzutage taugt er, sofern nicht entsprechend aktualisiert, nur noch als Zitat. Ebenso bleiben die „literarischen Angriffe" in der Vergangenheit verhaftet: Die Namen der Angegriffenen sind längst vergessen, und auch der aktuelle Diskurs um die Relevanz der deutschen Gegenwartsliteratur wird nicht berührt. Dabei bieten gerade die respektlose Sprache und die satirische Energie des Textes eine durchaus geeignete Vorlage zum Diskurs. Eine „tiefere Bedeutung" lässt sich hier nicht wirklich finden.

Doch dafür sind „Scherz, Satire und Ironie" en masse vorhanden. Dorothea Wagner hat eine furiose und auch intelligente Inszenierung auf die Beine gestellt, die immer besser wird, je länger sie dauert. Insbesondere in den Kleinigkeiten offenbart sich das große Potential des Abends: Gesichtsausdrücke, Bewegungen und Betonungen sind mit viel Liebe zum Detail gesetzt und verleihen dem klamaukigen Geschehen einen besonderen Schliff. Gegen Ende gibt es dann noch einen erfrischenden Bruch mit der ansonsten recht klassischen Form, wenn die SchauspielerInnen mehr und mehr aus den Rollen fallen, was mit dem richtigen Maß an Ironie und sichtlicher Lust an der eigenen Dekonstruktion umgesetzt wird. Insgesamt wird hier eine durch und durch gelungene Vorstellung geboten, die vor allem die Lachmuskeln erfolgreich strapaziert.

Regie: Dorothea Wagner
Dramaturgie: Anna-Katharina Müller
Assistenz: Elisa Oehme
Es spielen: Moira Both, Thalja Illerhaus, Lisa Rubin, Eric Schellenberger, Julian Thomas und David Wolfrum

Quelle: http://www.artiberlin.de/article/Der_Teufel_in_guter_Gesellschaft. Letzter Aufruf: 28.5.2015.

LOTHAR EHRLICH

Scherz, Satire, Ironie und tiefere Bedeutung an den Leipziger Cammerspielen

Dass lediglich das Lustspiel von 1822 zu den regelmäßig aufgeführten Stücken Grabbes gehört, dokumentiert zuletzt die Grabbe-Bibliographie 2013. Da sind immerhin vier Inszenierungen nachgewiesen, wenn auch von Laienbühnen: Ensemble Companeras (Duisburg), Caspar-Vischer-Gymnasium (Kulmbach), Max-Planck-Gymnasium (Lahr) und Bergstadt-Gymnasium (Lüdenscheid). Nun also eine Inszenierung von Studierenden der Theaterwissenschaft an der Universität Leipzig in der Kulturfabrik Leipzig-Connewitz – einem stillgelegten DDR-Maschinenbaubetrieb. Zu den Förderern des Projekts gehört auch die Grabbe-Gesellschaft.

Wir sahen eine außergewöhnlich phantasiereiche komödiantische Aufführung vor einem begeisterten jugendlichen Publikum. Es war das Regiedebüt der Studentin Dorothea Wagner, und auch die Darsteller standen erstmals auf der Bühne. Insofern stellt der Theaterabend in der Kulturfabrik ein besonderes zu würdigendes Ereignis dar, denn alle Mitwirkenden spielten professionell. Erstaunlich, dass Studierende der Theaterwissenschaft, und nicht – wie zu erwarten – der Schauspielkunst, zu solcher Perfektion gelangten.

Die Spieltruppe bestand aus sechs Akteuren, die zumeist zwei Rollen übernahmen (nur aus dem Off waren die vier Naturhistoriker, die dreizehn Schneidergesellen und Grabbe zu hören). Die Spieldauer des beträchtlich eingestrichenen, in der ohnehin fragmentarisch erzählten Fabel aber erhaltenen Stückes betrug (ohne Pause) einneinhalb Stunden. Verzichtet wurde dabei allerdings auf fast alle das Stück prägenden literarischen und kulturellen Anspielungen, die über den zeitgeschichtlichen Kontext hinausgehend leicht zu aktualisieren gewesen wären. Das betrifft vor allem die sprachlich pointierte inhaltsreiche Debatte zwischen dem Teufel und dem Dichter Rattengift über Literatur und Theater (II, 2) und sogar die Erwähnung der Leipziger Büchermesse. Grabbes Lustspiel tritt uns so nicht als „Literaturkomödie", sondern als „Gesellschaftskomödie" entgegen, was sie zugleich auch ist (Dramaturgie: Anna-Katharina Müller).

In der Leipziger Kulturfabrik entstand eine rhythmisch klar strukturierte, rasch ablaufende Inszenierung, die die volkstheatralische Substanz des wunderbaren literarischen Textes entdeckte und freilegte, ohne in vordergründigen Klamauk zu verfallen. Sie konzentriert sich auf die sprachlichen, mimischen, gestischen und performativen Möglichkeiten der Schauspieler, die in grotesk stilisierten Kostümen, fast ohne Requisiten auf der leeren Bühne agieren. Der

Oben: Julian Thomas (Mollfels), David Wolfrum (Schulmeister)
Unten: David Wolfrum (Schulmeister), Eric Schellenberger (Rattengift)

Thalja Illerhaus (Baron von Haldungen), David Wolfrum (Schulmeister),
Eric Schellenberger (Des Teufels Großmutter)

Raum ist hinten und seitlich eingerahmt von einer großen, an die Schule erin-
nernde Wandtafel, auf die die Akteure naive, oft auch skurrile, die Handlung
kommentierende Zeichnungen werfen, die der Schulmeister dann wiederum
löscht. So erscheinen im Bühnenraum nicht real, sondern nur bildlich etwa
eine Tür oder das Fenster, durch das Rattengift aus seinem Elfenbeinturm nach
„draußen" in die Wirklichkeit blickt, oder der Käfig, in dem der Teufel schließlich mit (ebenso lediglich skizzierten) Kondomen gefangen wird.

Die Darsteller (auch gegen das Geschlecht besetzt: Baron von Haldungen
und Konrad, der Schmied, mit einer Frau) bewältigen ihre Rollen mit erkenn-
barer Freude und Bravour. In Sprache und Aktion überzeichnet, vermitteln sie
den satirischen Grundton der Regie, die immer wieder einfallsreich Spielanlässe
erfindet und in Bewegung umsetzt. So entsteht ein szenisches Panoptikum differenziert angelegter und geführter komischer Figuren, das enorme theatralische
Wirkungen ermöglicht. Besonders lebhaft in Erinnerung bleiben dürften besonders die choreographierten Szenen mit dem Schulmeister und mit Rattengift.

Der Teufel hingegen, der Spielmacher der Komödie, wird nicht als ebenso
komisch gebrochene Gestalt gegeben, sondern von einer attraktiven jungen
Frau individualisiert verkörpert – geschminkt, mit blondem Pferdeschwanz, im

schwarzen Frack und mit roten Schuhen. Im Unterschied zu den anderen Figuren spricht und bewegt sie sich natürlich und markiert damit einen vollkommenen Kontrast zur von ihr initiierten absurden Spielhandlung, die sie mit den vorgezogenen ursprünglichen Szenen I, 2 und I, 3 auch eröffnet (erst danach tritt der Schulmeister auf). Die Realität erscheint dadurch von Anfang an als „mittelmäßiges Lustspiel, welches ein unbärtiger, gelbschnabeliger Engel, der in der ordentlichen, dem Menschen unbegreiflichen Welt lebt und, wenn ich nicht irre, noch in Prima sitzt, während seiner Schulferien zusammengeschmiert hat." (II, 2)

Der Zuschauer erlebte Grabbes *Scherz, Satire, Ironie und tiefere Bedeutung* in einer Vielzahl sprachlich und spielerisch zugespitzter komödiantischer Szenen, die sich zu einem ausdrucksstarken theatralischen Kunstwerk zusammenschlossen.

Cammerspiele in der Kulturfabrik Leipzig-Connewitz

Regie	Dorothea Wagner
Dramaturgie	Anna-Katharina Müller
Produktions- und Kostümassistenz	Elisa Oehme
Darsteller	Thalja Illerhaus (Baron von Haldungen; Konrad, ein Schmied)
	Moira Both (Liddy)
	David Wolfrum (Herr von Wernthal; Schulmeister)
	Julian Thomas (Freiherr von Mordax; Herr Mollfels)
	Eric Schellenberger (Rattengift, ein Dichter; Des Teufels Großmutter)
	Lisa Rubin (Gottliebchen; Der Teufel)

Premiere am 22. Oktober 2014

ANASTASIA RISCH

Das Spiel mit der Tradition in Grabbes *Don Juan und Faust**

Modernität ist seit längerer Zeit ein zentrales Stichwort in der Grabbe-Forschung. Die Bedeutung, die dieser Begriff jeweils transportiert, kann ganz unterschiedlich sein: Will man beispielsweise das Grabbe-Jahrbuch 2011/12 zu Rate ziehen, so sieht Judith Gerstenberg „die Modernität seines Werkes" in der „Sehnsucht nach Gefühlen, denen er [Grabbe] im gleichen Moment misstraut, die er verachtet"[1]; Lothar Ehrlich hingegen analysiert die „vom jungen Grabbe unversöhnlich wahrgenommene tiefe und nicht zu überwindende Kluft"[2] zwischen den liberalen und humanistischen Entwürfen der Aufklärung und der tatsächlichen Lebenswirklichkeit als Unterpfand seiner Modernität und begründet dadurch die Brisanz seiner Dramen auch für heutige Bühnen. Solche Thesen versuchen, eine Brücke zwischen Grabbes und unserer Zeit zu schlagen, diejenigen stilistischen und inhaltlichen Elemente seiner Werke hervorzuheben, welche die historische Distanz zwischen dem frühen 19. und dem frühen 21. Jahrhundert überdauern. Andererseits ist von Grabbes Modernität aber auch dann die Rede, wenn es darum geht, eben diese historische Distanz hervorzuheben, zu begründen, weshalb seine Dramen zu seiner Zeit fast ausnahmslos nicht zur Aufführung kamen: Der Detmolder Dramatiker habe für ein anderes Theater geschrieben als jenes, das er antraf; „[n]icht trotz, sondern wegen seiner Nähe zum praktischen Theaterbetrieb, dessen zaghaftes Mittelmaß ihn abstieß, dichtete Grabbe rücksichtslos dagegen an, daran vorbei und darüber hinaus."[3]

Die erstaunliche Aktualität von Grabbes Werken kann leichter erklärt werden, wenn die Moderne im Sinne einer kulturhistorischen Makroepoche verstanden wird, die um 1800 begann und bis in die 1920er Jahre hineinreichte. Eine solche Begriffsverwendung hat sich in der neueren Forschung in Abgrenzung von der traditionellen Epocheneinteilung in Klassik, Romantik, Restaurationszeit und eine um 1900 einsetzende Klassische Moderne etabliert. Aus dieser Sicht ist Grabbe nicht deshalb modern, weil er seiner Zeit voraus war, sondern weil seine Zeit bereits der Moderne angehörte. Seit dem späten 18. Jahrhundert wird das durch den irreversiblen Gesellschaftswandel bedingte Bewusstsein, in grundsätzlich veränderter Zeit zu leben, „erstmals zum leitenden, ja, zum alles beherrschenden Gesichtspunkt ästhetischer Reflexion und Produktion".[4] Eine logische Folge dieses neuen, historistischen Denkens ist eine grundlegende Auseinandersetzung mit dem kulturellen und historischen Erbe, welche alle vielfältigen Spielarten und Erscheinungsformen der ästhetischen Moderne prägt. Zu diesen Spielarten gehören sowohl nostalgische Evokationen der verlorenen

Ganzheit, welche an die nicht mehr gültige Tradition anzuknüpfen versuchen, als auch die Avantgarde, die sich in Ablehnung jeglicher Tradition behaupten will. Andere Künstler reagieren auf die Problematik der Verzeitlichung insofern, als sie in einem freien Spiel die Versatzstücke der kulturellen Tradition zu eigenen Zwecken einsetzen, von der sie sich zwar abgeschnitten sehen, auf die sie jedoch angewiesen zu sein scheinen. Ein solches Vorgehen involviert Techniken des ludistischen Zitats, der Allusion, der Collage und Montage, die wir normalerweise unserer Gegenwart ('Postmoderne') bzw. der Klassischen Moderne zuschreiben; inhaltlich bedeutet es u.a. eine Auseinandersetzung mit dem Themenkomplex des Erinnerns und Vergessens sowie mit dem Erleben von Gegenwärtigkeit. Dieses Form- und Gedankengut anhand eines exemplarischen Textes von Grabbe darzustellen und die Verbindungslinien zwischen seiner Poetik und den ästhetischen Konzepten des *fin de siècle* bzw. der Jahrhundertwende aufzuzeigen, ist Ziel des vorliegenden Aufsatzes.

Dass Grabbe sein Drama für die Bühne dichtete, ist durch Briefe belegt. So betonte er kurz vor Beendigung von *Don Juan und Faust* in einem Brief an Friedrich Wilhelm Gubitz am 7. März 1828, die „Tragödie" solle „gleich allen [s]einen künftigen Werken *bühnenrecht*" (V, 225) werden. In den Jahren, da die ersten Entwürfe und schließlich die endgültige Ausführung des *Don Juan und Faust* entstehen, ist theatralische Wirkung sein Hauptziel, und alle seine Äußerungen während dieser Zeit deuten darauf hin, dass er diese Wirkung hauptsächlich durch Geschlossenheit und Anlehnung an bewährte Modelle zu erreichen sucht.[5] In seiner Abhandlung Über die *Shakspearo-Manie* (1827) legt Grabbe es „unsere[n] Genies" nahe, „bei dem Trauerspiele eher an die Griechen als an den Shakespeare zu *denken*, womit ich keine *Nachahmung* anrate". (IV, 51) Seine Kritik an Shakespeare geht mit einem Plädoyer für die klassizistische Dramenästhetik einher. Bei den Franzosen finde er das, was er bei Shakespeare vermisse: „Ernst, Strenge, Ordnung, theatralische und dramatische Kraft, Besonnenheit", eine „wohlberechnete Anlage des Ganzen" sowie *„möglichste Einfachheit und Klarheit* in Wort, Form und Handlung". (IV, 51-53)[6] In seinem Drama *Don Juan und Faust* strebt Grabbe danach, das Ideal der Naturgesetzlichkeit und strengen Ordnung zu erreichen:

> [...] es ist viel Tolles darin, aber das thut nichts – Natur! Natur! Da erscheint uns auch Manches bunt und durcheinander wie der Wust von Papieren hier, und doch welche heilige Ordnung im Ganzen, welch ewiges Gesetz, nach dem sie gestaltet und zerstört!⁷

Es ist bemerkenswert, dass ein Autor, der sowohl zu seinen Lebzeiten als auch später immer wieder als Zertrümmerer, sein Werk als trümmerhaft bezeichnet wird[8], sich zu einer altbewährten dramatischen Tradition bekennt. Nicht nur in formaler Hinsicht, durch den Rekurs auf bestimmte Topoi der klassizistischen Regelpoetik, sondern auch durch den inhaltlich-strukturellen Rückgriff auf zwei berühmte literarische Stoffe will Grabbe seinem Drama die Autorität der Tradition verleihen.[9] Die wichtigsten Quellen, zu denen eindeutige Beziehungen bestehen, sind die zu Grabbes Zeit bereits „verbindlich gewordenen Interpretationen von Mozart und Goethe"[10], auf die der Autor selbst hinweist, sowie Byrons philosophische Dramen *Manfred* und *Cain*. Die Grundelemente der Don Juan-Handlung bei Grabbe entsprechen der Stofftradition, deren Anfänge auf Tirso de Molinas Komödie *El Burlador de Sevilla y Convidado de Piedra* (1619) zurückgehen. Dazu zählen die (versuchte) Verführung Donna Annas und die Ermordung ihres Vaters beim Duell, die Einladung der Bildsäule zum Abendmahl und deren Rache. Bei Mozart/da Ponte sind die wichtigsten Nebenfiguren (Leporello, Donna Anna, Don Ottavio) sowie das Arrangement der Schlussszene mit der dreifachen Weigerung Don Juans, seine Lebensweise zu bereuen, und dem Handschlag der Statue präfiguriert. Die Episode auf dem Friedhof, in der Don Juan Leporello nötigt, die Bildsäule des Gouverneurs zum Essen einzuladen, ist fast wörtlicher da Ponte-Text.[11] Aus der Faust-Stofftradition stammt unter anderem Fausts Bezug zu Wittenberg, sein Eingangsmonolog, das Motiv des Teufelspakts und Fausts Höllenfahrt am Schluss[12]; das Motiv der Verjüngung Fausts ist von Goethe entlehnt, und das Erscheinen Donna Annas im Spiegel erinnert an die Spiegelbild-Szene in der Hexenküche in Goethes *Faust*.[13]

Grabbe bricht nirgends entschieden mit dem äußeren Gerüst der Stofftraditionen, was häufig zu dem Vorwurf geführt hat, er habe die Faust- und die Don-Juan-Handlung „nur auf recht äußerliche Weise miteinander verzahnt"[14] und eine wirkliche Auseinandersetzung zwischen den beiden Helden verfehlt. Allein schon die Tatsache, dass Grabbe zwei Traditionen vereint, die jeweils um *eine* Figur zentriert waren, stellt jedoch eine interpretationsbedürftige Leistung dar. Als Grund für das Zusammenbringen der beiden Gestalten wird gewöhnlich der Versuch einer antithetischen „Gegenüberstellung zweier polar gegensätzlicher Typen von Ausnahmemenschen"[15] angenommen, was Grabbes eigene Aussage über den „zu sinnlichen" und den „zu übersinnlichen"[16] Helden nahe legt. Die Parallelen in der Gestaltung der Figuren lassen jedoch vermuten, dass es Grabbe nicht so sehr um die Entgegensetzung zweier Antipoden ging, sondern dass er im Faust- und Don Juan-Stoff zwei Variationen ein- und derselben Problematik erblickte. Es ging ihm ausdrücklich darum, zwei paradigmatische und von berühmten Vorgängern bearbeitete Stofftraditionen auf eigene Art zu gestalten:

> Unter den Namen Don Juan und Faust kennt man zwei tragische Sagen, von denen die eine den Untergang der zu sinnlichen, die andere den der zu übersinnlichen Natur

im Menschen bezeichnet. In Tragödien, Tragi-Comödien und Opern ist dieser Stoff, der etwas Weltbedeutendes an sich hat, vielfach behandelt, und selbst Shakespeares Hamlet ist nichts anderes als ein englischer Faust. Mozarts Don Juan und Goethes Faust – welche Kunstwerke! Und wie kühn, nach diesen Meistern in beiden Stoffen wieder aufzutreten.

Jedoch das ließ sich von Grabbe, bekannt durch seine wilden dramatischen Dichtungen, erwarten. Es gilt hier nur, *was und wie* er gearbeitet hat.[17]

Ein originelles Drama soll demnach im Rückgriff auf zwei vorgeprägte Stofftraditionen – und auch noch unter Bezug auf altbewährte dramatische Modelle – erschaffen werden, ein neuartiges Ganzes aus der Verschmelzung überlieferter Elemente entstehen. Dieses kombinatorische Verfahren setzt die Denkfigur einer ‚Gleichzeitigkeit des Ungleichzeitigen'[18] voraus, die als logische Folge aus dem modernen historistischen Bewusstsein erwächst, das vergangene Epochen und Stile als selbständige, von der Gegenwart abgetrennte Ganzheiten auffasst. In der Kunst manifestiert sich diese Erfahrung seit Herder und der Frühromantik als „ein Verfügbarwerden der Stile, der kulturellen Kodierungen und der Traditionen, als synkretistische Lizenz".[19] Diese Prämisse macht es möglich, dass Faust und Don Juan sich in Grabbes „Tragödie" – erstmals in der Literaturgeschichte – gegenübertreten.

Die Wahl des Handlungsortes ist entscheidend: „[...] wo soll ich die beiden Personen anders vereinigen als im welthistorischen Rom?" (V, 228)[20] In der Tat – wo sonst soll der Verführer aus Sevilla, ein Adliger und Katholik aus dem 17. Jahrhundert, dem ebenso legendären zaubernden Zeitgenossen Luthers aus Wittenberg begegnen? Entscheidend ist dabei die historistische Dimension Roms, in dessen Stadtbild sich die Abfolge der Zeiten zum Raum verdichtet und als Gleichzeitigkeit des Ungleichzeitigen sichtbar wird[21]: „Du bist die Stadt, wo sich / Im Augenblick Jahrtausende verschmelzen: / *Papst* auf dem *Kapitol*, und auf dem *Pantheon* / *Efeu von gestern!*" (I, 433). In diesem Sinne fungiert Rom als eine metapoetische Projektion der Strukturen des Grabbeschen Textes, der ungleichzeitige Elemente der ‚nordischen' Faust- und der ‚südlichen' Don Juan-Legende in sich vereint. Die Perspektive auf Rom als Inbegriff einer erinnerungsträchtigen Trümmerstadt und „zerbrochner Spiegel der / Umfassendsten Vergangenheit" (Ebd.) ist ein intertextueller Topos, der auf die berühmte Lamentation der ‚ewigen Stadt' als „Lone mother of dead empires", „Chaos of ruins" und „the desert where we steer / Stumbling o'er recollections" aus Byrons *Childe Harold's Pilgrimage* verweist.[22] Es verwundert nicht, dass auch der ‚nordische' Ort, an den sich die Handlung im zweiten Teil des Dramas verlagert, – die Alpen um den Mont Blanc – eine offensichtliche Byron-Reminiszenz involviert[23]:

Byron, *Childe Harold's Pilgrimage III*	Grabbe, *Don Juan und Faust*
[...] Above me are the Alps,	Sieh! grau und himmelhoch wie ein
The palaces of Nature, whose vast walls	Senat uralter Erdtitanen, die
Have pinnacled in clouds their snowy scalps,	Im stummen eisgen Trotz zur Sonne schaun,
And throned Eternity in icy halls	Am Fuß gefesselt zwar, doch nicht besiegt,
Of cold sublimity, where forms and falls	Die mit Verheerung stäubender Lauwinen
The avalanche – the thunderbolt of snow!	Das leiseste Geräusch, das sie im Traum
(CPW II, 100, 590-595)	Zu stören wagt, bestrafen, – liegen da
	Die *Alpen*, – [...] (I, 476-477)

Handlungsorte, die ihre Literarizität offen preisgeben, sind ein passender Hintergrund für Figuren, die sich ihrer Herkunft aus der literarischen Tradition bewusst zu sein scheinen: „Ich bin der *Don Juan*, und *bin es selbst!*" (I, 484) – „Nicht *Faust* wär ich, wenn ich kein *Deutscher* wäre" (I, 431). Die unerschütterliche Selbsttreue, auf die Grabbes Don Juan insistiert, erscheint aus dieser Perspektive als ein ironischer Bruch: Das hartnäckige Pochen auf die eigene Identität verweist auf einen mehrfach vorgeprägten literarischen Typus. Jegliche Originalität erscheint angesichts der Last der Stofftradition unmöglich – eine Situation, die im vergeblichen Ringen der Figuren nach *Unmittelbarkeit* thematisch aufgearbeitet wird. Letztere präsentiert sich im Sinne eines destillierten Gegenwartserlebnisses jenseits der messbaren Zeit und in äußerster räumlicher Konzentration.

Wenn Grabbe seinen Don – ähnlich wie später Kierkegaard – zum reflektierten Verführer macht („von der Spontaneität eines Mozart- oder Molina-Don Juan" ist bei ihm „nichts vorhanden"[24]), ist nicht so sehr seine Reflektiertheit an sich von Bedeutung, sondern die paradoxe Tatsache, dass sie sich ausgerechnet auf die Unmittelbarkeit des sinnlichen Genusses richtet: Unbewusstes, ‚reines' Empfinden, in dem sich jegliche Reflexion auflöst, soll ausgerechnet durch bewusste Reflexion erzielt werden. In der sukzessiven Abfolge von Liebesabenteuern, die er umgehend wieder verdrängt, verherrlicht Grabbes Held das verabsolutierte Präsenzerlebnis und erhebt dieses zugleich in den Status einer sorgfältig entwickelten Philosophie: An die Stelle des kontinuierlichen, zusammenhängenden Zeitlaufs soll demnach eine Aneinanderreihung gesteigerter Augenblicke treten. „Im Genuss des Augenblicks löst sich für Don Juan die Erinnerung auf, die Zeit verschwindet".[25] Die Strategie, die dem Helden eine derartige Erfahrung ermöglicht, ist folgerichtig das *Vergessen*[26]:

LEPORELLO
      Don, ich bin
  Entzückt! Ich sah sie!

DON JUAN
                    O so rede schnell!
        Bewegung und Gestalt – Wie sind sie?
LEPORELLO
                                    Wie?
        Ihr habt sie selbst noch nicht gesehn?
DON JUAN
                                        Gesehn,
        Gesprochen – weiß ich es? Mich blendete
        Ihr Auge! (I, 417-418)

Don Juan will also vergessen haben, wie seine aktuelle Angebetete aussieht – eine Behauptung, der seine floskelhafte Redeweise entspricht: Klischees wie „Sie strahlt / Als Herrlichste der Frauen!" (I, 417) oder „Ihr Auge! [...] 's ist ein Stern / Der Nacht!" (I, 418), mit denen er die vorerst namenlos bleibende Angebetete beschreibt, stammen aus dem Fundus der europäischen Liebessprachen und entbehren jeglicher Individualisierung – sie können auf jede Frau angewendet werden. Die Sprache, welcher sich Grabbes Verführer bedient, verleugnet die Einzigartigkeit des Liebeserlebnisses: Sie entspricht seiner Fähigkeit, „Die Herrin lieben, von der Dienerin / Entzückt, – und das so durcheinander während / Desselben Augenblicks – " (I, 425) zu sein.

Wie Sonja Kolberg feststellt, ist Don Juans Hinwendung zum Hier und Jetzt geprägt von der Spannung „zwischen einem Zeitempfinden, das ganz auf den Augenblick ausgerichtet ist, die Zeit somit also eigentlich ausschaltet, und einem Zeitempfinden, das den Augenblick gerade deswegen genießt, weil er vergänglich ist, die Zeit also reflektiert".[27] Die ununterbrochene Abfolge von Liebeserlebnissen wird dabei im Sinne einer paradoxen Kontamination von (zeitlicher) Dynamik und Stillstand gedeutet, indem jede neue Erfahrung die alte verdrängen und die Erinnerung daran auslöschen soll: „[...] nur *Abwechslung* gibt dem Leben Reiz / Und läßt uns seine Unerträglichkeit / Vergessen!" (I, 425-426) Mit diesem – für die ästhetische Moderne immens bedeutenden – Topos nimmt Grabbe das programmatische Postulat der Verschmelzung von steter Veränderung und gleichzeitiger Intensivierung des augenblicklichen Erlebens in Walter Paters Schlüsseltext *Conclusion* (1873) vorweg:

Every moment some form grows perfect in hand or face; some tone on the hills or the sea is choicer than the rest; some mood of passion or insight or intellectual excitement is irresistibly real and attractive to us, – for that moment only. Not the fruit of experi ence, but experience itself, is the end. [...] How shall we pass most swiftly from point to point, and be present always at the focus where the greatest number of vital forces unite in their purest energy?[28]

Die Bruchlinien zwischen Statik und Dynamik, Reflexion und unmittelbarem
Erleben, postuliertem Streben nach Abwechslung und tatsächlicher Beschrän-
kung auf eine einzige Frau im Rahmen der Handlung, proklamierter Individualität und tatsächlichem Status als literarische Figur bewirken eine Mutation:
Von dem in der Stofftradition vorgebildeten Typus des Burladors, Gottesläs-
terers und Verführers wird Grabbes Don Juan zu einer „Identifikationsfigur
neuzeitlicher Individualität".[29] Er flüchtet sich vor dem Wandel der Zeit in den
Augenblick und setzt das Glückserlebnis – über ein halbes Jahrhundert vor
Nietzsches *Vom Nutzen und Nachteil der Historie für das Leben* (1874) – mit
der „unhistorischen"[30] Sensation permanenter Gegenwärtigkeit gleich. Dementsprechend zeugt Grabbes Text vom Wandel des Begriffs des Augenblicks in der
Moderne: An die Stelle der vor 1800 vorherrschenden, religiös-mystischen Deutung als göttliche Ewigkeitsoffenbarung inmitten des Vergänglichen tritt das –
uns geläufigere – säkulare Verständnis des Augenblicks im Sinne einer gleichsam
zeitlosen Präsenzempfindung.

Die Liebeserfahrung und die Erfahrung des ‚ewigen Augenblicks' bedingen
sich in der Poetik des Grabbeschen Dramas wechselseitig: Letztere ist nur denkbar als Produkt der Ersteren. Das Bild des Blitzes, das in Don Juans Textpassagen
immer wiederkehrt, ist deshalb sowohl an die Liebeserfahrung als auch an die
Wunschvorstellung des ‚dauerhaften Augenblicks' gekoppelt. Die Liebe als „eine
Glut, die nie / *Gewohnheit* werden *kann* noch *darf*, / Bei der man, auch wenn
sie nur augenblicks / Gleich einem Blitzstrahl uns durchbebt, vor / Vernichtung
zittert" (I, 483) oder der Vergleich der Donna Anna mit einem „*Blitz* der Schönheit", der „durch / Die Tanzreihn, bald vertauchend, bald verschwindend" zuckt
(I, 461)[31], sind charakteristische Beispiele. Zugleich verweist die Blitz-Metapher
als metaliterarische Figur auf die Bühnenwirksamkeit der Donner- und Blitz-
effekte. Der theatralische Blitz, der als Effekt zu Grabbes Zeiten sehr beliebt
war[32] und besonders im letzten Akt von *Don Juan und Faust* redundant begegnet, ist eine Illusion, ein artifizielles Produkt, so wie die Gegenwärtigkeit eines
Augenblicks zwangsläufig artifiziellen Charakter haben muss, weil das „präsentische Glück", wie Karl-Heinz Bohrer in seinen Studien dargelegt hat, im Rahmen
der verzeitlichten Episteme der Moderne „schon im Augenblick der Gewährung
ein vergangenes ist".[33] Absolute Gegenwärtigkeit lässt sich „gegenüber einer [sie]
zensierenden gewussten Vergangenheit offensichtlich nur in einem ästhetischen
Begriff theoretisch dartun".[34] Die Frage, ob sich das „absolute Präsens" (Bohrer)
mit künstlerischen Mitteln evozieren lässt, wird um die Jahrhundertwende zum
Gegenstand der poetologischen Reflexion werden: So etwa, wenn Hugo von
Hofmannsthal in einer Rezension von 1894 von der Metapher als einer „plötzlichen blitzartigen Erleuchtung" spricht, „in der wir einen Augenblick lang den
großen Weltzusammenhang ahnen".[35] Der mit sprachlichen oder theatralischen

Mitteln erzeugte Präsenzeffekt ist flüchtig; dementsprechend zeigt sich die donjuaneske Wunschfigur der stillgestellten Gegenwärtigkeit, durch das paradoxe Bild des ewigen Blitzes umschrieben, als unverfügbar: „Da capo! Alle Blitze mögen ewig flammen, / Besonders, wenn sie treffen!" (I, 509). Auch diese Aporie des ewigen Blitzes wird in der ästhetischen Theorie des *fin de siècle* wiederkehren, und zwar in Walter Paters berühmtem Bild der „harten, diamantenen Flamme"[36], das „die Figur der fließenden Zeit, die Flamme, mit der Figur der stehenden oder erstarrten Zeit, dem Kristall"[37], gleichsetzt, um das utopische Axiom eines nicht-endenden Augenblicks zu vermitteln.

Das Erscheinen der Statue des Gouverneurs erlangt in diesem Kontext besondere Bedeutung. In den Vordergrund rückt ihre semantische Konnotation als *Denkmal*, also erinnerungszentriertes kulturelles Zeichen, das Don Juans Utopie des ‚vergessenden' Präsenzerlebnisses ein Ende setzt. Gleichzeitig stört der Auftritt der Statue aber auch die Textkohärenz, indem er als Relikt der im vormodernen Weltbild verankerten Stofftradition (göttliche Strafe, die den Sünder ereilt) mit den säkularen Semantiken von Erinnern und Vergessen, Zeit und Augenblick in Konflikt gerät.

Die Spezifik der Grabbeschen Tragödie besteht darin, dass ein und dieselbe Problematik auf zwei Protagonisten verteilt ist. Ihr Verhältnis zueinander gestaltet sich deshalb viel eher als strukturelle ‚Doppelung' denn als Antithese. Damit vollbringt Grabbe eine entschiedene Reform der üblichen kontrastiven Gegenüberstellung von Don Juan und Faust als Süden und Norden, Sinnlichkeit und geistiges Streben, Unmittelbarkeit und Reflexion und erschüttert die klassischen Stofftraditionen, die jeweils um *eine* Figur konzentriert waren.

Durch die Verschreibung an den Teufel opfert Faust die (himmlische) Ewigkeit für die „bare Münze" des (irdischen) Augenblicks: „Gewagt, gewonnen! Ewigkeiten weg / Für Augenblicke!" (I, 438) Zu diesem Zeitpunkt versteht er die Ewigkeit noch als Gegenentwurf zum Augenblick. Die Utopie der sinnlich erfüllten Gegenwärtigkeit, in der diese Kategorien zusammenfallen und der Don Juan von Beginn an huldigt, erschließt sich Faust erst bei der Begegnung mit Donna Anna. Bei dieser Begegnung erlebt er die Verdichtung des Unendlichen zum Punktuellen im Sinne einer ultimativen Glückserfahrung:

Nein, unmöglich ists, dass ich,
Der *Faust*, dem alle Welt zu eng gewesen,
In einem Augenblick im kleinen Raum
Vor eines Mädchens Antlitz, im Gelispel
Von ein paar Mädchenlippen mich verliere!
Und doch, so ists! (I, 463)

Sonja Kolberg interpretiert diese Passage im Sinne einer Transgression der räumlichen und zeitlichen Beschränkungen und der Aufhebung der Subjekt-/ Objektspaltung („mich verliere").[38] Es erscheint jedoch treffender, an dieser Stelle nicht von Transgression, die *Erweiterung* impliziert, sondern von *Verdichtung* zu sprechen. Fausts Liebeserlebnis ist durchweg mit einer Rhetorik der Enge verbunden, die Statik und räumliche Isolation konnotiert: „Wie schrumpft mir alles ein, nur *du* nicht! – Für / Das Fleckchen, das dein Fuß hier hat betreten, / Werf ich die ganze Welt weg" (I, 476). Die Glücksvision erschließt sich nicht „in wüster Unermeßlichkeit / Und Ferne", sondern „Im nahen, engen Raum" (I, 431). Diese äußerste räumliche Konzentration korrespondiert der Kategorie des punktuellen Augenblicks, der die Flucht der Zeit gleichsam außer Kraft setzt. Dass Grabbe mit diesem Vorstellungskreis das – seit Goethe maßgeblich gewordene – Paradigma des *unendlichen* faustischen Strebens in sein Gegenteil verkehrt[39], verdeutlicht das polemische intertextuelle Aufgreifen eines Zitats aus Goethes *Faust*, das seinerseits auf dem antiken Sprichwort „Ars longa, vita brevis" gründet:

Mephistopheles *(Goethe)*	Faust *(Grabbe)*
Das läßt sich hören!	Mit Zukunft droht man fortan mir nicht mehr.
Doch nur vor *einem* ist mir bang:	Ich fühl es schon: das Jahr ist kurz und lang
Die Zeit ist kurz, die Kunst ist lang.	Die Stunde. Gibt es Zukunft, Ewigkeiten,
Ich dächt, ihr ließet Euch belehren.[40]	So ists die Gegenwart, in welcher man
	Sie findet. Das zeigt mir
	Ein Blick ins Antlitz
	Der Donna Anna. [...] (I, 478)

Durch diese Umkehrung leistet Grabbe nicht nur einen Bruch mit der Stofftradition – repräsentiert in diesem zentralen Aspekt durch Goethes *Faust* –, sondern nähert die Faust-Figur derjenigen des Don Juan an.

Die Parallelen zwischen den beiden Grabbeschen Protagonisten treten an der Textoberfläche von Anfang an durch ihre ähnliche Liebesrhetorik zutage. Fausts Liebeserklärung gegenüber Donna Anna im dritten Akt wirkt wie eine Neuauflage der entsprechenden Szene zwischen Anna und Juan zu Beginn des zweiten Aktes. Nicht zufällig finden beide Szenen an isolierten Orten statt – in einem *hortus conclusus* oder auf dem Gipfel des Mont Blanc: Der punktuelle Charakter dieser Orte kontrastiert mit Rom als Inbegriff der erinnerungsträchtigen historistischen Erweiterung. Sowohl Don Juan als auch Faust stilisieren den (Liebes-)Augenblick zum Beginn eines neuen, von der Vergangenheit losgelösten Daseins, in dem diese Vergangenheit vergessen – denn Vergessen macht den Weg frei für Neues – bzw. *ausgeblendet* wird; daher die Metaphorik von Verblendung, Tod und Auslöschen:

DON JUAN
Bei deinem freudgen Blick, dem *Todesengel*, [...]
Erstirbt vor Schmach und Alter das Vergangene,
Und tritt an dessen Stell ein *neues Eden*.
Wer dir ins Auge sieht, der trinkt vom Lethe! –
(I, 448)

FAUST
All meine alten Welten stürzen
Zusammen, – neue Meere kochen auf
Und werfen neue Erden aus, wie Muscheln!
Wie schrumpft mir alles ein, nur *du* nicht!
[...] (I, 476)

– Ich flehe dich, ich fasse deine Hand,
Sprich Leben oder Tod, mit einem Wort,
Mit einer Silbe sags, ob du mich sterben sehn,
Ob du mich lieben willst? (I, 447)

Flitter, Tand die Sterne!
In *deinem* Aug nur wohnt mir Leben – Tot
Bin ich, wenn du es mir entziehst. [...]
(I, 476)

Mich hassen? – Mich, der darin einzig sündigt,
Dass er von deiner Schönheit Strahl getroffen,
Ein Aar, der freien Flugs im Äther schwebte,
Geblendet nun zu deinen Füßen stürzt?
(I, 446)

O Anna! Meteor der Liebe, blick
Nicht zürnend auf mich nieder. Als du
                                    blendend
An meines Lebens Horizonte aufstiegst,
Des Himmels Schmuck, des Herzens
                                    Wonne, griff
Ich trunken nach dem Licht, das mich ent-
zückte, – [...] (I, 476)

Dass ich Euch totschlug und den lispelnden –
Octavio, geschah das nicht aus Liebe? Konnt

Drum, wenn ich diesen da erniedrige,
Den Himmel stürme, Erd und Meer
                                    erschüttere,

Ich meine Liebe kräftger dartun, als
Wenn ich den Mord des künftgen Schwiegervaters,
Des frühren Bräutigams nicht scheute? (I, 489)

So ists nur Lieb zu dir, die darin laut wird,
Jedoch in andrer Art als wie gewöhnlich!
(I, 479)

Als „Identifikationsfiguren neuzeitlicher Individualität"[41] stehen Don Juan und Faust mit ihrem Konzept des desakralisierten, ,vergessenden' Augenblicks der Donna Anna gegenüber, die das vormoderne Konzept der metaphysischen Ewigkeit vertritt: „Die Treu ist ewig, Liebe ist vergänglich - / Das *Ewge* siege!" (I, 449) – und um jeden Preis an der Erinnerung festhält: „Ich gedenke / Nur dessen, was du *tatest*" (I, 475). Der utopische, unverfügbare Charakter beider Vorstellungskreise findet in Annas Unerreichbarkeit für beide Protagonisten und in ihrem eigenen Untergang strukturellen Ausdruck. Die Entführung und Gefangennahme der Donna sowie ihre Unterbringung an einem denkbar isolierten Ort steht bildhaft für Fausts Versuch, „den flüchtigen Augenblick zu bannen und zu stabilisieren"[42]. Im Grunde ist das Zauberschloss auf dem Mont Blanc, in dem er sie festhält, nichts Anderes als eine verräumlichte Metapher des zeitlosen (Liebes-)Augenblicks.[43]

Mit der Vernichtung der Geliebten geht die Illusion, den Augenblick festhalten zu können, für Faust unwiederbringlich verloren. Deshalb wendet er sich wieder den Kategorien der metaphysischen Ewigkeit und der Erinnerung zu, die das säkulare, ‚vergessende‘ Augenblicksempfinden außer Kraft setzen sollte:

> – – Du bist
> Dahin für mich, o Donna Anna! Nie
> Erblick ich deiner Augen Schimmer, nie
> Bad ich in deiner Schönheit Glanz mich wieder,
> Und niemals wird ein Wörtchen nur, verschönt
> Durch deiner Stimme Zauber, zu mir klingen –
> *Doch ewig werd ich dein gedenken*, und
> Schon der *Gedanke* wird die Wirklichkeit
> Der Höll zuschande machen! (I, 506)

Grabbe gestaltet Fausts Bund mit dem Teufel, indem er die von Goethe in den Stoff eingeführte Wette um den Augenblick mit dem traditionellen Motiv des Teufelspakts verbindet.[44] Sein Faust ergibt sich am Ende jedoch freiwillig dem Teufel, weil er den Augenblick nicht zum Verweilen bringen konnte – im Gegensatz zu Goethes Faust, dessen Wette mit Mephistopheles gerade darin besteht, den Augenblick niemals festhalten zu wollen. Damit gestaltet Grabbe den Schluss seiner Faust-Handlung im Sinne eines Gegenentwurfs zum Volksbuch, wo Faust nach Ablauf der im Pakt festgehaltenen Frist durchaus unfreiwillig vom Teufel geholt wird, aber auch zu Goethes exemplarischer Vorlage – und schließt mit der Höllenfahrt dennoch an den traditionellen Ausgang der Legende an. Auch der – in offensichtlicher Anlehnung an da Pontes *Don Giovanni*-Libretto gestalteten – Untergangsszene des Don Juan ist ein ironischer Hinweis auf die unumgängliche Schlusswendung der Stofftradition eingeschrieben. Die Aussage „Was / Ich *bin*, das *bleib* ich! Bin ich *Don Juan*, / So bin ich nichts, werd ich ein *anderer*!“ (I, 513) impliziert, dass der Held mit dem Erscheinen der Statue zwangsläufig untergehen muss: Jedes Abweichen von dieser traditionellen Konstellation würde bedeuten, dass der Grabbesche Verführer kein ‚wahrer‘ Don Juan mehr wäre.

Das metapoetische Umspielen der Abhängigkeit des eigenen Textes von den Prätexten ist ein zentrales Charakteristikum des *Don Juan und Faust*, dessen Protagonisten in jedem Moment als literarische Figuren agieren, während ihr Handeln stets an das Koordinatensystem der Stofftradition gebunden bleibt. Dem zum Scheitern verurteilten Streben nach Unmittelbarkeit, welches das Drama inhaltlich dominiert, korreliert auf metapoetischer Ebene das reflektierte Angewiesensein auf die Mittlerinstanz der Tradition: „Armselig ist der Mensch! Nichts Großes, sei’s / Religion, sei’s Liebe, kommt *unmittelbar* / Zu ihm – Er muss 'ne *Wetterleiter* haben!" (I, 498) Um Originalität zu erschaffen, wo angesichts der Fülle der Vorgängertexte nichts Neues mehr möglich zu sein scheint, zieht Grabbe das Ironisieren, Kombinieren, Verfremden, Überlagern, Perspektivieren als „Wetterleiter" herbei. Sowohl die Faust- als auch die Don Juan-Legende konzentrieren sich um *eine* Zentralgestalt, deren Aktionen den Verlauf der Handlung bestimmen: Nicht zuletzt deswegen eignen sich beide Stoffe hervorragend zur dramatischen Gestaltung. Indem Grabbe beide Figuren in harter Fügung zusammenbringt und ihre jeweiligen Äußerungen nach dem Prinzip der Doppelung gestaltet, relativiert er die klassische dramatische Form und bringt den historistischen Effekt der Pluralisierung auch strukturell zum Ausdruck. Die Traditionen haben ihre Verbindlichkeit eingebüßt: Die metaphysische Botschaft beider Legenden ist einer säkularen, subjektbezogenen Problemstellung, ihre innere Kohärenz einem intertextuellen Spiel gewichen; sowohl Faust als auch Don Juan sind als bloß literarische Prototypen kombinierbar geworden. Indem Grabbe ihnen die Sehnsucht nach dem (Liebes-)Augenblick als gemeinsamen Nenner beigibt und diesem Motiv, das in beiden Stofftraditionen bereits vorhanden war, das Potential einer genuin neuzeitlichen Problematik abgewinnt, macht er sein Drama zum Dokument eines modernen Denkens, das Neues nur im Spiel mit den Trümmern des Überlieferten erschaffen zu können glaubt: „Aus *Nichts* schafft Gott, wir schaffen aus / *Ruinen*!" (I, 433).

Anmerkungen

*   Diesem Aufsatz liegt ein Kapitel meiner Dissertation zugrunde: „... wir schaffen aus Ruinen". Der Byronismus als Paradigma der ästhetischen Moderne bei Heine, Lenau, Platen und Grabbe. Würzburg 2013 (Phil. Diss. Zürich 2011).

1   Judith Gerstenberg: „Herzog Theodor von Gothland" im Niedersächsischen Staatstheater Hannover. In: Grabbe-Jahrbuch 30/31 (2011/12), S. 64-73, hier S. 68.

2   Lothar Ehrlich: „... denn Poesie ist (auch nach Shakespeare) der Spiegel der Natur...". Zur Aktualität Grabbes auf dem Theater. Ebd., S. 8-25, hier S. 9.

3   Volker Klotz: Radikaldramatik. Szenische Vor-Avantgarde: Von Holberg zu Nestroy, von Kleist zu Grabbe. Bielefeld 1996, S. 123.

4   Anke-Marie Lohmeier: Literatur im Modernisierungsprozess: Aspekte einer modernisierungsgeschichtlichen Periodisierung. In: Epochenbegriffe: Grenzen und Möglichkeiten. Hrsg. vom Internationalen Germanistenkongress, betreut von Uwe Japp, Ryozo Maeda und Helmut Pfotenhauer. Bern u.a. 2002, S. 47-52, hier S. 50.

5   Vgl. den Kommentar in Christian Dietrich Grabbe: Werke. Hrsg. von Roy C. Cowen (künftig: GW). München, Wien 1975-1977, Bd. 2, S. 111.

6   Siehe dazu Peter Hasubek: Grabbes ,kritische' Liebe zu Shakespeare: Der Essay „Über die Shakspearo-Manie" als Antwort auf die Shakespeare-Rezeption in den

ersten Jahrzehnten des 19. Jahrhunderts. In: Grabbe und die Dramatiker seiner Zeit. Hrsg. von Detlev Kopp und Michael Vogt. Tübingen 1990, S. 45-74, insbes. S. 63f.

7   Zit. nach dem Bericht des Schauspielers Eduard Jerrmann. In: GW, Bd. 2, S. 109.

8   So z.b. Immermann in seinem Grabbe-Essay von 1838: „Ich habe ihn eine Natur in Trümmern genannt, aber ich setze hinzu: diese Trümmer waren von Granit und Porphyr". Zit. nach: Friedrich Sengle: Biedermeierzeit. Deutsche Literatur im Spannungsfeld zwischen Restauration und Revolution 1815-1848. Stuttgart 1971-1980, Bd. 3, S. 190.

9   „[...] vorzüglich nützt der Name zweier bekannter Personen: Don Juan und Faust". Grabbe an Georg Ferdinand Kettembeil, 24. Mai 1828 (V, 245).

10 Petra Hartmann: Faust und Don Juan. Ein Verschmelzungsprozess, dargestellt anhand der Autoren: Wolfgang Amadeus Mozart, Johann Wolfgang von Goethe, Nikolaus Lenau, Christian Dietrich Grabbe, Gustav Kühne und Theodor Mundt. Stuttgart 1998, S. 75.

11 Vgl. "Don Juan und Faust" (I, 490f.) und „Don Giovanni", II. Akt, 11. Szene.

12 Vgl. Deutsche Volksbücher in drei Bänden. Hrsg. von den Nationalen Forschungs- und Gedenkstätten der klassischen deutschen Literatur in Weimar. Ausgewählt und eingeleitet von Peter Suchsland. 3. Aufl. Berlin, Weimar 1979, Bd. I., S. V-XLVII, hier S. XXXIII.

13 Vgl. Hartmann: Faust und Don Juan (Anm. 10), S. 76-77.

14 Peter Michelsen: Verführer und Übermensch. Zu Grabbes „Don Juan und Faust". In: Ders.: Im Banne Fausts. Zwölf Faust-Studien. Würzburg 2000, S. 207-222, hier S. 211.

15 Hartmann: Faust und Don Juan (Anm. 10), S. 78.

16 GW, Bd. 2, S. 118.

17 Selbstrezension im Brief an Georg Ferdinand Kettembeil, 16. Januar 1829 (V, 261; Hervorhebung, A.R.).

18 Zu den Kriterien, mit denen zuerst Reinhart Koselleck den Wandel geschichtlicher Erfahrung seit der zweiten Hälfte des 18. Jahrhunderts beschrieben hat, gehört neben der Dynamisierung und Verzeitlichung auch die „Erkenntnis des Ungleichzeitigen, das zu chronologisch gleicher Zeit geschieht." In: Ders.: Vergangene Zukunft: Zur Semantik geschichtlicher Zeiten. Frankfurt a. M. 1979, S. 324.

19 Heinz Brüggemann: Romantik und Moderne. Moden des Zeitalters und buntscheckige Schreibart. Würzburg 2009, S. 269.

20 Grabbe an Georg Ferdinand Kettembeil, 16. März 1828.

21 Rom als Schmelztiegel vergangener, nebeneinander bestehender Epochenzeugnisse, als Metapher für die an einem besonderen Ort stillgestellte Zeit ist ein im 19. Jahrhundert verbreiteter Topos, so etwa das „ewige, unparteiische, unmoderne, tendenzlose, großartig abgethane Rom". Jacob Burckhardt an Gottfried Kinkel, 9. März 1846; zit. nach: Hannelore Schlaffer, Heinz Schlaffer: Studien zum ästhetischen Historismus. Frankfurt a. M. 1975, S. 74.

22 George Gordon Byron: The Complete Poetical Works. 7 Bde. Hrsg. von Jerome J. McGann (künftig: CPW). Oxford 1980-1993, Bd. II, S. 150-151, 696, 718,

726-727. Auf diese Allusion weist Joseph Wiehr hin: The relations of Grabbe to Byron. In: The Journal of English and Germanic Philology 7 (1908), S. 134-149, hier S. 144f.

23 Vgl. Ulrich Wesche: Byron und Grabbe: Ein geistesgeschichtlicher Vergleich. Detmold 1979, S. 64.

24 Hartmann: Faust und Don Juan (Anm. 10), S. 76. Ähnlich auch Hiltrud Gnüg: Don Juan. Eine Einführung. München, Zürich 1989, S. 100-106, sowie Sonja Kolberg: „Verweile doch!" Präsenz und Sprache in Faust- und Don-Juan-Dichtungen bei Goethe, Grabbe, Lenau und Kierkegaard. Bielefeld 2007, S. 132-134.

25 Ebd., S. 141.

26 Vgl. auch I, 444. Zur sprachlichen Manifestation der „metonymischen Vergesslichkeit" des Don Juan siehe Gunther Nickel, Ekkehard Schreiter: Zwei Lektüren von Christian Dietrich Grabbes *Don Juan und Faust*. In: Christian Dietrich Grabbe – Ein Dramatiker der Moderne. Hrsg. von Detlev Kopp. Bielefeld 1996, S. 95-118, hier S. 107.

27 Kolberg: „Verweile doch!" (Anm. 24), S. 140f.

28 Walter Pater: The Renaissance: Studies in Art and Poetry. Hrsg. von Adam Phillips. Oxford 1998, S. 152.

29 Kolberg: „Verweile doch!" (Anm. 24) , S. 11.

30 Diese Schrift bietet die erste umfassende Erörterung des Historismus, obwohl der Begriff ‚Historismus' darin nicht vorkommt. Mit „dem Worte ‚das Unhistorische'" bezeichnet Nietzsche „die Kunst und Kraft *vergessen* zu können und sich in einen begrenzten *Horizont* einzuschließen [...]" im Zuge einer bewussten Abgrenzung gegen „die große und immer größere Last des Vergangenen". Vom Nutzen und Nachtheil der Historie für das Leben. In: Friedrich Nietzsche: Sämtliche Werke: Kritische Studienausgabe in 15 Bänden. Hrsg. von Giorgio Colli und Mazzino Montinari. Neuausgabe. München 1999, Bd. I, S. 241-334, hier S. 330 und 249.

31 Hier und weiterhin Grabbes Hervorhebungen.

32 Vgl. Juliane Vogel: Die Furie und das Gesetz. Zur Dramaturgie der „großen Szene" in der Tragödie des 19. Jahrhunderts. Freiburg/Br. 2002, S. 39.

33 Karl-Heinz Bohrer: Ästhetische Negativität. München 2002, S. 157.

34 Karl-Heinz Bohrer: Plötzlichkeit. Zum Augenblick des ästhetischen Scheins. Frankfurt a. M. 1981, S. 132.

35 Hugo von Hofmannsthal: Philosophie des Metaphorischen. In: Gesammelte Werke in zehn Einzelbänden. Hrsg. von Bernd Schoeller, Ingeborg Beyer-Ahlert in Beratung mit Rudolf Hirsch. Frankfurt a. M. 1979-1980, Bd. VIII, S. 190-193, hier S. 192. Siehe dazu Sabine Schneider: Poetik der Illumination. Hugo von Hofmannsthals Bildreflexionen im „Gespräch über Gedichte". In: Zeitschrift für Kunstgeschichte 3 (2008), S. 389-404, insbes. S. 401ff.

36 „To burn always with this hard, gem-like flame, to maintain this ecstasy, is success in life". Pater: The Renaissance (Anm. 28), S. 152.

37 Ulrike Stamm: „Ein Kritiker aus dem Willen der Natur". Hugo von Hofmannsthal und das Werk Walter Paters. Würzburg 1997, S. 72.

38 Kolberg: „Verweile doch!" (Anm. 24), S. 139.

39 Im „Lied der Gnomen" wird dem ‚ewigen Streben' der überlieferten Faust-Gestalt ausdrücklich das herkömmliche Arsenal der Idylle entgegengesetzt: „O selig, wer im engen Kreis, / Umringt von seines Feldraums Hecken, / Zu leben, zu genießen weiß, / Er spielt mit aller Welt Verstecken. / Er blickt nicht sehnend nach dem Fernen, / Der ganze Himmel engt sich für ihn ein, / Der Horizont mit seinen Sternen, / Ist im Bezirke seiner Äcker sein." (I, 493).

40 Goethes Werke. Hamburger Ausgabe in vierzehn Bänden. Hrsg. von Erich Trunz. 8. Aufl. Hamburg 1967, Bd. III, S. 59.

41 Kolberg: „Verweile doch!" (Anm. 24), S. 11.

42 Ebd., S. 139.

43 Das Schloss, das Faust dem Ritter zu erbauen befiehlt, trägt explizit Donna Annas Merkmale: „[...] – Und die Fenster sollen leuchten / Wie Donna Annas Abglanz – Purpur, feurger / Als Unschuldsrot auf jungen Mädchenwangen, / Soll alle Wände schmücken, – Teppiche, / Vor Wollust schwellend unter ihrem Tritt, / Den Boden küssen, – was der Schoß des Meers, / Der Erde Schachten, dir an Perlen bieten / Und an Juwelen, dort solls strahlen!" (I, 465). An anderer Stelle wird Anna von Faust ihrerseits mit einem Felsen verglichen (I, 497).

44 Vgl. Kolberg: „Verweile doch!" (Anm. 24), S. 137f.

Daniel Löffelmann

Geist und Sinnlichkeit
Zur dialektischen Transformation eines anthropologischen Dualismus in Grabbes *Don Juan und Faust*

Am Anfang des systematischen Nachdenkens über den Menschen steht ein Theorem der menschlichen Doppelnatur: Die antike Definition des Menschen als vernunftbegabtes Tier (*animal rationale* bzw. ζῷον λόγον ἔχον), die zum ideengeschichtlichen Topos wurde, bestimmt ihn als ein sowohl sinnliches als auch geistiges Wesen. Wie die Tiere besitze der Mensch Instinkte, Sinne und Triebe, andererseits – und das sei im Reich der Tiere sein Spezifikum – habe er Verstand und Vernunft, ihm sei es möglich, zu theoretischen Einsichten zu gelangen, Werke zu schaffen und moralisch zu handeln.[1]

Auch die Autoren der *Aufklärung* hegen großes Interesse für den Menschen. Dieses Interesse ist im geistesgeschichtlichen Zusammenhang mit der Hinwendung zur Natur zu verstehen, die sie als umfassendes europäisches Phänomen charakterisiert.[2] Die Natur ist es, welche die Aufklärer in ihrem Kampf gegen die uneingeschränkte Autorität der christlichen und antiken Überlieferung ins Feld führen; ihr Studium war folglich Programm. Dem Menschen galt dabei deshalb besonderes Augenmerk, weil man in ihm den Ausgangs- und Zielpunkt aller theoretischen wie praktischen Bemühungen erblickte.[3] Darüber, was die „allgemeine Menschennatur" nun ausmache, herrscht unter den Aufklärern jedoch keine Einigkeit: Mal werden seine sympathetischen Regungen des Herzens, d.h. Gefühle und Triebe in den Vordergrund gerückt, kurz: seine *Sinnennatur*; mal seine Rationalität, sein Geist und Verstand, seine Urteils- und Einbildungskraft, kurz: die *Vernunftnatur* des Menschen.

Diese Uneinigkeit hat man sich aber nicht als einen Streit zweier Schulen vorzustellen, von denen die eine für die These eingetreten wäre, der Mensch sei Instinkt- und Sinnenwesen, und die andere für die, er sei Vernunftwesen; vielmehr kann man beide Ansichten bei ein- und demselben Schriftsteller artikuliert finden, exemplarisch etwa bei Rousseau.[4] Die Anthropologie der Aufklärung kommt jedoch auf einem anderen Weg als die Antike dazu, dem Menschen zwei Naturen zu attestieren; in ihrem Fall hängt es mit der *Zweideutigkeit des Naturbegriffs* zusammen. Denn mit der Rede von der ‚Natur' einer Sache oder eines Lebewesens kann ja immer sowohl sein ursprünglicher, *urtümlicher Zustand* gemeint sein als auch sein *eigentliches Wesen*, zu dem es als voll Entwickeltes bestimmt ist. Und je nachdem, welche Bedeutung des Naturbegriffs gerade am

Werk ist, führt das in Bezug auf den Menschen entweder zur Betonung seiner sinnlichen oder eben der geistigen Seite.

Bei diesem Nebeneinander bleibt es jedoch nicht. Im letzten Viertel des 18. Jahrhunderts werden Sinnen- und Geistesnatur zum unversöhnlichen Dualismus stilisiert: Die spätaufklärerische Anthropologie diagnostiziert einen Riss quer durchs menschliche Wesen.[5] Die These von der Zerrissenheit des Menschen formuliert am eindrücklichsten Kant in seiner *Kritik der reinen Vernunft*, in der er ihn zu einem „Bürger zweier Welten" erklärt; seine Transzendentalphilosophie verdammt den Menschen zum Doppelgänger-Dasein zwischen der empirisch zugänglichen *mundus sensibilis* (Sinnenwelt) und der davon strikt getrennten übersinnlichen *mundus intelligiblis* (Verstandeswelt).[6]

Von der *Romantik*, beispielhaft etwa bei Novalis, wird Kants Zwei-Welten-Diagnose zwar anerkannt, aber es bleibt dennoch der untilgbare Wunsch, sich selbst als Einheit zu erfahren; man leidet an der Lage des Menschen als Wandler zwischen den Welten.[7] Da sie von der Romantik beeinflusst sind, verwundert es nicht, dass sich auch noch die Autoren des *Vormärz* daran abarbeiten.

Ein gutes Beispiel dafür ist Grabbes Tragödie *Don Juan und Faust*, die erstmals 1829 erschien. Sie thematisiert das Verhältnis zwischen der Sinnes- und Geistesnatur des Menschen, zwischen seinen sinnlichen und geistigen Anteilen – und zwar anhand des Konflikts der Hauptfiguren Faust und Don Juan, die Grabbe bereits in der Stofftradition (er nennt Goethe und Mozart) als paradigmatische Vertreter jeweils einer der beiden Komponenten der menschlichen Natur auftreten sieht.[8] Im Folgenden interessiert mich, *wie* dieses Verhältnis der beiden Figuren und der mit ihnen verknüpften Themen und Motive im Dramentext auf unterschiedlichen Ebenen dargestellt wird und *was* mit Blick auf den anthropologischen Diskurs damit zum Ausdruck kommt. Ich untersuche also sowohl die spezifische *Form* der Darstellung – wie sie sich konkret in der Anordnung der Text- und Darstellungselemente in Ähnlichkeit- und Kontrastbeziehungen zeigt – als auch deren *Semantik*.

Methodisch greife ich damit auf das Konzept der *Formensprache*[9] zurück. Die Gestaltung und Formung literarischer Artefakte, davon wird dabei ausgegangen, zeichne sich gerade dadurch aus, dass es bei ihr „nie allein darum [gehe], dass etwas geformt sei, sondern immer auch darum, dass etwas gesagt sei. Etwas, das auf andere Weise [...] womöglich gar nicht sagbar wäre, das ohne formensprachliche Anstrengung [...] nicht in den intersubjektiven Austausch zu bringen wäre."[10]

Der Beitrag wendet sich zunächst jenen beiden Aspekten der Darstellungsform zu, die im Hinblick auf die Figuren Don Juan und Faust besonders relevant sind, nämlich *Figurenkonstellation* und *Figurensprache*, wobei erste noch nach *Darstellungs-* und *Handlungsebene* differenziert wird. In diesen drei Abschnitten rücke ich sowohl mikrostrukturelle Zusammenhänge und als auch die Makrostruktur des Textes in den Fokus; die Ergebnisse der Analyse führe ich in einem vierten Abschnitt zusammen. Dort werden sie als dialektische Transformation des starren Dualismus von Sinnlichkeit und Geist ausgewiesen, der dem Zwei-Welten-Modell Kants zugrunde liegt.

Soweit ich die Grabbeforschung überblicke, ist eine solche Untersuchung bis jetzt noch nicht geleistet worden. – Die wenigen Ansätze dazu, die sich finden lassen, werde ich aufgreifen und diskutieren. Sie scheint mir aber darüber hinaus auch deshalb von Bedeutung für die wissenschaftliche Kommunikation, weil *Don Juan und Faust* in der Sekundärliteratur als *Ideendrama* gehandelt wird[11], also als Stück, in dem eine Idee oder ein Ideenkonflikt im Zentrum steht, zu deren Gunsten mitunter die Darstellung der Figuren, Handlung, Schauplätze etc. in den Hintergrund treten. Dieses Etikett scheint mir missverständlich, da sich – wie ich mit meinem Beitrag zu zeigen versuche – überhaupt erst durch eine genaue Analyse der Darstellungsform erschließt, welche spezifische Wendung Grabbe dem Ideenkonflikt zwischen Sinnlichkeit und Geist in seiner Tragödie gibt.

1. Figurenkonstellation: Darstellungsebene

1.1 Herkunft, Konfession, Patriotismus

Zunächst möchte ich den Blick auf die Figurenkonstellation lenken und hier insbesondere auf die Unterschiedlichkeit von Don Juan und Faust auf der Darstellungsebene. Das Drama kontrastiert die beiden Figuren erstens anhand ihrer Herkunft, genauer: anhand des Gegensatzes von Deutschland und Spanien und – damit einhergehend – von Nord und Süd. Obwohl diese Entgegensetzung natürlich bereits durch die Stofftradition vorgezeichnet ist, übernimmt sie der Text explizit. Die Faust-Figur wird mittels Fremdcharakterisierung eingeführt, nämlich über eine Beschreibung aus dem Munde Don Juans, die auch in die Trickkiste bildlicher Rede greift: Ein „großer Magus" sei gekommen, und zwar aus „Norddeutschlands Eiseswüsten" (I, 422).[12] Don Juan hingegen gibt sich selbst als Spanier zu erkennen; das erste Mal, nachdem er erfahren hat, dass Donna Annas Vater ein Gesandter seines Heimatlandes ist: „Ein Spanier! *Sie* eine Landsmännin!" (I, 418) und das zweite Mal, als er sich eben jenem Gesandten vorstellt: „Ich bin span'scher Grande, / Mit Namen Don Juan." (I, 421).

Der zweite Kontrast beruht auf der Opposition von Protestantismus und Katholizismus. Zwar sind sowohl Faust als auch Don Juan jeweils auf ihre Weise Atheisten. Darüber darf einem aber nicht entgehen, dass sie bereits qua ihrer Herkunft vor dem Hintergrund der Rivalitäten zwischen römisch-katholischer und evangelisch-lutherischer Konfession auftreten. Dass sie aber vom Text auch wirklich jeweils einer Seite dieses Konflikts zugeordnet werden, erhöht den Kontrast der beiden Figuren noch.[13] So bezeichnet Don Juans Begleiter Leporello, ohne dass jener ihm widerspräche, den Papst gleich zu Beginn als „Haupt der Christenheit" (I, 418). Auf der anderen Seite lässt der Text keinen Zweifel daran aufkommen, dass Faust als ein Christ protestantischer Prägung aufgefasst werden soll; gleich in seinem ersten großen Monolog verkündet er, wie Luther aus Wittenberg zu stammen, der Wiege der Reformation, und bezeichnet den Vater des Protestantismus als „[a]ll meiner Zeitgenossen größten" (I, 432). Wenn sich Don Juan und Faust zueinander verhalten wie Katholizismus und Protestantismus, wenn sie vom Text als deren Stellvertreter dargestellt werden, dann signalisiert er mit dieser historischen Analogie, dass es zwischen den beiden weder Einigkeit noch eine friedliche Vermittlung geben könne, nur Hass und Krieg.

Eine dritte Dimension des Kontrasts von Don Juan und Faust ergibt sich aus ihrer Beziehung zum Heimatland. Fausts Patriotismus liegt offen zutage:

> Was ist mir näher als das *Vaterland*?
> Die *Heimat* nur kann uns beseligen,
> Verräterei, die Fremde vorzuziehn!
> Nicht *Faust* wär ich, wenn ich kein *Deutscher* wäre!
> – O Deutschland! Vaterland! Die Träne hängt
> Mir an der Wimper, wenn ich dein gedenke!
> Kein Land, das herrlicher als *du*, kein Volk,
> Das mächtger, edler als wie *deines!* (I, 431-432)

Ihm scheint seine Zugehörigkeit zur deutschen Nation elementarer Bestandteil seiner Identität („Nicht *Faust* wär ich, [...]"). Allerdings muss an dieser Stelle der Widerspruch ins Auge springen, der zwischen der prätentiösen Figurenrede und der tatsächlichen Realität der Textwelt besteht – ein Leitmotiv des Stücks. Auf diese Weise wird formensprachlich Zweifel an der Authentizität seines Patriotismus gesät. Denn Faust hält sich zum Zeitpunkt seines Monologs ja gerade nicht in seiner „Vaterstadt" (I, 432) Wittenberg, sondern in Rom auf und scheint also selbst die „Verräterei" zu begehen, „die Fremde vorzuziehn". Die Unaufrichtigkeit seiner Rede gesteht er kurz darauf indirekt ein. Er erklärt nämlich, eben jenes Deutschland, das seiner Rede zufolge doch eigentlich herrlicher gar nicht sein könne, verlassen zu haben, weil es sich als unzulänglich erwiesen habe, sein Streben zu erfüllen: „Dem Vaterland entfloh ich, als es mich / Nicht konnt befriedigen [...]!" (I, 433)

Don Juans Beziehung zu seinem Heimatland hingegen stellt der Text nicht weniger ambivalent dar. Vergegenwärtigt man sich seine oben schon erwähnte Freude darüber, dass Donna Anna ebenfalls aus Spanien stammt („*Sie* eine Landsmännin!" [I, 418]), könnte man zunächst vermuten, auch Don Juan messe seiner

Heimat einen großen Wert bei und Anna gewinne deshalb für ihn an Attraktivität. Das ist aber schon alleine deswegen unwahrscheinlich, weil Don Juan ohnehin so gut wie *jede* Frau begehrt.[14] Seine Freude über Donna Annas spanische Herkunft rührt vielmehr daher, dass er glaubt, sie sich bei seiner Verführung zunutze machen zu können. Die Liebe zum gemeinsamen Vaterland dient ihm nämlich später als archimedischer Punkt, an dem er den rhetorischen Hebel ansetzt, um die Bedenken ihres Vaters aus den Angeln zu heben: „*(Beiseit.)* Den gewinn ich noch / Mit patriotschen Phrasen [...]" (I, 421) Don Juan, das wird auf diese Weise unmissverständlich kommuniziert, pflegt ein instrumentell-pragmatisches Verhältnis zur Vaterlandsliebe, sie scheint für ihn als Hedonisten ein Wert zu sein wie alle anderen auch, d.h. *an sich wertlos* und nur von Bedeutung, wenn er sich durch Heuchelei dieser Werte einen Vorteil verschaffen kann.

Es muss deshalb den Leser erstaunen, dass Don Juan beim Beiseitesprechen sogleich die Bemerkung nachschiebt: „um so eher, / Als ich sie ernstlich meine!" (Ebd.)[15] Warum sollte er am Patriotismus festhalten – und zwar bis in den Tod, wie sich herausstellt[16] –, obwohl er ihn doch als Dreschen hohler und konventioneller Phrasen entlarvt hat? Der Grund ist simpel: Er liebt sein Vaterland nicht, wie Faust es zumindest vorgibt, weil er es für besser und schöner als alle anderen Länder hält, sondern ausschließlich deshalb, weil ihm der Dienst am Vaterland *Lust* bereitet:

> Stets ruf ich den Wahlspruch:
> *„König und Ruhm, und Vaterland und Liebe"*
> Doch darum nur, weils mir *Vergnügen* macht,
> Dem Inhalt dieser Worte mich zu opfern! (I, 472)

Der Unterschied könnte also kaum größer sein: Faust ist offenbar überzeugt, ein echter Patriot zu sein, doch seine nationalistischen Reden bleiben Lippenbekenntnisse; Don Juan hingegen will eigentlich keineswegs patriotisch sein, ist es aber – gewissermaßen nebenbei –, weil ihm sein Selbstbild als Liebhaber und Verteidiger des Vaterlands Lust bereitet oder ihm entsprechendes vorzutäuschen anderweitig nützt. – Nichtsdestoweniger stößt man hier bereits auf eine handfeste Ähnlichkeitsrelation. Denn Don Jun und Faust ähneln sich ja offensichtlich darin, dass jeder auf seine Weise Probleme mit der Vaterlandsliebe hat; sie besitzen beide ein *gebrochenes Verhältnis zum Patriotismus*.

1.2 Farbgestaltung

Die Farbgestaltung nutzt Grabbe einerseits als ein Mittel, um Faust und Don Juan klar voneinander abzugrenzen, andererseits zeigt er durch sie auch deren Ähnlichkeit an. Über die Beschreibung seiner Kleidung durch Don Juan wird

Faust die Farbe Schwarz zugeordnet: „Im schwarzen Mantel [...]!" (I, 423) Zur Don-Juan-Figur hingegen gehört generell die Farbe Rot. Es existieren zwar keine Stellen, an denen klar würde, Don Juan sei oder trage in irgendeiner Weise rot, die Zuordnung scheint mir aber trotzdem berechtigt: einerseits, weil er im Stück mit der Figur des Signor Rubio identifiziert wird (siehe 2.1), die das Rot im Namen trägt. Und andererseits, weil die Farbe traditionell das symbolisiert, wofür die Don-Juan-Figur steht (Liebe, Leidenschaft und Sinnlichkeit), und der Text diese Bedeutungszuweisung bekräftigt. Beispielhaft dafür ist die Naturbeschreibung Don Juans, die Rot als Farbe der Weinreben in der Ferne mit dem Rausch in Beziehung bringt: „Wie rot und trunken brennen / An dem Gebirg die Trauben!" (I, 443) Es finden sich zudem mehrmals Identifikationen mit einem anderen Lebenssaft, etwa als das „Abendrot" von Don Juan „Blut der Sonne" (I, 486) genannt wird oder in Leporellos für sich gesprochener Bemerkung über Don Juans Waffe kurz vor dem Duell mit dem Gouverneur – „Wenn es / *Errötet*, ists vom Blute." (I, 470)

Dass Faust, von Haus aus „weißen Antlitzes, / Als hätte nie die Sonne es gerötet" (I, 423), im dritten Akt vor Donna Anna aus Scham selbst rot wird (vgl. I, 477), ist somit nicht nur Ausdruck einer gewissen Wandlung der Figur, sondern darüber hinaus auch formensprachliche Kommunikation einer damit zutage tretenden Ähnlichkeit zwischen ihm und Don Juan. Der Text enthält hingegen keine Stelle, an der Don Juan umgekehrt weiß oder schwarz erscheint oder in irgendeiner anderen Weise mit diesen Farben assoziiert würde.

Die Ähnlichkeit mit Don Juan reicht noch weiter, wie der erste Monolog Fausts zeigt. Dort wird dessen Orientierungsbedürftigkeit, die ich unten herausarbeite (2.2.1), als Abwesenheit von Licht zur Anschauung gebracht: „Es blieb die Sonne hinter mir zurück, / [...] Es war ein schönres Licht, nach dem ich suchte!" Und kurz darauf: „Golgatha / Du Schädelstätte, wo das Licht der Welt / Der Todesnacht sich hingab, daß es sie / Verkläre – Auch *dein* Strahl dringt nicht hieher!" (I, 430-431) Licht ist bereits lange vor Grabbe ein gängiges Symbol für Erkenntnis; dieser Tatsache verdankt ja nicht zuletzt das Zeitalter der Aufklärung (engl. *enlightenment*, frz. *illumination*) ihren Namen, in dem im Übrigen *Fackel der Vernunft* eine beliebte Metapher ist. Da es Faust an einem solchen Licht fehlt, verlangt er nach einer Erleuchtung des Kosmos und seiner selbst: „[I]ch will *Helle*!" (I, 438)

Über die Wahl der anschaulichen Details („Sonne"[17] und dem in Golgatha verschiedenen „Licht der Welt", sprich: Jesus) wird kommuniziert, dass ihm dabei weder die *Religion* noch die *Natur* helfen konnten, deren stärkste Lichtquelle aus erdzentrierter Sicht ja die Sonne ist. Deshalb bleibt Faust gewissermaßen nichts anderes übrig als den Teufel zu beschwören. Dass es ihm dabei tatsächlich um Erkenntnis geht, suggeriert der Rückgriff auf die Lichtmetapher:

– Ein andres ewges Licht, aus jenen Schachten,
Worin die Mittagssonne sich auf stets
Verdunkeln würde, ruf ich mir zu Diensten!
– Herauf, und leuchte mir! (I, 435)

Die beim Aufschlagen des Beschwörungsbuches, des „*Höllenzwinger[s]*“, entstehenden Winde blasen „*sogleich*“ das „*Wachslicht*“ aus, das seit Anfang der Szene
in seinem Zimmer brannte; an dessen Stelle tritt sodann eine „*glutrote Flamme*“.
(Ebd.) Die Kerze wird in der Regieanweisung ausdrücklich als „*Fausts Licht*“
bezeichnet und wirkt im Kontrast zum Höllenfeuer, das sie erlöschen lässt, geradezu kümmerlich. So veranschaulicht der Text Fausts epistemische Hilfsbedürf-
tigkeit und vergegenwärtigt die Hinfälligkeit seines bisherigen Erkenntnisstre-
bens. In diesem Zusammenhang kommt es jedoch besonders darauf an, dass das
neue Licht, das ihm „*während der ganzen folgenden Szene*“ (ebd.) in Form der
Flamme leuchtet, *rot* erscheint, also in der Farbe Don Juans. Mit anderen Worten: Das Licht, dem Faust fortan folgt, ist das „*Licht der Lust*“. (I, 490) Auf
diese Weise wird Fausts Streben mittels der Darstellungsform in die Nähe der
Machenschaften seines Gegenspielers gerückt: Faust lässt sich auf seiner geistig
motivierten Suche nicht von der Fackel (bzw. Kerze) der Vernunft leiten, sondern von den sündigen Flammen der Sinnlichkeit.

1.3 Raubtiervergleich

Zu Beginn seines ersten Monologs resümiert Faust die desparate Situation des
Menschen: „Ein *Raubtier* wird man, bloß um sich zu *nähren*!“ (I, 430) Um auf
dieser Welt zu überleben, so die Implikation, verstricke sich der Mensch unaus-
weichlich in einen „Schuldzusammenhang“ (Walter Benjamin), aus dem es kein
Entrinnen gebe. Und so kommt es dann auch: Beide Hauptfiguren beladen sich
auf der Jagd nach ihrer Beute so schwer mit Schuld, dass es ihnen schließlich
zum Verhängnis wird.
   Es überrascht also nicht, wenn etwa Leporello die Aggression, die Don Juan auf
ihn richtet, mit den Worten kommentiert: „Sowie der Stahl / Klingt, rast er wie
der Wolf, der Blut riecht!“ (I, 419) Die anschauliche Nähe zu einem wildgeworde-
nen, blutlüsternen Raubtier trifft auch für Faust zu; Donna Anna urteilt über ihn:
„Sein Geist / Schnaubt nach der *Liebe*, wie nach *Blut* der Tiger!“ (I, 476)
   Die beiden Figuren stellen sich auch selbst auf diese Weise dar, was der Analogie noch mehr Glaubwürdigkeit verschafft. So gibt Don Juan an anderer Stelle
seine Maxime preis: „Mit den Wölfen heulen, / Und bei den Weibern fröm-
meln, tanzen, lügen!“ (I, 449) Und Faust kommt zu dem Schluss „Nein, nein,

da halt ichs lieber mit dem Tiger, der / So lange Hunger fühlt, bis er der Speise / Genug hat, und den Raub zerreißt, / Auf den er lauert." (I, 494) Und kurz darauf, als Donna Anna fragt: „*Schläft der Löwe / Nicht in der Sonne?*" antwortet Faust: „Ja, er tuts / und er ist *aufgewacht in Mir.*" (I, 497)

Der Text konstituiert also eine robuste Ähnlichkeitsbeziehung zwischen Don Juan und Faust, denn bei aller Unterschiedlichkeit *prima facie* besitzen sie doch eine Gemeinsamkeit: die Gefahr und Bedrohung, die sie für anderes Leben darstellen. Die beiden Figuren gemeinsame Raubtierfratze bringt das zerstörerische Wesen zur Anschauung, das sie miteinander verbindet.[18]

Diesem formensprachlichen Hinweis auf das gemeinsame Wesen von Don Juan und Faust lohnt es sich nachzugehen. Dabei fällt auf, dass in der Hochzeitsszene von zwei verschiedenen Figuren sogar auf ein- und dasselbe Raubtier (den Adler) Bezug genommen wird, wenn von Don Juan oder Faust die Rede ist. Signor Negro meint an Don Juans Erscheinung zu erkennen, dass er einen Edelmann vor sich hat und drückt das so aus: „Am wilden Blick, / Und an der Nas, krumm wie ein Adlerschnabel, / Spür ich den *Don!*" (I, 460) In derselben Szene bekräftigt der Ritter Faust in seiner Überlegenheit gegenüber Don Juan folgendermaßen: „Gleich dem Adler / Schwebst du [...] / Über ihm!" (I, 464)

Aber was ist mit den schon erwähnten Fällen, in denen Don Juan und Faust mit unterschiedlichen Tieren in Verbindung gebracht werden? Die gilt es unbedingt zu berücksichtigen, denn es kann schließlich einen erheblichen Unterschied machen, ob eine Figur eher einem Wolf oder einem Tiger bzw. Löwen ähnelt. Man rufe sich noch einmal in Erinnerung, dass Faust im Stück den Norden vertritt und Don Juan den Süden. Vor diesem Hintergrund wird deutlich, dass Don Juan und Faust sich jeweils mit Tieren vergleichen und verglichen werden, die natürlicherweise eher auf denjenigen Breitengraden beheimatet sind, aus der die jeweils andere Figur stammt: der Wolf auf den nördlicheren, Tiger und Löwe auf den südlicheren. Der Text ordnet den Räuber des Nordens Don Juan zu und die Räuber des Südens Faust; der eine wirkt so, wie konsequenterweise eigentlich der andere wirken müsste. Was er dadurch veranschaulicht und vergegenwärtigt, ist etwas, was über ihr gemeinsames zerstörerisches Wesen hinausgeht. Darin dass dieses Wesen sich nämlich in einer Gestalt äußert, die man eigentlich beim Gegenspieler erwarten dürfte, drückt sich eine *dialektische* Beziehung zwischen ihnen und den durch sie versinnbildlichten Komponenten der menschlichen Natur aus: Wenn man Sinnlichkeit bzw. Geist zum Äußersten treibt – und genau dieses Zum-Äußersten-Bringen verkörpern Don Juan und Faust im Stück[19] –, entfalten sie nicht nur eine zerstörerische Wirkung, in der sie kaum mehr voneinander zu unterscheiden sind, sondern schlagen geradezu in das jeweils andere Prinzip um.

2. Figurenkonstellation: Handlungsebene

2.1 Ohnmacht und Konvention

Im Personenregister des Stücks gibt es neben Don Juan und Faust noch ein weiteres Paar: Signor Rubio und Signor Negro. Die philiströsen Herren sind als Karikaturen der beiden Hauptpersonen angelegt, die dem Leser zu erkennen geben, dass Faust und Don Juan ihren Selbstansprüchen nicht gerecht werden, ja sogar letztendlich beim Gegenteil von dem landen, was sie eigentlich zu sein beabsichtigen. Dass der Text Rubio im Zusammenhang mit Don Juan und Negro mit Faust verstanden wissen will, – so wird sich zeigen – legen nicht erst deren sprechende Namen nahe, die jeweils auf die paradigmatische Farbe der Protagonisten verweisen.

Für Don Juan ist es außerordentlich wichtig, ein *authentisches Individuum* zu sein. Und zwar so wichtig, dass er am Ende des Stücks buchstäblich lieber zur Hölle fährt, als seine Taten zu bereuen: „Was / Ich *bin*, das *bleib* ich! Bin ich *Don Juan*, / So bin ich nichts, werd ich ein *anderer*!" (I, 513) Die Rubio-Figur stellt das ins Lächerliche verzerrte Spiegelbild von Don Juans Authentizitätsideal dar. Die erste Äußerung des Polizeidirektors beginnt mit den Worten: „Wie man zu sagen pflegt". (I, 458) Also mit einer Redewendung, zumal einer solchen, die das Folgende ebenfalls als bloße Phrasen stigmatisiert. Rubio wiederholt sie *wortwörtlich* noch ganze acht Mal (bei gerade einmal 22 Äußerungen insgesamt) – eine fast schon penetrante Botschaft. Rubio bleibt mit seiner Sprache im Bereich der Konvention; er sagt nur das, was man eben zu sagen pflegt, lässt sich seine Worte von der anonymen „Diktatur des man" (Martin Heidegger) vorgeben. Über sein Reden wird Rubio als bloßes Abziehbild der gesellschaftlichen Konventionen charakterisiert. Fällt Grabbe mit der von Rubio verkörperten Karikatur der Don-Juan-Figur ein vernichtendes Urteil über sie und ihr Authentizitätspathos? Unstrittig dürfte jedenfalls sein, dass das Stück den aufmerksamen Rezipienten so dazu anregt, genauer zu prüfen, ob sie ihrem Ideal wirklich gerecht wird und noch einmal genau hinzuschauen und zuzuhören, was es mit Don Juan tatsächlich auf sich hat.

Dabei dürfte dann leicht zu erkennen sein, dass sein Selbstanspruch auf der einen und sein Handeln und Tun auf der anderen Seite sich in der Tat widersprechen. Als Intrigant ist Don Juan im Stück nämlich sehr häufig gezwungen, seine tatsächlichen Ansichten zu verheimlichen, unaufrichtig zu sein, zu lügen und zu heucheln. Don Juans Heuchelei fällt übrigens sogar selbst Don Octavio auf (I, 422), also demjenigen, der im Stück sonst überhaupt nichts mitbekommt. Um seine Ziele zu erreichen, *verstellt* sich Don Juan ständig, was sich in seinem vielen Beiseite- und Für-sich-Sprechen niederschlägt.[20] Er kann kaum mal ‚er selbst', muss immer jemand anders sein. Weiteren Zweifel an der Authentizität, die Don Juan für sich beansprucht, weckt das Stück durch dessen oben schon thematisierte Vorliebe für „patriotische Phrasen" – ein schroffer Kontrast.

Der Text erweckt sogar den noch radikaleren Verdacht, dass Don Juans gesamte Weltanschauung überhaupt keinen Funken Eigenleistung enthält und somit auch nicht als Ausdruck seiner Individualität gelten kann. Gegen Ende des Stücks, in der letzten Szene, fällt ihm nämlich plötzlich ein Lied ein, dessen Herkunft ihm unbekannt ist:

> Mir summt ein Spruch im Ohr, wie Wasser
> Durchs Mühlrad:
> „Nur frischen Sinns durchs Leben hin,
> Vor nichts gebeugt den stolzen Sinn,
> Mit Freude jede Maid geküßt,
> Mit Hochmut jeden Narrn gegrüßt,
> So wirst Du glücklich, wirst du groß,
> Und schaffest dir dein eignes Los!" (I, 501)

Die autorlose Strophe bringt in trivialisierter Weise Don Juans Lebensauffassung auf den Punkt. Dadurch rückt der Text Don Juans ach so titanischen und sich gegen alles und jeden behaupten wollenden Hedonismus und Individualismus in entlarvende Nähe zur volkstümlichen Liedtradition. So wird formensprachlich kommuniziert, dass Don Juans Identität und Lebensentwurf möglicherweise gar keine authentische und originale Neuschöpfung sind, sondern im Gegenteil – und gravierender könnte der Befund kaum ausfallen –, der *anonymen Überlieferung* entstammen.

Fausts Anspruch ist ein anderer. Sich noch über den brandschatzenden Attila stellend, sieht er sich als mächtigen „*Welt*-Eroberer" (I, 497), weiterhin als „Königsmörder / Und Volkserwürger, Schiffszertrümmerer / Und Landverwüster [...]!" (I, 481): Gigantomanie. Sein Reden ist entsprechend pathetisch und gespickt mit Superlativen.[21]

Was sich hinter der Wortfassade verbirgt, vergegenwärtigt Signor Negro. Er wird hauptsächlich durch seine Taten charakterisiert, genauer gesagt: durch sein Nichtstun. In der zweiten Szene des zweiten Aktes befindet sich Negro mit Rubio zusammen auf der Hochzeit von Donna Anna und Don Octavio. In just dem Moment, als er handeln und Don Juans Mord an Don Octavio hätte verhindern oder zumindest vergelten können, spricht er am Bankett einen Toast auf die Braut und ihren gerade verblutenden Bräutigam aus: „Tausend Jahre sollen leben / Die Donna Anna und der Don Octavio!" (I, 466-467) Anstatt zu handeln, hält er eine Rede, die ihn besonders in Anbetracht der ihr widersprechenden Tatsachen, die Don Juan inzwischen geschaffen hat, völlig lächerlich wirken

lässt. Als Negro Don Juan dann in der letzten Szene des Stücks zusammen mit
dem Polizeidirektor Rubio für seine Verbrechen zur Rechenschaft ziehen will,
entgegnet ihm dieser:

> Du drolliger Patron, der stolz ohn Kraft
> Und Mut ist, und daher anstatt das Schlimme
> Selbst *auszuführen*, nur ihm gierig *nachspürt*,
> Anstatt den Dolch in eigner Hand zu schwingen,
> *Angeber* wird, und mit Gericht und mit
> Schafotten sucht zu quälen und zu würgen! (I, 502)

Don Juan hält ihm vor, „stolz" zu sein. Er selbst unternehme nichts und in die
Machtposition, die er für einen Augenblick einzunehmen scheint, sei er nur
gekommen, weil er zum „Angeber", zur Petze wurde. Spätestens damit, dass Don
Juan ihn im Anschluss nicht einmal für würdig hält, ihn selbst zu verjagen – das
lässt er seinen Diener übernehmen –, macht der Text dem Rezipienten klar: Es
handelt sich um einen unbedeutenden Schwächling. Negro personifiziert Fausts
Ohnmacht, über die er sich selbst und andere mit seinen großen Worten hin-
wegtäuschen will.

So wie Negro sich am Ende des Stücks nur mit der Staatsgewalt im Rücken
bei Don Juan aufzutauchen traut, holt sich auch Faust Verstärkung für seine
Machenschaften, allerdings gleich im ersten Akt und nicht vom Polizeirevier,
sondern aus der Hölle. Fausts Stärke ist also ebenfalls nur geborgt, ihm vorübergehend verliehen worden vom Ritter. Die Macht, die er auf diese Weise tatsächlich erlangt, wird als so groß dargestellt, dass sein Wort sich unmittelbar
in Wirklichkeit verwandelt, etwa als er von seinem Höllenknecht für ihn und
Donna Anna ein Schloss auf dem Montblanc verlangt: „Während / Du sprachst,
ist es vollzogen [...]!" (I, 465) Und auch als er die sich ihm Verweigernde durch
ein einziges Wort hinrichtet. (Vgl. I, 498) Was er bewirkt, bewirkt er aber eben
nur durch Befehlen und Reden, nicht dadurch, dass er selbst tätig wird. Als
der Teufel den Worten Fausts in der Schlussszene dann plötzlich keinen höllischen
Nachdruck mehr verleiht, wird dessen eigentliche Ohnmacht sichtbar. Dort
spricht er seine letzten Worte – Worte des Trotzes, gerichtet an den Teufel, der
ihn in die Hölle holen will:

> Trotzend
> Stürz ich in deine Arme – Wisse aber:
> Wenn ich ein ewges Wesen bin, so *ring*
> Ich auch mit dir von *Ewigkeit*
> *Zu Ewigkeit*, und möglich, daß ich *siege*,
> [...]. (I, 506)

Im krassen Kontrast zu dieser pathetischen Beteuerung ewigen Widerstands steht Fausts promptes und unspektakuläres Ableben. In der Regieanweisung heißt es lakonisch: *„den Faust packend und sofort erdrosselnd"* (Ebd.). Es besteht unverkennbar eine strukturelle Ähnlichkeit zu der Situation auf der Hochzeit als Negro in seinem Trost das Brautpaar ewig leben lässt, während im anderen Raum bereits dessen einer Teil von Don Juan erschlagen wird. Im Angesicht der sie überrumpelnden Realität wirken Negro und Faust hoffnungslos impotent: schwätzende Witzfiguren. Derjenige, der sich auf dem Höhepunkt seiner Macht mit dem Tiger verglich (vgl. I, 494), macht auf sich allein gestellt eher den Eindruck einer „Katze / Im Regenwetter". (I, 441)

Obwohl sich ihre Ansprüche voneinander unterscheiden, treffen sich die Protagonisten darin, dass sie an ihnen scheitern; sie sind beide nicht, was sie vor sich selbst und den anderen zu sein beanspruchen und werden über diesen Widerspruch zum Gegenstand der Komik.

2.2 Streben

Peter Michelsen behauptet, es sei „konsequent, daß [...] das ewig unbefriedigte Streben, das uns unlösbar mit der Faust-Gestalt verbunden zu sein scheint, bei Grabbe Don Juan zugeteilt ist."[22] Gegen diese Behauptung müssen meines Erachtens zwei Einwände erhoben werden. *Erstens*: Selbst wenn es so wäre, dass bei Grabbe nur Don Juan als ewig unbefriedigt Strebender dargestellt wird, so sollte man dies doch nicht als gestalterische Konsequenz auslegen; deshalb nicht, weil die Charakteristik der Don-Juan-Figur als unersättlich in ihrem Verlangen nach Genuss schon seit jeher[23] zur Stofftradition gehört. *Zweitens*: Die Eigenschaft, ewig unbefriedigt zu streben, wird im Stück keineswegs nur Don Juan zugeordnet, wie Michelsen suggeriert. Das ewig unbefriedigte Streben ist ja gerade die grundlegende Parallele der beiden Figuren, die es so reizvoll macht, sie zusammen auf die Bühne zu stellen.[24] Dass Grabbe Faust ebenfalls als eine niemals zur Ruhe kommende Figur verstanden wissen will, lässt sich schon gleich zu Beginn von dessen ersten Auftritt an der rhetorischen Frage erkennen: „Wer hat gestrebt wie ich?" und wenig später: „Tödlicher Durst und nie gestillt!" (I, 430) Zudem noch an einer ganz besonders bedeutsamen Stelle des Stücks, seinem Ende. Dort urteilt der Ritter über Don Juan und Faust: „[I]hr strebet nach / *Demselben Ziel* und karrt doch auf *zwei* Wagen!" (I, 513) Wenn also beide Figuren als Strebende charakterisiert werden, gibt das den Blick frei auf die entscheidende Frage, welche Ähnlichkeits- und Kontrastbeziehungen dabei zutage treten.

2.2.1 Vielheit und Einheit

Zunächst zum Kontrast. Dieser ergibt sich anhand des Gegensatzes von Vielheit und Einheit: Don Juan wird als eine Person dargestellt, die bei ihrem Streben eine *Mannigfaltigkeit von Zielen* verfolgt, Faust als jemand, der sich am liebsten auf ein *einziges Ziel* versteifen können würde.

Don Juan hat stets ein konkretes Ziel vor Augen. Einmal erreicht, treibt es ihn allerdings sofort weiter zum nächsten. Obwohl er bei ihrer Verfolgung durchaus überlegt vorgeht, setzt sich Don Juan seine Ziele nicht selbst: Sie wechseln mit den Wogen der Sinnlichkeit, die ihn umspülen; er ist immer hinter dem her, was seine Aufmerksamkeit erheischt. Seine Ziele sind also gar keine richtigen Ziele, sondern immer nur temporäre Bezugspunkte seiner Begierde. Sie können auch deshalb nicht als wirkliche Ziele gelten, weil es weniger das Erreichen seiner Ziele ist, was Don Juan genießt, als vielmehr das Verlangen selbst, das durch die unzähligen Ziele immer wieder neu hervorgerufen und so gewissermaßen auf Dauer gestellt wird. In den Worten des Ritters: Er „greift / das Nächste und erreicht dadurch die Ferne." (I, 437) Anstatt seine Ziele um ihrer Erreichung willen zu verfolgen, instrumentalisiert Don Juan sie für einen anderen Zweck. Er jagt der Mannigfaltigkeit von Speisen, dem Wein und den Frauen, nur deswegen nach, weil er sich durch das bei der Jagd aufwallende Verlangen lebendig fühlt: ein erfrischendes und verjüngendes Bad im Lebensstrom. Grabbe zeichnet Don Juan als eine Person, die es verabscheut, länger bei ihren Lustobjekten zu verweilen. Weil Stillstand für ihn Tod bedeutet, bleibt er im Stück immer in Bewegung.

Bei Faust verhält es sich gegensätzlich. Ihm geht es gerade darum, „Sicherheit / Und Ruhe [...] zu finden". (I, 434) Die tausend flüchtigen Ziele eines Don Juan lassen ihn kalt, wie er dem Ritter mit Verachtung entgegenschmettert: „Schwächling, der Du glaubst, daß *Massen* / Befriedigen mich möchten [...]." (I, 453) Faust verlangt es nach Beständigkeit, nach einem *einzigen Fixpunkt*, an dem er sein Handeln ausrichten kann: „Ziel, ein Endziel muß / Ich haben!" (I, 434)[25] Auf die Singularität weist der Text auch durch die Ausdrücke hin, die er für jenes Ziel findet: „Wechselweise fragt er nach *dem* Sinn, *der* Kraft, *dem* Antrieb, *der* Gottheit."[26]

Besonders deutlich kontrastiert werden die beiden Figuren in einem von Fausts Räsonnements; und zwar durch das Bild der Blume:

> Nur ein Don Juan vermag [...]
> An *Millionen* Blumen sich vergnügen,
> Und nicht bedenken, daß es *viele* zwar,
> Doch alle auch *vergänglich* sind, – daß wohl

Zerstreuung, aber keine Sicherheit
Und Ruhe da zu finden, wo die Eine,
Die Unverwelkliche nicht blüht! – (I, 434)

Der Text spielt hier auf die Blaue Blume aus Novalis' *Heinrich von Ofterdingen* an, das Symbol der Romantik für die unvergängliche Einheit und Sinnfülle, nach der auch Faust sich sehnt.

2.2.2 Genuss und Erkenntnis

Vor dem Hintergrund der Vorbilder Grabbes (Goethe und Mozart bzw. da Ponte) scheint ein weiterer entscheidender Unterschied des Strebens der beiden Figuren von vornherein festzustehen: Don Juan strebt nach etwas Sinnlichem: Genuss; und Faust – zumindest ursprünglich – nach etwas Geistigem: Erkenntnis. Es wird sich zeigen, dass dieser Unterschied zunächst auch für Grabbes Figuren zutrifft, sich dann bei genauerer Betrachtung jedoch als nicht mehr ganz so einfach erweist.

Don Juan stellt die Lust über alles; ob es seinen Genuss befördert oder nicht, ist das Maß, an dem sich ein jedes messen lassen muss. Nicht einmal sein aufziehendes Verhängnis hält ihn davon ab, sich in der Sinnlichkeit ergehen zu wollen: „Nicht Höll nicht Tod soll mir den Appetit / Verderben!" (I, 491), „Mags sich heben, / Und mögen Blitze zischen nach Vergnügen. / Ich will jetzt speisen, will jetzt trinken!" (I, 505) Don Juan ist ein unbedingter Genussmensch – aber er genießt nicht nach der vulgären Art des Pöbels. So will der Text eher seinen Diener Leporello verstanden wissen: „Heil ihm, der ewig frißt!" (I, 419) Dem spanischen Edelmann hingegen kommt es nicht aufs verspeisen, sondern aufs *kosten* an: „*Essen* und *Probieren* / Ein großer Unterschied!" (I, 508) Er hat nämlich erkannt, dass die bei der Erfüllung von Sehnsüchten entstehenden Freuden enttäuschend schnell verfliegen und nur das lähmende Gefühl der Leere hinterlassen: Wenn man es erst erreicht hat, ist „jedes *Ziel* [...] *Tod*". (I, 419) Don Juan musste vielfach erfahren, dass man des Objekts seines Verlangens allzu schnell überdrüssig wird, wenn man es erst einmal in die Hände bekommen und genossen hat. Darauf macht Leporello aufmerksam, als dieser seinem Herrn in Bezug auf Treue und Bindung den Spiegel vorhält. Dessen Äußerung „Was rauscht am schönsten? [...] Das Gewand der Geliebten!" kommentiert er spottend: „Freilich / So lang als ihrs noch nicht – Ihr laset noch / kein Buch zum zweiten Mal." (I, 444)

Auf Don Juans Manier, immer gleich ein neues ‚Buch' aus dem Regal zu ziehen, wenn er eins ‚durch' hat, wird auch noch an einer anderen Stelle hingewiesen, und zwar gegen Ende des zweiten Aktes. (I, 468-469) Er malt sich dort aus, was er mit Donna Anna anstellen könnte, wenn er ihrer endlich habhaft geworden sein wird. Dabei kommt er jedoch über den einmaligen Sexualakt nicht hinaus: „Und *liebe* sie, und – [...]." (I, 469; Hervorhebung, D.L.) Insofern ist auch Leporellos direkt an die Pause anschließende Nachfrage („Und?"), die Don Juan in seinen Gedanken unterbricht, *doppeldeutig*: im Handlungskontext eine Erinnerung daran, dass der Gouverneur zum Duell drängt, lässt sie sich aber eben auch als Kommentar zu Don Juans diskretem Monolog im Sinne eines bissigen „Ja-was-dann?!" auffassen.

Don Juan *will* die Frauen, auf die er es abgesehen hat, wirklich; aber das oben Ausgeführte deutet schon an, dass er ein „reflektierter Verführer" (Søren Kierkegaard) ist: Die Lust, die Don Juan empfindet, entwächst nicht unmittelbar aus der vollen Befriedigung seiner Begierden, sondern aus der Selbsterfahrung als eines lebhaft nach Erfüllung lechzenden Individuums: „Wohl dem, der ewig strebt, ja Heil, / Heil ihm, der ewig hungern könnte!" (I, 419). Was ihn antreibt und was er auskostet, ist sein Hingerissen- und Auf-der-Jagd-Sein, sein pulsierendes Verlangen selbst. Don Juan wird, wie Faust es verächtlich ausdrückt, „[v]om *Schmachten satt* [...]" (I, 494), „ewig *strebend* / Und nie am *Ende!*" (I, 453) Er berauscht sich – schon ganz Vitalist – an seiner eigenen Lebendigkeit; und das gilt über die libidinösen Beziehungen zu Frauen hinaus auch für sein Verhältnis zu Speise und Trank. Anstatt der unmittelbaren Lust der Erfüllung, gelingt ihm das Kunststück, mit der „Leidenschaft / Zu spielen". (I, 449) Don Juan kann also als *reflektierter Hedonist* bezeichnet werden.

Dass sein Hedonismus reflektiert ist, zeigt sich in Don Juans Vorliebe, sich Genüsse *durch seine Einbildungskraft auszumalen* (vgl. z.B. I, 469). Diese Vorliebe gesteht Don Juan unverhohlen ein, als auf Leporellos Vorwurf („Ihr *liebtet* nie, ihr kenntet / *Genuß* und *Phantasie* nur!") antwortet: „So ist Phantasie / Tausendmal besser als die Wirklichkeit!" (I, 444) Aus der Abhängigkeit von dem unsicheren Medium Realität hat er sich emanzipiert. Don Juan schöpft seine Lust aus einer Sphäre, die der empirischen Sinnenwelt enthoben ist. Don Juan ist mitnichten von „sinnliche[r] Unmittelbarkeit" (G.W.F. Hegel) gefangen, er handelt „keineswegs leidenschaftlich unüberlegt"[27]. Das wird auch dann deutlich, wenn Don Juan sich brüstet, im Unterschied zu Don Octavio „Phantasie und *Geist* genug [zu besitzen; Hervorhebung, D.L.]." (I, 449) – Damit bezieht er Räume, in denen eigentlich Faust zuhause ist. Aufschlussreich für die Ähnlichkeit zur Faust-Figur als Stellvertreter des Geistigen ist in diesem Zusammenhang auch, welche Worte Grabbe Don Juan in den Mund legt, um Leporello im ersten Akt von einer Dummheit abzuhalten: „Halt, brauch Vernunft!" (I, 426)

Don Juans reflektierter Hedonismus, der die Phantasie der Wirklichkeit vorzieht, zeigt sich in der Darstellung dergestalt, dass er immer der Nase nach lebt. Zum Zwecke des Genusses setzt er nicht auf den Geschmacks-, Seh- oder Tastsinn, sondern wesentlich auf den Geruchssinn; denn dieser appelliert ja am stärksten an das Vorstellungsvermögen und weckt genau den Appetit, das Verlangen und die Begierden, an denen er sich ergötzt. Der Bratenduft etwa wird für ihn zur lustvollen Verheißung und fesselt ihn über die Maßen. Leporello hält ihm vor, dass er darüber alles andere vergesse: „Wer ist es, der [...] bei / Dem Duft des Bratens der Geliebten kaum / Noch denkt?" (I, 444)

Riechen und schwelgende Phantasie sind im Stück leitmotivisch miteinander verknüpft. Das wird besonders deutlich in der ersten und letzten Szene. In der ersten verkündet Don Juan seine Entzückung über das, was er zu riechen bekommt, auf eine Weise, die auf Goethes *Römische Elegien*[28] anspielt:

> O welche Luft umweht mich!
> Wie duftig strömt es her von Albas Bergen!
> Es ist die Luft, die einst die Cäsars nährte,
> Der Äther ists, in welchem heute die
> Geliebte atmet! (I, 417)

Mit anderen Worten: Der ‚in seiner Nase' liebliche Geruch der Stadt, der „ewge[n] Roma" (Ebd.), veranlasst ihn, sich lustvoll schwelgend in eine Reihe mit den römischen Kaisern zu imaginieren und sich in Gedanken an die Frau zu verlieren, die er erobern will. Leporello holt Don Juan dann auf den Boden der Tatsachen zurück und macht darauf aufmerksam, wie hoch sich seine durch das Riechen angeregte Vorstellungskraft verstiegen hat: „Herr, erlaubt ein Wort: / Es ist der Dampf, der aus der Garküch hier / [...] uns in / Die Nase sticht." (Ebd.) – Don Juan wird also gleich zu Beginn als schwärmender Phantast entlarvt.[29]

Dass der Spanier darüber jedoch nicht lächerlich erscheint, liegt daran, dass er sich über die ‚bewusstseinserweiternde' Dimension des Geruchssinns völlig im Klaren ist – ihretwegen setzt er ja gerade in Lustfragen auf sie. Am eindrucksvollsten offenbart sich dies in der letzten Szene, als er sich – vergebens – die Anzeichen seines nahenden Verhängnisses mit einem olfaktorischen Kniff vergessen machen will:

> *Geisterhaft* ists schwül! –
> – Doch mit Geruch des Bratens werd ich das
> Verscheuchen. [...] *Riechst* du [...]
> Den Duft von Speisen oder Grabesdunst –
> Du [...] glaubst dich
> Zu einem Schmause oder in 'ne Gruft
> Versetzt. – (I, 501)

Faust wird, wie oben gezeigt, im Gegensatz zu Don Juan als Figur vorgestellt, die sich seit jeher auf der Suche nach Erkenntnis befindet – aber nicht innerhalb der ihn umgebenden Weltfülle wie jener, sondern in „der Kunst, der Wissenschaft". (I, 430) Dass es ihm zunächst wirklich allein um Wissen geht, um die Erkenntnis an sich, lässt Fausts Paktschluss mit dem Teufel erkennen. Von ihm fordert er, „Welt und Menschen, / Ihr Dasein, ihren Zweck [...][zu] enträtseln, – /" und zwar „der *Theorie nur halber*, denn / *Die Praxis geb ich auf*, seit ich mich Dir / Ergeben". (I, 439; Hervorhebungen, D.L.) Grabbe zeichnet also einen „anderen Faust"[30] als Goethe, denn dessen Gelehrter hungert ja gerade nach Leben und Erfahrung und nicht nur nach Erkenntnis.

Genauso richtig ist aber, dass Fausts Erkenntnisanstrengungen gierig-sinnliche Züge tragen. Diese Wirkung wird vor allem durch den systematischen Gebrauch von Wörtern des semantischen Felds erzielt, das sich um *Speise und Trank* erstreckt und das ja eigentlich Don Juan bestellt und bewirtschaftet. So findet Faust für den Grund seiner Anstrengungen, die er auf der Suche nach Erkenntnis auf sich nimmt, selbst mehrmals das Bild eines unstillbaren *Dursts*: „Zur Arbeit! Zum Studieren! [...] / Tödlicher Durst und nie gestillt!" (I, 430); „Und warum fühl ich Durst, mehr zu erforschen [...]?" (I, 454) Aber offenbar plagt auch Hunger den „übersinnlich sinnliche[n] Freier" (Goethe)[31]: „Wenn ich schmachte, / (Sei's nach der Liebe oder nach dem Himmel) / So werd ich nicht, wie manche Sehnsuchtsnarren, / Vom *Schmachten satt* [...]". (I, 494) Die über die bildliche Rede hergestellte Ähnlichkeit von Fausts Erkenntnisbemühungen mit der Befriedigung sinnlicher Triebe bestätigt sich in der Fremdcharakterisierung, z.B. der des Ritters: „– Unglück ist es, daß dein Geist / Zu schwach ist zur Verdauung irdischer / Gesunder Speisen [...]." (I, 440)

In diesem Zuge lohnt es sich, die Äußerung Fausts zu betrachten, die unmittelbar auf die oben zitierte Selbstcharakterisierung folgt. Sie ruft die bekannten Bilder („Hunger", „Speise", „Verdauung") auf und berührt das, was bereits zu Fausts *Raubtiercharakter* ausgeführt worden ist:

> Nein, nein, da halt ichs lieber mit dem Tiger, der
> So lange Hunger fühlt, bis er der Speise
> Genug hat, und den Raub zerreißt,
> Auf den er lauert. — Muß man denn zerreißen,
> Um zu genießen? Glaubs fast, wegen der
> Verdauung. Ganze Stücke schmecken schlecht —
> Mir sagens Seel und Magen. (I, 494)

Fausts Reflexion lässt es unvermeidbar erscheinen, dass sein Streben Opfer fordert: Um den quälenden Hunger zu stillen, muss er auf die Jagd gehen und Beute machen. – soweit nichts Neues; aber man erfährt jetzt aus seinem Munde, dass

Faust „genießen" will. Der Grund, den er dafür angibt, seine Beute ‚zerreißen' zu müssen, ist ja gerade keiner der praktischen Notwendigkeit der Nahrungsaufnahme, etwa weil die ‚Beute' im Ganzen nicht vertilgt werden könnte. Ihn leitet vielmehr die Erfahrung, dass sie in solcher Form nicht *mundet*: „Ganze Stücke schmecken schlecht". – Das Stück stellt Fausts vermeintlich reines Erkenntnisstreben als eine durch Bedürfnis und Genuss motivierte Jagd dar, der letztendlich Donna Anna zum Opfer fällt.

Einerseits wird Don Juans Genussstreben als ein ins Geistige sublimiertes vergegenwärtigt; andererseits führt Fausts ursprünglich vom Wahrheitsgeist beseelte Suche nach dem „Pfad zum Himmel" (I, 434) ihn in die niederen Gefilde der Sinnlichkeit hinab und nimmt immer mehr die Gestalt eines gewalttätigen und tobsüchtigen Rausches an. – Ließe sich die Dialektik von sinnlicher und geistiger Menschennatur treffender veranschaulichen?

3. Figurensprache

Ihre Sprache ist ein wichtiger Prüfstand für das Verhältnis von Don Juan und Faust. Der Text nutzt ihre Gestaltung primär als Kontrastmittel, punktuell aber auch als Signal ihrer Wesensgleichheit. Auf der sprachlichen Ebene entsteht der Kontrast zwischen den beiden Protagonisten erstens durch die Art ihrer Verse, in die sie ihre Worte kleiden. Don Juans Sprache wird von Stammberger ein „rhythmischer Vorwärtsdrang"[32] attestiert. Diese Wirkung kommt in erster Linie durch Endbetonung zustande: „Denn mítten in der *Hóch*zeitsfeier stuérzt / Er *blút*end auf das Éstrich, oder / Nicht héíß ich Don *Juán*!" (I, 451; Hervorhebung, D.L.) Dadurch, dass die Hauptbetonung im letzten Vers am Ende platziert ist, wirkt seine Rede abgeschlossen; ganz so als wolle er zum Ausdruck bringen, es sei genug geredet worden und nun Zeit, endlich zur Tat zu schreiten. Wenn er wie im Beispiel beiseite – d.h. *natürlich* – spricht, verwendet er nur wenige Nomen und Adjektive; deshalb sind die entsprechenden Verse flüssig und im Gegensatz zu Fausts Versen arm an Betonungen. Da sich zudem die Verteilung der Akzente auch tendenziell stärker an der Semantik als an der Metrik orientiert, nähert sich Don Juan insgesamt immer wieder der Prosarede an.[33]

Fausts Verse dagegen kommen ganz anders daher. Sie sind anfangsbetont und aufgrund des Nominalstils, den er pflegt, drängen sich in ihnen starke Betonungen: „Zéhn Trópfen Blúts in íhren Ádern fíndet" (I, 430) Dieses Betonungsgedränge wird an vielen Stellen durch *Synkopen* verstärkt, z.B. wenn Grabbe „írdischer Geíst" bei Faust durch „írdscher Geíst" ersetzt. (I, 431) Das führt in der Summe dazu, dass seine Sprache einen eher behäbigen als flüssigen Eindruck macht. Die Vorliebe der Faustfigur, den Hauptakzent am Anfang zu platzieren, geht zudem so weit, dass sie dafür Inversionen in Kauf nimmt, die ihre Sprache künstlich und gezwungen sowie zuweilen komisch wirken lassen: „*Aúf* schlág ich és das Búch der Tíefe". (I, 435; Hervorhebung, D.L.)

Das unterschiedliche Verhältnis von monologischem und dialogischem Sprechen und der unterschiedlich häufige Gebrauch des Beiseitesprechens konstituieren zwei weitere formensprachliche Gegensätze zwischen den beiden Figuren. Faust neigt zu ellenlagen Monologen,[34] die sich wie von selbst fortspinnen und in die er auch dann gerät, wenn er sich formal in einem Dialog befindet (z.B. I, 456-457, 478-479). Unterbrochen von vielen Pausen kommt er vom vom Hundertsten ins Tausende. Besonders assoziativ sind seine Ausführungen im ersten großen Monolog:

> Zurück zur Arbeit also.
> – – Zur Arbeit! Zum Studieren! Schmach und Jammer!
> Tödlicher Durst und nie gestillt! Sandkorn
> Zum Sandkorn sammeln [...]
> – Ha, Ein *Raubtier* wird man, bloß um sich zu *nähren*!
> Empfindungen, Gedanken, – Herzen, Seelen –
> Den Menschen und das Leben, – Welt und Götter [...]. (I, 430)

Während lokal, also an den einzelnen Satzübergängen, zumeist wenigstens eine gewisse Verbindung besteht, fehlt die globale Kohärenz: Es gibt kein Oberthema, das aufs Ganze gesehen einen Zusammenhang stiften würde. Dies gilt in ähnlicher Weise für Fausts zweiten großen Monolog. (I, 494-495) Formensprachlich ist aber vor allem von Bedeutung, dass Faust beide Monologe nicht selbst zu Ende bringt – er könnte es wohl auch nicht –, sondern einmal in Ohnmacht fällt (I, 437) und das andere Mal von Donna Anna unterbrochen wird. (I, 496)[35] Fausts Art zu monologisieren weist allerdings auch eine Ähnlichkeit zu dem auf, was Don Juan verkörpert. Denn diese Art zu reden ist durch genau jene Merkmale (assoziativ, unstet, ohne Ende) gekennzeichnet wie Don Juans *reflektierter Hedonismus*.

Der Modus sprachlicher Interaktion, den der Text Don Juan zuweist, ist der Dialog. Seine Unterredungen führt er dabei geschickt und sein rhetorisches Talent sorgt dafür, dass sie seiner Sache zweckdienlich sind. Don Juan nutzt das Gespräch mit anderen hauptsächlich als Mittel zu deren Überzeugung und Täuschung und zieht dazu, wenn nötig, alle sprachlichen Register. In einer solchen Form der Rede hat der Ausdruck seiner wahren Gedanken und Absichten folglich keinen Platz. Daher muss er sie auslagern und kann sie nur *für sich* äußern. Dies geschieht jedoch kaum im Monolog, sondern so gut wie immer mitten im Geschehen *beiseitesprechend*, wie es allein im Gespräch mit dem Gouverneur und Don Octavio fünf Mal vorkommt. (I, 420-424)

Trotz der großen Differenz in Bezug auf die Figurensprache stößt das Stück den Leser oder Hörer doch auch unmissverständlich auf die Ähnlichkeit zwischen Faust und Don Juan. Nämlich dadurch, dass es die beiden in ihren Äußerungen mehrmals so gut wie *wortwörtlich* übereinstimmen lässt. Erstens im Zuge ihrer Selbstdarstellung als titanische Individuen; Don Juan sieht sich als „*Welt*-Eroberer!" (I, 423) und auch Faust lässt dieses Selbstbild durchblicken als er Donna Anna die rhetorische Frage stellt: „Und Du wähnst, / Daß ich, der *Welt*-Eroberer, milder wäre?" (I, 497) Und zweitens als sie jeweils die Schönheit Donna Annas zu relativieren versuchen; auf die Botschaft von deren Tod, die Faust Don Juan übermittelt, erwidert dieser: „Gibts nicht der schönen Mädchen tausend andre?" (I, 506) – das Frappierende: Faust verwendet nur eine Szene zuvor nahezu die gleichen Worte: „Was sagt das alles? Tausend Weiber / Sind dennoch schöner als wie sie." (I, 495) Hier lautet die formensprachliche Botschaft also: Faust und Don Juan, Sinnlichkeit und Geist, sind sich zum Verwechseln ähnlich.

4. Zusammenführung

15 Jahre später als Grabbe – und aller Wahrscheinlichkeit nach unabhängig von ihm – hielt Søren Kierkegaard ebenfalls Don Juan und Faust nebeneinander.[36] Ihm zufolge stünden sich mit den beiden das sinnliche und das geistige Prinzip in Reinform gegenüber. Ich hoffe, aus dieser Analyse wurde ersichtlich, dass bei Grabbe ein komplexerer Fall vorliegt, dass Grabbe dem Leser keine Reinformen präsentiert.

Don Juan und Faust erscheinen im Stück durchaus als Vertreter von Sinnlichkeit bzw. des Geistig-Übersinnlichen – der Text greift diese klassische Gegenüberstellung auf, wie vor allem unter 2.2.2 deutlich geworden sein sollte. Dieser grundsätzliche Gegensatz der beiden Kontrahenten manifestiert sich zudem in Kontrasten auf ganz verschiedenen Ebenen der Darstellung, wovon die unterschiedliche Art zu sprechen und ihre entgegengesetzte geographische und konfessionelle Herkunft nur die offensichtlichsten sind.

Formensprachlich wird dieser in vieler Hinsicht so schroffe Gegensatz aber konsequent unterlaufen. Denn der Text stellt die beiden Protagonisten nicht allein in ihrer vordergründigen Unterschiedlichkeit dar; vielmehr stößt man bei der Analyse immer wieder auf Gemeinsamkeiten (ihr zerstörerisches Wesen, ihr gebrochenes Verhältnis zum Patriotismus, ihr Scheitern an ihren eigenen Ansprüchen und so weiter), also auf deren hintergründige Ähnlichkeit, die sich mitunter bis zur Verwechselbarkeit steigert (vgl. 3.). Nicht nur, dass das Stück Don Juan und Faust sich in bestimmten Punkten einander ähneln lässt – der

Text betreibt noch mehr Aufwand, um die schematische Gegenüberstellung der beiden Protagonisten und der von ihnen vertretenen Prinzipien mit darstellerischen Mitteln infrage zu stellen: Er lässt sie nämlich nicht selten gerade so erscheinen und handeln, wie man es eigentlich von der jeweils anderen Figur erwarten würde (vgl. 1.3 und 2.2.2).[37]

Was artikuliert sich darin nun mit Blick auf das Menschenbild und den anthropologischen Diskurs? *Don Juan und Faust* führt die Unwahrheit der Entgegensetzung von Sinnlichkeit und Geist vor Augen, insofern sie dualistisch, also als streng *isolierte* Prinzipien oder Naturen verstanden werden. Stattdessen inszeniert er auf subtile Weise die *Dialektik* von Sinnlichkeit und Geist, d.h. ihre wechselseitige Abhängigkeit und innere Verschaltung. Den Dialektikbegriff zu verwenden, scheint mir auch deshalb passend, weil Hegels Philosophie, die für das Konzept der Dialektik zentral ist, zu Grabbes Lebzeiten in Deutschland die intellektuelle Vormachtstellung innehatte.[38] Der starre anthropologische Dualismus, wie ihn Kant so wirkmächtig formulierte, wird in Grabbes Tragödie dialektisch transformiert; das Stück vergegenwärtigt, dass die sinnliche und geistige Natur des Menschen gerade nicht unabhängig voneinander und als kategorial getrennt zu denken sind, sondern als auf eine vielfältige Weise miteinander verflochten. Kein schizophrener Bürger zweier völlig voneinander separierter Welten sei der Mensch, sondern *vitaler Kampfplatz zweier widerstreitender und ineinanderfließender Naturen*. In diesem Sinne kann man sagen, dass uns immer schon genau das Schicksal trifft, das die beiden Hauptfiguren der Tragödie erst in der Hölle ereilt: „– Dich aber, Juan, reiß ich mit mir, – schmiede / Dich an den Faust [...]!" (I, 513)

Der Konzeption einer Dialektik von Sinnlichkeit und Geist liegt offenkundig die Annahme zugrunde, es handele sich bei ihnen um Phänomene gleicher Realität, die sich nicht aufeinander reduzieren lassen; dennoch sehe ich zwei Gesichtspunkte, unter denen das Stück auf die *materialistischen Weltanschauungen* vorausweist, wie sie im weiteren Verlauf des 19. Jahrhunderts im Fahrwasser der modernen Naturwissenschaften erheblich an Bedeutung gewinnen und ja – nicht nur in den Debatten der Hirnforschung – bis heute präsent sind:[39] Erstens kann die materialistische Idee, alle geistigen Regungen des Menschen auf das Sinnlich-Materielle zurückzuführen – und im Extremfall als davon gänzlich determiniert anzusehen –, ja nur dann entstehen, wenn zunächst der Gedanke eines Wechselverhältnisses zwischen Sinnen- und Geistesnatur des Menschen etabliert ist,[40] wie wir ihn bei Grabbe finden; zweitens suggeriert einiges im Text, besonders die recht unmissverständliche Lenkung der Sympathie auf die Don-Juan-Figur, zumindest einen Vorrang der Sinnlichkeit vor dem Geist.

Anmerkungen

1 Nach Aristoteles, von dem diese Doppelbestimmung stammt, bedarf es immer zweierlei, um etwas zu definieren. Erstens der Gattung, zu der das zu Definierende gehört (*genus proxiumum*); zweitens des Alleinstellungsmerkmals (*differentia specifica*), welches das zu Definierende von allem Anderen innerhalb dieses Bereichs unterscheidet.

2 Für das Folgende vgl. Gottfried Willems: Aufklärung (Geschichte der deutschen Literatur, 2). Wien, Köln, Weimar 2012, vor allem S. 18-20 und 47f.

3 Man denke z.B. an Alexander Popes „Essay on Man". Inwiefern der aufklärerische Fokus auf den Menschen eine Selbstbescheidung der Vernunft im Sinne der Skepsis gegenüber philosophischen und theologischen Systemen bedeutet, die das Weltganze in den Blick nehmen wollen, erläutert Willems auf S. 45f.

4 Vgl. ebd., S. 172-178.

5 Die Spuren dieses starren Dualismus lassen sich bis zu Descartes' Unterscheidung von *res extensa* und *res cogitans* zurückverfolgen.

6 Vgl. Kritik der reinen Vernunft. In: Werke in 10 Bänden. Hrsg. von Wilhelm Weischedel. Frankfurt a.M. 1968, Bd. 3, S. 278f. Für Kants Moralphilosophie ist es allerdings grundlegend, trotz der kategorialen Trennung eine Verbindung zwischen Verstandeswelt und Sinnenwelt denken zu können; sein diesbezüglicher Versuch erweist sich bei genauerer Betrachtung jedoch als eine Behelfskonstruktion, die viele Fragen offen lässt. Zudem sei bemerkt, dass durch Kants Konzeption einer Unterordnung der sinnlichen Antriebe unter das moralische Gesetz, einer bedingungslosen Unterwerfung der Neigungen unter die Pflicht, auf dem vermeintlichen Höhepunkt der Aufklärung etwas wiederbelebt wird, wogegen sie ursprünglich ankämpfte: der *Tugendrigorismus des Neustoizismus*. Vgl. auch Willems: Aufklärung (Anm. 2), S. 207f. und 212.

7 Deshalb kundschaften die Romantiker neue Wege der Vermittlung aus. So versucht Novalis im ersten *Blütenstaub-Fragment*, die *ewige Suche nach dem Unbedingten* (ewig deshalb, weil sie, wie Kant gezeigt hat, ihr Ziel aus prinzipiellen Gründen niemals erreichen kann) gerade als die einzig mögliche Erfahrung von Unbedingtheit und dem Göttlichen auszuweisen. Versuche, zu zeigen, wie der Mensch auch unter kantischen Prämissen zu einer Einheit vermittelt werden kann, finden sich schon früher, und zwar bei Schiller in den *Briefen über die ästhetische Erziehung des Menschen*, aber insbesondere bei Kant selbst, in der *Kritik der Urteilskraft*.

8 Siehe auch Grabbes Selbstrezension in seinem Brief an Kettenbeil vom 16. Januar 1829. Vgl. Grabbe über seine Werke. Christian Dietrich Grabbes Selbstzeugnisse zu seinen Dramen, Aufsätzen und Plänen. Hrsg. von Ladislaus Löb. Frankfurt a.M., New York, Paris 1991, S. 92f.

9 Zum Begriff der Formensprache vgl. Gottfried Willems: Der Literaturbegriff als Problem. In: Der Begriff der Literatur. Transdisziplinäre Perspektiven. Hrsg. von Alexander Löck und Jan Urbich. Berlin 2010, S. 223-245, hier S. 237 und 243f.

10 Ebd., S. 243.

11 Zuerst Ferdinand Josef Schneider: Das tragische Faustproblem in Grabbes ,Don Juan und Faust'. In: Deutsche Vierteljahrsschrift für Literaturwissenschaft und Geistesgeschichte 8 (1930), H. 3, S. 539-557, hier S. 553ff.

12 Zudem deutet sich hier an, dass der Text auch durch die Assoziation mit Wärme und Kälte einen Kontrast zwischen den beiden Figuren herstellt.

13 Vgl. auch Carl Wiemer: Der Paria als Unmensch. Grabbe – Genealoge des Anti-Humanismus. Bielefeld 1997, S. 105ff.

14 Vgl. Leporellos spottende Äußerungen in der ersten Szene: „Was nennt ihr *einzig*? Ohngefähr *zweitausend*? [...] Bei wie viel *Hunderten* habt ihr das schon / Gesagt?" (I, 418).

15 Dies und alles Folgende lässt Michelsen unerwähnt, wenn er zu dem Schluss kommt, Don Juans Patriotismus sei nicht ernst gemeint. Vgl. Peter Michelsen: Im Banne Fausts. Zwölf Faust-Studien. Würzburg 2000, S. 90.

16 Vgl. die letzte Szene des Stücks, in welcher der Text Don Juan mit den in Anführungszeichen gesetzten Worten *„König und Ruhm, und Vaterland und Liebe!*" (I, 513) aus dem Leben scheiden lässt.

17 Die Äußerung Fausts, er habe die Sonne hinter sich gelassen, konstituiert ,nebenbei' eine Kontrastbeziehung zu Don Juan, denn dieser hat in seinen Worten „Die Augen offen, gleich nie müden Sonnen!" (I, 429).

18 Man beachte die Nähe des Raubtiervergleichs zum allgegenwärtigen Trümmermotiv (vgl. I, 494).

19 Grabbe selbst nennt Don Juan und Faust in seiner Selbstrezeption „Extreme der Menschheit" und spricht von der „zu sinnlichen und „zu übersinnlichen Natur im Menschen". Grabbe über seine Werke (Anm. 8), S. 92f.

20 Vgl. Achim Stammberger: Der Vers im Monolog als Mittel innerer und äußerer Bewegung: Aspekte der Dynamik von Sprache und Geschehen in Goethes *Iphigenie auf Tauris* und Grabbes *Don Juan und Faust*. In: Christian Dietrich Grabbe – Ein Dramatiker der Moderne. Hrsg. von Detlev Kopp. Bielefeld 1996, S. 47- 93, hier S. 72-74.

21 Vgl. ebd., S. 77.

22 Michelsen: Im Banne Fausts (Anm. 15), S. 94. Ähnlich auch Roy C. Cowen: Christian Dietrich Grabbe – Dramatiker ungelöster Widersprüche. Bielefeld 1998, S. 120.

23 Nicht erst seit da Ponte, gleichwohl dieser jenes meisterhaft ausdrückt, wie der Ästhetiker in Kierkegaards *Entweder-Oder* zu Recht herausstellt. Vgl. Søren Kierkegaard: Entweder – Oder. Teil I und II. Hrsg. von Hermann Diem und Walter Rest. Aus dem Dänischen von Heinrich Fauteck. 11. Aufl. München 2012, S. 111.

24 Vgl. auch Hans Henning: Die wichtigsten deutschen Faust-Dichtungen in der 1. Hälfte des 19. Jahrhunderts und ihr Verhältnis zu Goethe: Grabbe – Lenau – Heine. Phil. Diss. Jena 1965 (Masch.), S. 168.

25 Dass er keines hat, drückt sich im assoziativen Charakter seiner Monologe aus (vor allem I, 2). Vgl. Stammberger: Der Vers im Monolog (Anm. 20), S. 79.

26 Vgl. Gunther Nickel, Ekkehard Schreiter: Zwei Lektüren von Christian Dietrich Grabbes *Don Juan und Faust*. In: Christian Dietrich Grabbe (Anm. 20), S. 95-117, hier S. 96. Zu ergänzen wäre noch: nach dem Glück (vgl. I, 440).

27 Cowen: Christian Dietrich Grabbe (Anm. 22), S. 121.

28 Das wird in den Versen direkt vor der hier zitierten Stelle noch klarer; der Anfang des Stücks scheint insgesamt als eine Persiflage auf Goethes Gedichtzyklus angelegt.

29 Mit Blick auf die These, dass der Kontrast zu Leporello Don Juan als Phantasten entlarvt, vgl. auch Cowen: Christian Dietrich Grabbe (Anm. 22), S. 125.

30 Brief an Ludwig Tieck vom 29. August 1823. Grabbe über seine Werke (Anm. 8), S. 87.

31 Goethes Werke. Hamburger Ausgabe in vierzehn Bänden. Hrsg. von Erich Trunz. 8. Aufl. Hamburg 1967, Bd. III, S. 112.

32 Stammberger: Der Vers im Monolog (Anm. 20), S. 81.

33 Ebd., S. 76.

34 Mit Monolog oder Monologisieren bezeichne ich erstens eine Situation, in welcher sich die redende Figur allein auf der Bühne befindet oder dies zumindest annimmt; zweitens verstehe ich darunter aber auch eine Rede im Gespräch, die sich verselbstständigt und so den Bezug zum Gesprächspartner verliert. D.h. man kann durchaus im Dialog monologisieren. Umgekehrt kann ein Monolog durchaus auch die Züge eines Dialogs annehmen.

35 Vgl. Stammberger: Der Vers im Monolog (Anm. 20), S. 79. Damit dass der Text Faust als jemanden darstellt, der mit seinen Worten gar nicht an sich halten kann – sozusagen verbal inkontinent – gibt er ihn vor dem Publikum der Lächerlichkeit Preis, gerade eingedenk der im Stück allgegenwärtigen Sprachkritik.

36 Im Zuge der Interpretation von Mozarts Oper seines Ästhetikers in *Entweder-Oder*. Vgl. Kierkegaard: Entweder – Oder (Anm. 23), S. 102ff., bes. S. 109.

37 Mit seiner Behauptung, dass es in der Tragödie geradezu anders herum sei und „Grabbes Don Juan [...] den Verstand vertritt" und „Faust [...] das Gefühl", schießt Cowen meines Erachtens übers Ziel hinaus. Vgl. Cowen: Christian Dietrich Grabbe (Anm. 22), S. 120.

38 Zu der Bedeutung Hegels für die Epoche des Vormärz vgl. Gottfried Willems: Vormärz und Realismus (Geschichte der deutschen Literatur, 4). Wien, Köln, Weimar 2014, S. 81f. Vgl. auch Robert Weber: „Bei aller seiner Tollheit weiß er recht gut was er tut!" Die Suche nach der positiven Kehre im Werk Christian Dietrich Grabbes." In: Grabbe-Jahrbuch 33 (2014), S. 63-91, hier S. 74. In seinem Beitrag spricht Weber davon, dass Grabbe in *Don Juan und Faust* den „Daseinszustand des Menschen" durch ein „dialektisches Rotieren" (in seinem Fall von Menschlichem und Übermenschlichem) kennzeichne.

39 Vgl. Willems: Vormärz und Realismus (Anm. 38), S. 84f.

40 Ein solches Wechselverhältnis zu denken, bereitet Kant bekanntlich erhebliche Probleme.

LISA BERGELT

„Eure Kuriere und telegraphischen Depeschen waren stets langsamer als Er!"
Zeitregime des Politischen in Grabbes *Napoleon oder die hundert Tage*

Im Angesicht von Napoleons erschreckend schnellem Vormarsch in Richtung Paris erfasst die Herzogin von Angoulême in Grabbes Drama *Napoleon oder die hundert Tage* die Handlungsdynamiken der politischen Kontrahenten: „Eure Kuriere und telegraphischen Depeschen waren stets langsamer als Er!" (II, 365) Ihre Langsamkeit wird den monarchischen Herrschern zum Verhängnis. Napoleons Tempo überrumpelt den König, und seiner Dynamik wegen schafft es Bonaparte, für hundert Tage als Kaiser auf den französischen Thron zurückzukehren. Chassecœur eröffnet eine weitere Zeitdimension, die Auswirkungen auf den politischen Erfolg der Akteure hat: „Ach, es kommt einem jetzt auf der Welt so erbärmlich vor, als wäre man schon sechsmal dagewesen und sechsmal gerädert worden." (II, 330) Die fatalistische „Wiederkehr des Immergleichen"[1] wird in Grabbes *Napoleon*-Drama als politisches Stillstandsmodell ausgestellt. Zyklische Handlungsmodelle erscheinen als politisches Problem, das erbmonarchische Modell als überholt. Grabbe schreibt seinen Protagonisten politische Handlungsdynamiken zu, die sich in personalen Tempo-, Ordnungs- und Wiederholungsstrukturen äußern. Diese zeitliche Figurenanlage beschreibt politische Entscheidungen als effizient, übereilt, bedacht oder gar als Handlungsverweigerung oder sinnlose Wiederholung und bewertet sie gleichzeitig. Der Widerstreit verschiedener politischer Modelle – des monarchischen der Bourbonen, des egozentrischen Napoleons und des rationalistisch-bürokratischen der Preußen – wird verhandelt, indem ihnen jeweils spezifische Konzepte von Zeitlichkeit zugeschrieben werden. Grabbes Drama ist durchzogen von solchen Attributen der Temporalität, die nahelegen, das Werk als ein Drama der Zeit zu verstehen.

Temporale Verlaufsformen des Politischen wurden in den Sozial- und Geschichtswissenschaften bisher kaum systematisch in den Blick genommen. Einschlägig sind aber Reinhardt Kosellecks Überlegungen zur Verschiebung von ‚Erfahrungsraum' und ‚Erwartungshorizont' und die daraus erwachsenden Konsequenzen für die Zeitlichkeit politischer Systeme und Prozesse. So wird z.B. der Terminus „Republikanismus" als „Bewegungsbegriff" beschrieben.[2] Neben Koselleck widmet sich auch Hartmut Rosa in seinen Arbeiten der „Veränderung der Zeitstrukturen in der Moderne"[3] mit einem besonderen Fokus auf das Beschleunigungsparadigma. An diese Überlegungen zu politischen und gesellschaftlichen Verlaufsformen schließen verschiedene literaturwissenschaftliche Arbeiten an, die die Zeitlichkeit des Politischen in literarischen Texten erkennen. So beschäftigt sich Gerhard Plumpe mit Reaktivierungen der *historia magistra vitae* bei Stifter, und Peter Langemeyer erkennt in Grabbes *Napoleon*-Drama dem „zeitgenössischen Fortschrittskonzept"[4] widersprechende Wiederholungsstrukturen.[5] Um einen Beitrag zum Diskurs über spezifische Verlaufsformen des Politischen in der Moderne zu leisten, haben die folgenden Überlegungen zu *Napoleon oder die hundert Tage* den Anspruch, über die bereits vorliegenden Erörterungen zu zyklischen Darstellungsformen hinauszugehen und die dramatischen Temporalgestaltungen des Politischen umfassend zu ergründen. Auf Grundlage einer übergreifenden Zeitökonomie sollen neben zyklischen Wiederholungsformen spezifische Tempogestaltungen und Ordnungsstrukturen in den Blick genommen und verknüpft werden. Es wird davon ausgegangen, dass literarische Texte solche Verlaufsformen in besonderer Weise zu reflektieren vermögen, und sich das Drama im Speziellen deswegen besonders als historische Quelle eignet, weil die raumzeitliche Komplexität des dramatischen Gefüges die temporalen Eigentümlichkeiten politischer Systeme in besonderem Maße zu exponieren vermag. Im Drama ist eine individuelle Ausgestaltung zeitlicher Handlungsdynamiken möglich. Da einzelne Akteure und Gruppierungen unterschiedlichen zeitlichen Verlaufsformen unterworfen sind, kann davon gesprochen werden, dass Zeitregime das politische Handeln strukturieren. In Grabbes Drama werden diese Phänomene in besonderem Maße sichtbar, weil sich mit den politischen Kontrahenten auch unterschiedliche politische Konzepte gegenüberstehen und so eine ambivalente Temporalstruktur des Politischen entfaltet wird. Diese performative Eigenzeit der politischen Akteure und Modelle verspricht zudem Aufschluss über Grabbes Bewertung der historischen Situation.

I. Zeitebenen und Zeitökonomie

Grabbes *Napoleon*-Drama erscheint 1831, etwa ein Jahr nach der Julirevolution in Frankreich, die erhebliche Unruhen in ganz Europa auslöste und in Frankreich die Julimonarchie unter dem Bürgerkönig Louis Philippe von Orléans begründete. Mit seinem Stück greift Grabbe einen historischen Systemwechsel auf, der durchaus Parallelen zu den Umbrüchen seiner eigenen Zeit aufweist. So ist Grabbes *Napoleon*-Drama nicht nur Geschichtsreflexion, sondern kann auch als prognostische Auseinandersetzung mit den Ereignissen in Frankreich gedeutet werden, die in der Julirevolution gipfelten. Denn obwohl das Drama erst ein Jahr später erschien, wies Grabbe in Briefen immer wieder darauf hin, dass das Stück vor der Julirevolution bereits fertig gewesen sei, und stellte damit dessen prophetische Elemente in Bezug auf die politischen Umbrüche 1830 heraus. So schrieb er in einem Brief an Kettembeil vom 20. Oktober 1831: „Im Napoleon steckt viel Prophetisches" (V, 358), und im Vorwort des Stückes heißt es: „Dieses Drama war vor den welthistorischen Ereignissen des Juli vorigen Jahres vollendet. Seitdem ist manches eingetroffen, was in ihm vorausgesagt ist, – ebensoviel aber auch nicht." (II, 317) Grabbe offenbart hier sein ambivalentes Selbstverständnis eines prophetischen Dichters, der gleichzeitig im selbstkritischen Bewusstsein der Kontingenz des Zukünftigen schreibt. Das Drama weist also nicht nur vielfältige handlungsinterne Zeitebenen auf, sondern verknüpft die Handlung durch Reflexionen über die politische Situation der Schreibgegenwart sowie Vorausdeutungen in die Zukunft Grabbes immer wieder explizit mit dramenexternen zeitlichen Ebenen.

Macht, so wird schon bei der Betrachtung der Figurenkonstellation deutlich, bestimmt im *Napoleon*-Drama die Zeitökonomie des gesamten Stückes. Den Bourbonen geht es schlicht um ihren Machterhalt. Ihre Überzeugung, dass Macht gottgegeben im Sinne eines erbmonarchischen Systems sei, ist bestimmend für ihr Handeln. Napoleon hingegen leitet seinen Machtanspruch aus seinen bisherigen Erfolgen als französischer Kaiser ab. Nach seinem Machtverlust 1814 putscht er sich im Laufe des im Stück dargestellten Geschehens ein zweites Mal an die Macht. Dieses Machtstreben bringt die Koalition aus Preußen, Engländern, Österreichern und Russen auf den Plan, die ihre Machtposition in Europa verteidigen wollen. Die Dynamiken von Machtstreben, Machterhalt und Machtverfall sind somit bestimmend für die Zeitstruktur des Stückes. Napoleons Macht zerfällt schließlich wieder; historisch setzt eine erneute Restauration ein. Dass Ludwig XVIII. erneut König wurde, als würde sich auf fatalistische Weise ein Kreislauf schließen, ist nicht mehr Teil der Dramenhandlung. Napoleon erfüllt durch seine konstante Anwesenheit im zeitlichen Verlauf des Stückes, die durch Aufstieg und Fall bzw. durch das Auftreten der bourbonischen und preußischen Kontrahenten auf der Bühne gerahmt ist, die Funktion einer Übergangsmacht. In der Strukturierung der Szeneninhalte wird Napoleons Aufstieg, Machtgewinn und sein Fall in der Schlacht bei Waterloo in einem fünfgliedrigen Handlungsbogen dargestellt. Seine tatsächliche Dominanz im Stück („Ich bin wieder zu Haus, und Frankreich ist mein!" [II, 387]) – ist erstaunlich kurz, denn schon ab dem vierten Aufzug beherrschen die Koalitionäre die Handlungszeit, und Napoleons Machtgefüge erscheint zunehmend instabil.

II. Tempo

Grundsätzlich ist der Verlauf des Stückes geprägt durch die Eile und Rastlosigkeit seines Protagonisten Napoleon. Das vom Zuschauer empfundene Tempo eines Dramas sei, so betont Franz H. Link, davon abhängig, wie viel in einer bestimmten Zeitspanne passiere, also wie viel Zeit für die Darstellung eines Ereignisses eingeräumt werde bzw. wie schnell die Abfolge einzelner Ereignisse aufeinander folge.[6] Insbesondere Napoleons Vormarsch nach Paris im zweiten Aufzug erzeugt ein Gefühl von Beschleunigung. Napoleon wird ein hohes Tempo zugeschrieben, während die Bourbonen durch zauderhaften Stillstand gekennzeichnet sind. Dieser Gegensatz wird schon im ersten Aufzug vorbereitet, wenn Napoleon eifrig seinen Putschplan entwickelt, und ein Offizier den parallel verlaufenden Müßiggang der Bourbonen so beschreibt: „Der König übersetzt den Horaz, Monsieur geht auf die Jagd, die Angoulême betet, ihr Mann hört ihr zu, Berry liebt die Damen." (II, 351)

Exemplarisch für die diachronen Tempi der Antagonisten steht die vierte Szene des zweiten Aufzugs. Die Szene führt einerseits die bourbonischen Herrscher in ihrem höfischen Setting ein und integriert parallel auf einer vermittelten Handlungsebene durch Botenberichte Napoleons Vormarsch von Elba nach Paris. Immer wieder werden Nachrichten von Napoleons Voranschreiten in Richtung die Hauptstadt eingeflochten, während die Bourbonen im Zimmer des Königs in den Tuilerien (abgesehen von der Herzogin von Angoulême) unerschüttert wirken und nur halbherzig handeln. Insbesondere der König bevorzugt es, über das bevorstehende Abendessen zu sprechen und seine Politikmüdigkeit zur Schau zu stellen: „Bald werd ich aber für heute der Audienzen müde." (II, 367) Diese demonstrative Gelassenheit scheint aus der – spätestens seit der Französischen Revolution erodierten – Überzeugung zu resultieren, dass die monarchische Macht gottgegeben und somit unantastbar sei. Das handlungsarme Vor-Sich-Hin-Plaudern der königlichen Familie entschleunigt den Dramenverlauf offenkundig und erscheint in dieser Szene wie eine Handlungsverweigerung in Anbetracht der nahenden Gefahr. Dieser Eindruck kontrastiert mit Napoleons Voranschreiten und lässt sein Tempo in Relation noch schneller erscheinen. Simultan zu den ergebnislosen Reflexionen der Adligen scheint er das halbe Land zu durchqueren. Eingangs der Szene landet er in Toulon auf dem Festland, und schon etwa zwei Seiten später vermeldet der Oberdirektor des Telegraphen die Information: „Sire, Bonaparte steht seit etwa anderthalb Stunden mit einigen tausend Mann vor Lyon." (II, 365) Lediglich die Herzogin von Angoulême erkennt unter Rückgriff auf den vergangenen Erfahrungsraum die von Napoleon ausgehende Gefahr: „Nun macht Er seine Tigersprünge, wie einst von Ägypten nach Paris, von Eylau nach Madrid, von Madrid nach Wien, nach Moskau – O, ich fühle schon seine

Krallen!" (II, 364f.) Statt zu reagieren, äußert der König in Bezug auf die Sorgen der Herzogin eine fatale Fehleinschätzung: „Halt ihn nicht für zu gefährlich!" (II, 368) Nimmt man an, dass sich ein dramatischer Text aus Redezeit und Handlungszeit konstituiert, so muss man erkennen, dass die Bourbonen hier ausschließlich Redezeit in Anspruch nehmen. Die Szene ist ausgesprochen handlungsarm, und der dramatische Konflikt kommt scheinbar zum Erliegen. Tatsächlich wird er aber auf der vermittelten Handlungsebene durch Napoleon sogar beschleunigt vorangetrieben. Die Temporalstruktur der Akteure wird durch dramaturgische Raumzuweisungen Grabbes unterstrichen, denn Napoleon passiert agil das ganze Land, während die Bourbonen wie gefangen in einem Raum der Tuilerien verharren. Offenbar überschreitet Napoleon durch sein eiliges Voranschreiten den dramatischen Raum. Ihm fehlt eine Örtlichkeit, und sein Handeln kann dementsprechend nicht auf der Bühne dargestellt, sondern nur erzählt werden. Zusätzlich fungiert der optische Telegraph, die schnellste Technik der Informationsübermittlung um 1800, als Medium Napoleons und akzentuiert seine Schnelligkeit. Napoleon war es, der den Telegraphieausbau einst forcierte.[7] Im Stück profitiert er davon, indem er mit der modernen Technologie die antiquierten Bourbonen überlistet und im weiteren Verlauf des Dramas permanent neuste Informationen über die Position der Gegner erhält. Sein Informationsvorsprung bedeutet Machtzuwachs. Gleichzeitig nutzt Napoleon den Telegraphen, um Fehlinformationen über seinen Aufenthaltsort an die Bourbonen weiterzuleiten. Das moderne, fortschrittliche Medium charakterisiert Napoleon als „erste[n] Herrscher moderner Prägung".[8] Der Monarch Ludwig verweigert währenddessen, bis auf wenige halbherzige Befehle in einer bereits verlorenen Schlacht, das Handeln und erstarrt zum Stillstehenden. Er glaubt sich seiner Position sicher und krallt sich am veralteten monarchischen System fest, obwohl Reformen unbedingt angezeigt scheinen. Zwar sind es fehlerhafte Botschaften, die den Eindruck vermitteln, dass Napoleon es innerhalb dieser einen Szene von Toulon nach Lyon geschafft habe, doch das Gefühl, dass er sich mit unmenschlichem Tempo fortbewegt, ist beim Zuschauer ungebrochen. Napoleons Logik ist die schnelle, unerwartete Aktion, mit der der Gegner überrumpelt wird, während Ludwig XVIII. allein durch sein Festhalten an einem seit der Französischen Revolution veralteten System für extreme Entschleunigung, gar Stillstand steht. Die Doppelstruktur dieser Szene, in der einerseits die fatale Unbedarftheit der Bourbonen als Stillstand empfunden wird und andererseits ein zweiter, vermittelter Handlungsstrang das unaufhaltsame Näherrücken Napoleons in Form einer Seitenschau als enorme Beschleunigung präsentiert, stellt die Geduld des Zuschauers auf die Probe und schafft zwei sich in ihrer zeitlichen Struktur antagonistisch gegenüberstehende Logiken des Handelns. Grabbe kreiert so eine dichotome szenische Zeitstruktur, die die Polychronie der politischen Handlungstempi ausstellt.

Napoleons Handlungslogik baut auch nach dem Ausscheiden der Bourbonen aus der Handlung des Dramas (III. Akt, 2. Szene) auf Schnelligkeit, Überraschungsmomenten und Eile auf. Stellvertretend dafür steht die Formel des ersten Piqueur: „Unter dem Kaiser sind die Stunden tausendmal kleiner als die Geschäfte." (II, 403) Auch der neue Antagonist Blücher charakterisiert Napoleon als unberechenbar: „Wisset Leute, Bonaparte soll in der Nähe sein, angekommen wie ein Dieb in der Nacht". (II, 406) Und weiter heißt es: „Dem Bonaparte ist keine List fremd." (Ebd.) Dieser Eindruck korrespondiert abermals mit der Situierung der Szenen: Napoleons Dynamik wird dadurch konstituiert, dass er flexibel an verschiedenen Schauplätze draußen und drinnen agiert (Elba, Tuilerien, Marsfeld, Schlachtfeld), während die Bourbonen entgegen jeder Erwartung an politische Herrscher nur im privaten Raum der Tuilerien dargestellt werden und die Preußen wiederum ausschließlich draußen auf dem unpersönlichen Schlachtfeld.

III. Ordnung

Während sich in der ersten Hälfte des Dramas zwei Formen der Tempoorganisation auffallend gegenüberstehen, kontrastieren in der zweiten Hälfte die Handlungsstrukturen des exaltierten Bonaparte mit dem geordneten Agieren der Preußen. Insbesondere die Preußen, aber auch die Engländer werden von Grabbe als besonnene und strukturierte Figurengruppen gestaltet. Zwei Szenen räumt Grabbe den Preußen noch vor der Niederlage in der Schlacht bei Ligny ein, in denen über nationale Kultur und Freiheit philosophiert, über Schlachtpläne nachgedacht wird (IV. Akt, 4. Szene) und vergangene Schlachten reflektiert werden (IV. Akt, 5. Szene). Diese zwei Szenen der Preußen vor der Schlacht bilden eine reflexive und somit handlungsarme Sequenz der dramatischen Entschleunigung, hier wird die Zeit plötzlich lang. Link beschreibt, dass Dauer dort spürbar werde, wo eine „Diskrepanz zwischen Zeiterwartung und tatsächlichem Zeitverlauf"[9] auftrete, und Peter Pütz erkennt sie dort, wo Erwartung und Verwirklichung des Erwarteten auseinander klaffen.[10] Messbar werde Dauer, so Link, durch die empfundene Länge der Zeit zwischen Vorgriff und Verwirklichung.[11] Eine solche Diskrepanz entsteht im vierten Aufzug, denn Napoleon kündigt schon Ende der zweiten Szene beim Abschied von Hortense die Schlacht gegen die Koalitionäre an: „Nehm ich Abschied von dir und besiege die Koalition, oder erblicke dich nie wieder." (II, 401) Auch die Regieanweisungen der vierten („Preußisches Feldlager") und der fünften Szene („Vorabend der Schlacht") fungieren als Vorausdeutungen auf die nahende Schlacht. Dann dauert es aber die besagten zwei langen Reflexionsszenen, bis sie in der sechsten

Szene schließlich beginnt. Die Gespräche im preußischen Lager verlangsamen die Handlung, indem sie die Verwirklichung der angekündigten Schlacht verzögern, und unterstreichen somit die kontrollierte und konzentrierte Bedachtsamkeit der Preußen. Aus der Tempogestaltung des Aufzugs geht also ein spezifisches Ordnungsregime hervor.

Mit den neuen Antagonisten hält auch eine neue Handlungsdynamik Einzug in das Drama, die durch den Generalfeldmarschall Blücher verkörpert wird. Der Preuße wird explizit als „tüchtig […], – weil er immer gradeaus sieht, wo andere links und rechts die Augen verdrehen" (II, 416) charakterisiert. Blücher ist einerseits gradlinig und konsequent, aber seine Dynamik ist gleichwohl variabel und passt sich den Anforderungen der jeweiligen Situation an. Während ihm im vierten Aufzug noch eine entschleunigende Planungsphase zugesprochen wird, in der er sein Heer beschwichtigt („Nur nicht allzu bestürzt!" [II, 439]), beschleunigt sich seine Handlungsdynamik in der Schlachtsituation: „Blücher ist ein rascher Mann, der mehr als ein anderer 1813 und 1814 dem Korsen das Genick brach, weil er so ehrlich und kühn in die Welt sah, wie der Korse verschmitzt und verwegen." (II, 416) Blücher und Napoleon werden also im militärischen Kontext beide durch Attribute der Schnelligkeit charakterisiert, kontrastieren aber in ihrer Berechenbarkeit. Während Blücher als zuverlässiger und vorausschauender Partner dargestellt wird, handelt Napoleon spontan und unberechenbar. Diese Kennzeichnungen sowie die Anlage der Szenen, in denen die beiden Figuren agieren, legen die Annahme nahe, dass Blücher und Napoleon das darstellen, was Juliane Vogel in *Die Furie und das Gesetz* als „Dramaturgie der Exaltation" und „Dramaturgie der Ordnung und der Institutionen"[12] herausgearbeitet hat. In Bezug auf das Revolutionsdrama erkennt Vogel, dass aus der Frage, „auf welche Weise der nach dem Ende der Monarchie entleerte Raum staatlicher Repräsentation in Besitz genommen werden könne", ein „dramaturgischer Konflikt" erwachse, in dessen Verlauf „eine konservative und eine revolutionäre, eine exaltierte und eine maßvolle Bild- und Bühnenordnung […] in einen Wettstreit [treten]".[13] Sie formuliert weiter:

> Wenn Fulmination und Reglement in Wettstreit treten, wenn zwei ‚Gangarten', zwei ‚Tempi' auf fundamentale Weise kontrastieren, kommt es zur Spaltung des dramaturgischen Raums. Die Opposition von Furor und Gesetz polarisiert das dramaturgische Feld der Verstragödie.[14]

Die Ordnung des Gesetzes ist in Blüchers Handlungsdynamik klar zu erkennen, Napoleon erfüllt Vogels Definition der Furor-Figur aber nur bedingt, weil sie mit dem affektiven Aufbegehren einer Heroine assoziiert wird.[15] Obwohl die Revolution, auf die Vogel ihren Antagonismus von Furor und Gesetz bezieht,

bereits hinter Napoleon liegt, bleiben ihre Überlegungen passend, denn die exaltierte Konzeption Napoleons aktualisiert seinen Ursprung aus der Revolution.
Napoleon ist der flinke, unkonventionelle, wieder auferstandene Herrscher, der
seine Machtposition in einem Europa, das sich in einem restaurativen Prozess
befindet und in dem zunehmend neue, rationale Ordnungsprinzipien eingeführt werden, auszubauen versucht. Bei Grabbe steht Blücher für dieses neue
rationalistische Prinzip, das zum historischen Zeitpunkt in Preußen so natürlich
nicht realisiert war, aber zunehmend zur politischen Zielsetzung der Restaura-
tionskritiker wurde.[16] Blücher verkörpert ein Prinzip übergeordneter Gerech-
tigkeit und gradliniger Rationalität. Als er formuliert „Wenn wir kämpfen, so
kämpfen wir just für dieses Land mit der von Ihnen geachteten, lebenswürdigen,
loyalen Nation" (II, 415), wird deutlich, dass sein Einsatz nicht dem individuellen Triumph, sondern dem preußischen Staat verschrieben ist. Der Sechste Jäger
kontrastiert diese Staatstreue mir Napoleons egozentristischer Motivation: „Ja,
Napoleon ist auch groß, ist riesengroß, – aber er ist es nur für sich, und ist darum
der Feind des übrigen Menschengeschlechts". (II, 412)

Blücher wird zudem eine niedrigschwellige Hierarchie zugeschrieben, so tritt
er *„zu Fuß"* auf (II, 414), lässt sich von seinem Heer duzen (II, 416) und verkörpert damit eine Art egalitäres, kooperatives Prinzip, das auch in seiner Rede
nach dem Sieg zum Ausdruck kommt: „ihr alle, alle seid meine hochachtba-
ren Waffengefährten, gleich brav in Glück und Not". (II, 459) Die Rationalität der Preußen kontrastiert mit exzentrischen Beschreibungen der Franzosen,
z.B.: „Ohne Flitter gehts bei den Franzosen nicht ab". (II, 409) Ihre stürmische
(„Französische Truppen zu Fuß und zu Pferde, wie Sand am Meer [...]". [II, 406
f.]) und unkalkulierbare Art („Unabsehbare Züge", „So ist Er mit seiner ganzen
Armee da, und hat uns überrascht." [II, 407]) steht der geordneten Bedachtsamkeit der Preußen antagonistisch gegenüber (*„rasch sich waffnend und ordnend"*
[Ebd.]). Blücher und seine Truppen stehen für Ordnung und Verlässlichkeit.
Napoleon und sein Gefolge sind die dynamisch-charismatischen Antagonisten,
die sich auf Überrumpelung, Tempo und Pathos stützen. Bonapartes während
der Schlacht getätigten Ausruf könnte man als Formel seiner politischen Handlungsdynamik verstehen: „Die Zeit drängt, und was ihr an Länge fehlt, müssen
wir durch Schnelligkeit und Stärke ersetzen." (II, 449) Grabbe präsentiert Napoleon als agilen Egozentriker. So rekapituliert Blücher, dass Napoleon schon in
der Schlacht von 1813 das Zaudern verachtete: „Als wir 1813 noch immer zwei-
felten, den Korsen, sobald er uns persönlich gegenüber stand, anzugreifen, rief
er nichts als: ,hole der Kuckuck das Zaudern! drauf los! den Versuch gewagt!
[...]" [II, 437]) Kontrastiv zu dieser Beschreibung Napoleons als wagemutig
und risikobereit steht am Ende der Szene eine das preußische Ordnungs- und
Gemeinschaftsprinzip beschreibende Regieanweisung: *„Gneisenau reitet zu*

Bülow, welcher zu Pferde, mit seinem Armeekorps unter Feldmusik in größter Ord-nung in die preußischen Linien rückt". (Ebd.)

IV. Wiederholung

Die zyklische Wiederkehr des politisch bereits Dagewesenen ist fraglos ein zentrales temporales Motiv in *Napoleon oder die hundert Tage* und wurde von der Forschung – wie eingangs beschrieben – bereits in den Blick genommen. Hier soll nun eine Verbindung zu den vorangehend erarbeiteten Zeitregimen hergestellt werden. Das dominante Wiederholungsprinzip wird schon gleich zu Beginn eingeführt, denn mit Hilfe einer Guckkasten-Szene integriert Grabbe eine geraffte Vergegenwärtigung der historischen Ereignisse der Befreiungskriege als Einführung der Protagonisten des Stückes: „Hier meine Herren, ist zu sehen Ludwig der Achtzehnte, König von Frankreich und Navarra, der Ersehnte.", „Hier Bonaparte", „Und da, meine Herren und Damen, erblicken Sie den gro-ßen, edlen Feldmarschall Kutusow –". (II, 323-325) Ersetzt man den Schlacht-sieger Kutusow durch Blücher und die Schlacht bei Leipzig durch Waterloo, so beschreibt die Guckkastenszene die folgende gespielte Zeit als Wiederholung der im Guckkasten gezeigten Zeit.

Ganz entsprechend dem klassischen Monarchiekonzept bauen die Bourbo-nen ihren Machtanspruch auf Erblinien auf („Ein durch Jahrhunderte geheilig-ter Name ist der leuchtendste Wegweiser für den Enkel." [II, 344]). Als Stell-vertreter des monarchisch-zyklischen Machtsystems werden sie von Grabbe deutlich durch das Prinzip der Wiederkehr gekennzeichnet; die aktuelle Phase ihrer Macht wird allerdings gleich zu Beginn des Stückes kritisch bewertet. So fordert Fouché den Rückzug der Bourbonen auf Grund ihrer unbelehrbaren Art und veralteten Politik: „Die Bourbons müssen fort mit ihrer alten Zeit, – sie haben bewiesen, daß sie nichts Neues lernen können, und – erschrick nicht, Republikaner – Bonaparte muß zurück." (II, 372) Grabbe lässt sein Stück also mit der Enttäuschung des Volkes über die gescheiterte Revolution beginnen und führt die restaurierte zyklische Systematik der Erbmonarchie als problematisch ein:

DUCHESNE – angeerbten Machtvollkommenheit Schranken. – Schranken! Schran-ken! – Wenn sie sich nur vor dem Worte hüteten: Ludwig der Sechzehnte stand vor den *Schranken*, die ihm das Volk setzte und zerschmetterte daran mit allen seinen Höflingen zu blutigem Schaum! [...] Ist das Volk denn gar nichts? Ist es das Erbteil einiger Familien? (II, 334)

Symbolisch für ihren veralteten Politikstil und ihr rückwärtsgewandtes Denken steht z.b. der Kleidungsstil des Königs, den der Schneidermeister kommentiert: „Da kommt der König! Und welchen Rock trägt er! De anno 1790 [...]." (II, 376) In dieser Aussage steckt schon eine Vorausdeutung auf die Zukunft der Bourbonen, denn 1790 war die Französische Revolution bereits in vollem Gange und die Bourbonen quasi macht- und bedeutungslos. Das Urteil des Schneidermeisters über die Kleidung ist analog zur Beschreibung der gleichen Handlungsunfähigkeit des Königs in der fiktiven Gegenwart zu verstehen. Es wird vorgeführt, dass sich die Vergangenheit zu wiederholen scheint.

Allerdings steht überraschenderweise auch Napoleon, der am Anfang des Stückes sowohl Vergangenheit – „Du warst mehr als die Welt." – wie auch die Zukunft des französischen Volkes ist – „Werde wieder ein großer." (II, 349) –, für eine politische Zyklik. Von einem eschatologischen Glauben an eine göttlich vorherbestimmte Zukunft wird Napoleon zunächst klar abgegrenzt. Beim Wiedereinzug in die Tuilerien befiehlt er, die religiösen Bücher zu beseitigen und im Sinne einer rationalistischen Politik Landkarten zu beschaffen: „Mit Gebeten und Jesuiten zwingt man nicht mehr die Welt -". (II, 387) Die Religion wird so aus dem politischen Geschäft verbannt. Ihr wird die Idee einer offenen Zukunft entgegengesetzt, die eine Gestaltung durch den Menschen erlaubt. Napoleons Herrschaft beruht dementsprechend auf einer Selbsterschaffungsidee, die im klaren Gegensatz zur gottgegebenen Krone der Monarchie steht:

> Künftig läßt du in jedem offiziellen Schreiben, das ‚Wir' und das ‚von Gottes Gnaden' aus. Ich bin Ich, das heißt Napoleon Bonaparte, der sich in zwei Jahren Selbst schuf, während jahrtausendlange erbrechtliche Zeugungen nicht vermochten, aus denen, die sich da scheuen, meine Briefe anzurühren, etwas Tüchtiges zu schaffen. (II, 390)

Ähnliches konstatiert ein Offizier: „Er ist groß und gütig – ist ein Gott" (II, 354), und weiter: „Sie nur können es [Frankreich] erlösen!" (II, 353) Als besonderes Symbol unterstreicht die immer wieder verwendete Sonnenmetapher die übergeordnete Macht Napoleons – „Mit mir ging die Sonne unter, die diesen Planeten im Schwung erhielt" (Ebd.) –, überblendet Bonaparte aber gleichzeitig kritisch mit dem absolutistischen Sonnenkönig Ludwig XIV.

Napoleon, der mit der Französischen Revolution, ihrem Kampf gegen die Monarchie und den feudal-absolutistischen Ständestaat der Bourbonen assoziiert wird und allgemein als Inbegriff eines neuen, linear voranschreitenden Herrschertypen verstanden wird, wird von Grabbe dann aber mit ähnlichen Zyklusmetaphern charakterisiert wie die Monarchen. Norbert Otto Eke erkennt in dieser untypischen Zuschreibung von Zyklusmetaphern einen „anti-idealistischen Traditionsbruch"[17] und Langemeyer einen „auffallende[n] Widerspruch zum zeitgenössischen Fortschrittskonzept".[18] Grabbes Napoleon beschreibt seinen Hang zur monarchischen Zyklik, die er spätestens mit der Heirat der Adligen Marie-Luise von Österreich in seinen Lebenslauf aufgenommen hat, selbst als Problem: „Jetzt durchzuckt es mich wie ein Blitz, und ich sehe klar in die tiefsten Gefilde der Zukunft: es wäre klüger von mir gewesen, hätt ich die Österreicherin nicht zur Frau genommen, sondern, wie ich konnte, zur Mätresse. Sind einmal alle Vorurteile der alten Zeit ungewälzt [...]." (II, 390)[19] Napoleon verkörpert somit neben linearen Zügen ein Handlungsmuster, das Langemeyer als „Modell der Wiederholung"[20] beschreibt. Während die zyklische Herrschaft der Monarchen insbesondere durch das Volk kritisch kommentiert wird, inszeniert Grabbe das Wiederholungsmodell Napoleons schon allein durch die Auswahl des historischen Zeitabschnitts der hundert Tage als Kreislauf. Napoleon kehrt als Person selbst wieder und nicht nur als Vertreter eines Herrschergeschlechts. Er kehrt mit dem Anspruch nach Frankreich zurück, ein zweites Mal Kaiser zu sein und ein zweites Mal die Vorherrschaft in Europa zu erkämpfen. Napoleon wird als Figur gezeichnet, die die Geschichte exakt wiederholen möchte, und setzt sich damit von dem erbmonarchischen Narrativ einer Übertragung der ewigen, göttlichen Krone an einen irdischen Erben und Thronfolger ab. Seine Entwicklung im Stück beschreibt schließlich einen perfekten Wiederholungszirkel: Er vertreibt die Bourbonen und verliert nach anfänglichem Erfolg abermals die Schlacht gegen die Koalitionäre. Gespräche im Laufe der Schlacht dokumentieren diese Wiederholungsstruktur: „Den Kaiser werf ich weg von mir – ich bin wieder der General von Lodi [...]." (II, 453) Hier offenbart sich die Vielfältigkeit der Wiederholungsmöglichkeiten, denn Napoleon kann auf verschiedene Rollen wie Kaiser, General und Oberbefehlshaber zurückgreifen.

Immer wieder tauchen im Dramenverlauf kleinere zyklisch Motive wie das *la marmotte-Lied* auf (z.B. II, 325), die das Problem politischer Zyklik aktualisieren. Der Liedtext, der auf den kreislaufartigen Wechsel der Jahreszeiten rekurriert, wird im Zusammenhang mit den gleichzeitig ablaufenden politischen Gesprächen über den Wechsel von Herrschern und Verfassungen assoziiert.[21] Der Savoyardenknabe, so Langemeyer, „spiegelt die Einsicht, daß sich die Geschichte wie die Natur zyklisch wiederholt."[22] Mit dem *Ça ira*-Lied flicht Grabbe ein weiteres, durch den musikalischen Charakter vom Gesprächstext der Figuren abgehobenes Element der Wiederholung ein. Dieses klar auf den fortschrittlichen Kampf gegen den Adel gerichtete Revolutionslied kehrt im Stück immer wieder, wird als motivierendes Erinnerungsmoment an die Erfolge der Revolution aufgegriffen und erhält somit entgegen seiner inhaltlichen, fortschrittlich-animierenden Bedeutung im zeitlichen Gefüge des Stückes eine zyklische Funktion (z.B. II, 355, 379). *Ça ira* ist somit plötzlich nicht mehr ein in die Zukunft gerichtetes *Wir werden es schaffen*, sondern erstarrt in der ewigen Wiederholung zum Stillstand und verliert so seine kämpferische Bedeutung. Seine vollständige Sinnentleerung erfährt das Revolutionslied in der Umdeutung des Textes durch die Nichte des Gärtners in ein unpolitisches Naturlied, denn – so interpretiert die Nichte – *Ça ira* bedeute für sie nichts anderes als: „bald gehts los, und die Blumen brechen aus." (II, 355) *Ça ira* wird trotz des vorwärtsorientierten Inhalts zum zyklischen Moment des Stückes. Im Motiv des Liedes zeigt sich also der gleiche Widerstreit zweier Zeitregime wie in der Napoleon-Figur, denn auch diese wird – wie gezeigt werden konnte – einerseits durch ein Fortschrittsnarrativ beherrscht und gleichwohl immer wieder mit Zyklusmetaphern unterlegt. Zwei konkurrierende Zeitregime bestimmen die Figurenanlage.

Abgesehen von der zirkulären Wiederkehr der Lieder wird im Stück auch immer wieder auf eine Art politisches Kreislaufmodell rekurriert, das an den klassisch-griechischen *Kreislauf der Verfassungen* erinnert. Vitry formuliert schon am Anfang allgemein: „Das Neue ist heutzutag was Altes." (II, 358) Die Nichte des Gärtners verbindet dieses absurde, scheinbar willkürliche Wechselspiel der Herrschaftssysteme mit der inneren Logik der Natur, die ein permanentes Entstehen und Vergehen beinhaltet:

> DIE NICHTE Vor einem Jahre mußt ich das erste Kapitel des kaiserlichen Katechismus auswendig lernen, und Napoleon anbeten [...]
> DER GÄRTNER Vor einem Jahre, Kind! – Jetzt schreiben wir 1815.
> DIE NICHTE So – 1814 und 1815, das ist der Unterschied, – Es geht wohl mit den Herrschern, wie mit den Blumen, – jedes Jahr neue. (II, 356)

In gleicher Manier erkennt Jouve die Unbeständigkeit der Verfassungen: „Was haben wir nicht alles beschworen und gebrochen, die erste, die zweite, die dritte Konstitution, die Satzungen Napoleons, die Charte der Bourbons –". (II, 399) Er äußert sein zunächst scheinbar optimistisches, sich dann aber als ewige Wiederkehr des Gleichen entpuppendes Kreislaufdenken gegenüber der Dame: „Auf das Ende Madame, folgt stets wieder ein Anfang. *Er horcht auf* Ah, er liest – Wahrhaftig, wie ich vermutete, der alte Brei in neuen Schüsseln". (II, 398) Gérald Schneilin schließt daraus, „daß es den heroischen Gestalten nicht gelingt, den leeren Kreislauf der Geschichte, die Naturgesetze oder das Komödientreiben der Welt trotz äußerster Willensanspannung zu durchbrechen."[23] Letztlich wird Napoleon, der offenkundig an der Vergangenheit orientiert handelt, eindeutig als politisches Auslaufmodell gekennzeichnet, und somit wird letztlich auch die Rückwendung in die Vergangenheit als unzeitgemäßes Handlungsprinzip bewertet. Langemeyer stellt insbesondere die „naturale Metaphorik" im Drama als „Indiz für Napoleons Scheitern"[24] heraus. Ganz entsprechend Kosellecks Annahme, dass ‚Erfahrungsraum' und ‚Erwartungshorizont' seit der Französischen Revolution auseinanderklafften und die Zukunft nicht mehr einfach aus Erfahrungen herleitbar sei, scheitert Napoleon an dieser Vergangenheitsorientierung.

Auffällig ist schließlich, dass insbesondere den Preußen, den triumphierenden Antagonisten Napoleons, nie Kreislauf- oder Naturmetaphern zugeordnet werden. Als dem gesamten Drama übergeordnetes Prinzip kann das Zirkuläre also nicht gewertet werden, und so bildet das offene Ende nach dem Sieg über Napoleon den Moment der endgültigen Öffnung des Stückes in eine unbestimmte Zukunft. Blücher beschwört in seinem Schlussmonolog nicht die Vergangenheit, sondern spricht über eine offene Zukunft, die den Preußen Glück oder Pech bringen könnte. Er motiviert sein Heer, diese Zukunft in Angriff zu nehmen, linear „vorwärts" zu schreiten und nicht zurückzublicken: „Wird die Zukunft eurer würdig – Heil dann! – Wird sie es nicht, dann tröstet euch damit, daß eure Aufopferung eine bessere verdiente. [...] Vorwärts, Preußen!" (II, 459) Es sind also schließlich die Preußen, die das vergangenheitsorientierte Zeitmodell aufbrechen und in der letzten Szene symbolisch in die Zukunft schreiten. Grabbe konfrontiere, so Langemeyer, mit zyklischen und linearen Elementen „in Napoleon und den Franzosen einerseits, Blücher und den Preußen andererseits zwei verschiedene Modelle historischer Zeit".[25]

V. Fazit

Die Temporalstrukturen des Politischen in *Napoleon oder die hundert Tage* lassen sich pointiert folgendermaßen beschreiben: Indem Grabbe den Bourbonen eine Zeitlichkeit des politischen Stillstands zuordnet, verdammt er sie zum Scheitern. Ohne schnelle politische Reaktion auf den Gegner erscheint ein politisches Überleben in unruhigen Zeiten nicht denkbar. Napoleon, als Inbegriff der Beschleunigung, hat durch diesen Geschwindigkeitsvorteil bei seinem Putsch leichtes Spiel. Seine Schnelligkeit bedeutet das vorläufige Ende der Bourbonenherrschaft. Napoleon beschleunigt die Handlung so maßgeblich, dass das Gefühl eines linearen Voranschreitens zunächst dominiert. Grabbe charakterisiert Napoleon als Veränderer, als fortschrittlich-schnellen Macher der Geschichte, der Abwechslung und Aufregung in die französische und europäische Politik bringt und seine Gegner auf Trab hält. Gleichzeitig ist auch er, genau wie die alten Monarchen, in der Vergangenheit verhaftet. Daran scheitert der grundsätzlich so progressiv angelegte Protagonist schließlich. Seine ständigen Rückwendungen assoziieren die Gefahr, dass auch sein Politikstil rückständig-absolutistisch bleibt. Sein egozentristisches Auftreten unterstützt die Erinnerung an seine absolutistische Herrschaft in der Folge der Französischen

Revolution und mutet dementsprechend veraltet und rückwärtsgewandt an. Auch Napoleon scheint sich also eines alten ‚Erfahrungsraums‘ zu bedienen, um die Aufgaben der Zukunft zu meistern. Die zyklischen Elemente in seiner Handlungslogik widersprechen seinem maßlos fortschrittlichen Machbarkeitsdenken. Napoleons Hybris erscheint im Stück als Inbegriff für die megalomane Vorstellung einer menschengemachten Schöpfung. Diese Vorstellung steht im krassen Gegensatz zur zyklischen Zeitlichkeit der Figur, die um sich selbst und ihre Geschichte kreist. Aus den Zeitregimen, denen Napoleon unterworfen ist, erwächst das Paradox der einerseits dynamisch-hoffnungsträchtigen Darstellung Bonapartes und seines zwangsläufigen Scheiterns durch zyklische Rückwendungen andererseits.

Die zeitliche Gesamtanlage des Stückes offenbart auf fatalistische Weise eine Wiederholungsstruktur der Geschichte, die am Ende des Stückes jedoch durchbrochen wird. Das Handeln der Preußen, die allerdings nur in knapp einem Drittel des Stückes überhaupt in Aktion treten, kann als eine Art Zukunftssystem interpretiert werden. Sie sind diejenigen, die auf geordnete und kooperativ organisierte Art und Weise in die offene Zukunft schreiten. Unabhängig vom realen Verlauf der Geschichte spricht Grabbe den Preußen in seinem Stück die Gestaltung der Zukunft zu. Das zukunftsorientierte Ende, das er mit Blüchers Worten schließen lässt, die seinen optimistischen und zupackenden Blick in die ungewisse Zukunft verdeutlichen, beendet das Drama im Sinne einer linearen – den Preußen entsprechenden – Idee von Zeit. Grabbe, so könnte man daraus lesen, setzt in Form der offenen Zukunft aber gleichzeitig ein Fragezeichen ans Ende seines Stückes und reflektiert auf diese Art die Tatsache, dass in den deutschen Staaten permanente Unruhe herrscht, klare politische Umbrüche wie im französischen System aber bis dahin ausgeblieben sind. Wenn man mit Grabbe den leeren Kreislauf der französischen Geschichte erkennt, dann stellt sich die Frage, welche Perspektive der Unmut und Protest in den deutschen Staaten haben könnte? Grabbe antwortet darauf nur insoweit, dass er die Preußen mit anderen temporalen Attributen ausstattet als die Franzosen. Als Vertreter von gesetzmäßiger Ordnung und hierarchischer Homogenität siegen sie letztlich über das gescheiterte Auslauf- und somit auch Übergangsmodell *Napoleon*, bleiben aber bis zum Ende hin blass und ihrer Ordnung wegen steif. Die Dynamik Napoleons schreibt Grabbe ihnen explizit nicht zu, sondern zeichnet mit ihnen einen neuen, zukunftsträchtigen, aber unspektakulären Politikstil, der mit seinen Grundsätzen der Gleichheit und Gesetzmäßigkeit auf Kants Definitivartikel zur republikanischen Verfassung in *Zum ewigen Frieden* zu verweisen scheint.[26] Republikanisches Gleichmaß und die aufklärerische Orientierung am Gesetz dienen somit als neue Paradigmen der zeitlichen Performanz progressivgesetzmäßiger Herrschaftssysteme.

Anmerkungen

1 Peter Langemeyer: Geschichte als Natur. Die Mythisierung historischer Zeit und ihre Relativierung in Grabbes Drama „Napoleon oder die hundert Tage“. In: Aspekte des politischen Theaters von Calderón bis Georg Seidel. Deutsch-französische Perspektiven. Hrsg. von Horst Turk und Jean-Marie Valentin in Verbindung mit Peter Langemeyer. Bern u.a. 1996, S. 181-200, hier S. 191.

2 Reinhardt Koselleck: ‚Erfahrungsraum‘ und ‚Erwartungshorizont‘ – zwei historische Kategorien. In: Ders.: Vergangene Zukunft. Frankfurt a. M. 1979, S. 349-375, hier S. 373.

3 Hartmut Rosa: Beschleunigung. Die Veränderung der Zeitstrukturen in der Moderne. Frankfurt a. M. 2006.

4 Langemeyer: Geschichte als Natur (Anm. 1), S. 182.

5 Vgl. außerdem Peter-André Alt: Augenblick und Entscheidung. Funktionen der Zeit im historischen Drama. In: Ders.: Klassische Endspiele. Das Theater Goethes und Schillers. München 2008, S. 156-181; Juliane Vogel: Die Furie und das Gesetz. Zur Dramaturgie der „großen Szene“ in der Tragödie des 19. Jahrhunderts. Freiburg 2002.

6 Vgl. Franz H. Link: Dramaturgie der Zeit. Freiburg 1977, S. 180f.

7 Vgl. Gunnar Folke Schuppert: Wege in die moderne Welt. Globalisierung von Staatlichkeit als Kommunikationsgeschichte. Frankfurt a. M. 2015, S. 60.

8 Carl Wiemer: Palimpsest der Posthistorie. Grabbes Seismographie der neuen Medien in „Napoleon oder die hundert Tage“ und „Scherz, Satire, Ironie und tiefere Bedeutung“. In: Christian Dietrich Grabbe – Ein Dramatiker der Moderne. Hrsg. von Detlev Kopp. Bielefeld 1996, S. 21-46, hier S. 28.

9 Link: Dramaturgie der Zeit (Anm. 6), S. 178.

10 Vgl. Peter Pütz: Die Zeit im Drama. Zur Technik dramatischer Spannung. Göttingen 1977, S. 54.

11 Vgl. Link: Dramaturgie der Zeit (Anm. 6), S. 190-194.

12 Vogel: Die Furie und das Gesetz (Anm. 5), S. 57.

13 Ebd., S. 58.

14 Ebd., S. 57.

15 Vgl. ebd., S. 146f.

16 Vgl. Andreas Fahrmeir: Europa zwischen Restauration, Revolution und Reform 1815-1850. München 2012, S. 37.

17 Norbert Otto Eke: Signaturen der Revolution. Frankreich – Deutschland: deutsche Zeitgenossenschaft und deutsches Drama zur Französischen Revolution um 1800. München 1997, S. 282.

18 Ebd.

19 Grabbe strich diese Textstelle später teilweise, vgl. „Ja von der österr. Maitressenphrase so viel stehen gelassen, daß man sie ahnt.“ Grabbe an Georg Ferdinand Kettembeil, 12. Januar 1831 (V, 316).

20 Langemeyer: Geschichte als Natur (Anm. 1), S. 182.

21 Vgl. ebd.

22 Ebd., S. 183.

23 Gérard Schneilin: Grabbes drei letzte Stücke. Napoleon oder die hundert Tage, Hannibal und Die Hermannsschlacht als Modelle zur Umformung des politischen Theaters im 19. Jahrhundert. In: Aspekte des politischen Theaters (Anm. 1), S. 159-179, hier S. 172.

24 Langemeyer: Geschichte als Natur (Anm. 1), S. 192.

25 Ebd., S. 190.

26 Vgl. Immanuel Kant: Zum ewigen Frieden. Ein philosophischer Entwurf. In: Werke in sechs Bänden. Hrsg. von Wilhelm Weischedel. Wiesbaden 2005, Bd. 6: Schriften zur Anthropologie, Geschichtsphilosophie, Politik und Pädagogik, S. 191-251, hier S. 204.

DIRK HAFERKAMP

Hannibal – Tragikomödie des Willens

In der folgenden Interpretation von Grabbes Drama *Hannibal* wird das Stück
auf Prozesse des Willens und der Willensverneinung untersucht. Es handelt sich
um eine gekürzte Version eines Kapitels meiner Dissertation *Das nachklassische
Drama im Lichte Schopenhauers*.[1] Dort zeigen die Interpretationen den Geist
Schopenhauers, den „Schleier des Truges"[2] zu heben, in Grabbes *Hannibal*, bei
Büchners *Dantons Tod* und Hebbels *Judith* wirksam, obwohl Schopenhauers
Philosophie im Wesentlichen erst nach 1848 ins öffentliche Bewusstsein gedrun-
gen ist. Dieser „Schleier des Truges" ist nach Schopenhauer ein Wahn, dem der
Handelnde unterliegt, eine Schimäre, vom Willen des Einzelnen erzeugt, welche
eine Realität vorgaukelt, die so nicht existiert. Erst nachdem die Tat vollzogen
ist, bemerkt der Täter seine Täuschung durch den Willen und findet Einsicht in
die eigentlichen Beweggründe des Handelns.

In Grabbes Drama *Hannibal* sind die Figuren von einem naturhaften Wollen
geprägt. Dieses naturhafte Wollen prägt die Handlungsstrukturen im gesamten
Stück. Es ist eng mit der Willensmetaphysik Schopenhauers verwandt. Für die
Interpretation werden Schopenhauers Werke *Die Welt als Wille und Vorstellung*
(1819) und *Über den Willen in der Natur* (1836) herangezogen. In seinen zentralen Werken entwickelt Schopenhauer die These, dass die Welt als sichtbare
Erscheinung nur ein Produkt der „Vorstellung" des Subjekts ist. In der vorgestell-
ten Welt wiederum wirkt der Wille als die Vorstellung bestimmendes, maßgeb-
liches Prinzip; ein im Ursprung „blinde[r] Drang, ein finsteres, dumpfes Treiben, fern von aller unmittelbaren Erkennbarkeit." (WWV I, § 27, S. 211) Der
Wille bildet sowohl das „innere Wesen der Welt" (WWV I, § 22, S. 166) wie
des „Charakters". Dieser Wille tritt über das „Handeln" (WWV I, § 23, S. 168)
in Erscheinung. Dabei ist die Welt ganz auf das Subjekt bezogen: „[D]enn [die
Welt] ist schlechthin Vorstellung, und bedarf als solche des erkennenden Subjekts, als Träger ihres Daseyns [...]." (WWV I, § 7, S. 64)

Die Interpretation versteht sich nicht als Beitrag zur Einflussforschung, will
keine positive Rezeption Schopenhauers durch die Autoren nachweisen. Vielmehr geht es darum, Analogien zwischen Drama und Philosophie aufzuzeigen,
die sich in gleichgearteten Mustern der Einbildungskraft offenbaren und damit
auf eine Gleichheit tragischen Weltverständnisses verweisen.

Da die Schopenhauersche Philosophie zentral vom Moment der Tat bestimmt
ist, sind die Strukturen des Dramas besonders geeignet, die vom Willen geprägte
Welt darzustellen. Das Drama als Gattung ist per definitionem an das Handeln

gebunden. In Schopenhauers Philosophie steht das „Leiden" (WWV I, § 27, S. 207) im Zentrum. Deshalb kann nach Schopenhauers Ansicht insbesondere das Trauerspiel die vom Willen geprägte Welt abbilden. So bezeichnet er das Trauerspiel als den „Gipfel der Dichtkunst [...]. Es ist [...] der Zweck dieser höchsten poetischen Leistung die [...] schrecklichen Seite[n] des Lebens [darzustellen]. [...] Es ist der Widerstreit des Willens mit sich selbst, welcher hier, auf der höchsten Stufe seiner Objektität, am vollständigsten entfaltet, furchtbar hervortritt." (WWV I, § 51, S. 335)

In dieser leiddeterminierten Welt führt die Dominanz des Willens in der Vorstellung und im Handeln der Person dazu, dass die Tatbedingungen für das handelnde Subjekt nicht einsehbar sind. Die Handelnden glauben, Herr ihrer Handlungen zu sein. In Wirklichkeit aber werden sie zum „blinden Agenten [ihres] Schicksals"[3], das durch ihren Willen bestimmt wird. Sie merken erst „*a posteriori*, aus der Erfahrung [...], daß [ihr] Handeln ganz nothwendig hervorgeht aus dem Zusammentreffen des Charakters mit den Motiven." (WWV I, § 55, S. 379) Das Ergebnis des Handelns stellt für die vom Willen determinierte Person stets eine einschneidende Zäsur dar. Der Handelnde steht vor dem Scherbenhaufen seines Daseins.

Gerade Hannibals Ambivalenz, sein Schwanken zwischen einem blinden Willen zur Tat und schwermütiger Gesinnung, macht Grabbes Drama zu einem wichtigen Bindeglied der untersuchten Dramenkette. Dabei werden die schwermütigen Momente, die gegen den blinden Willen stehen, stets durch Komik gebrochen. Komik und Tragik zu einer spezifisch tragikomischen Mischung zu verbinden, macht die besondere Qualität der Grabbeschen Dramatik aus und kennzeichnet darüber hinaus den Autor selbst, der sich nicht eindeutig einer Gattung zuordnen lassen will. Auch Schopenhauer kann im Weltgeschehen nur eine „Tragikomödie" (WWV II, Kap. 28, S. 416) erblicken, sieht die Geschichte als „tragikomische Weltgeschichte". (Ebd., S. 417) Sobald resignative Ernsthaftigkeit sich im zentralen Charakter festzusetzen droht, wird dies durch Komik aufgefangen. Deshalb fällt Hannibal immer wieder in seinen blinden Handlungsursprung zurück.

Hannibals Handlungsmotivation

Hannibals Motivation für seinen Feldzug gegen Rom liegt ganz in ihm selbst. Der karthagische Feldherr hat keine äußere Legitimation für sein Handeln. Das Drama lässt keinen Zweifel daran aufkommen, dass der Untergang Karthagos die fatale Folge von Hannibals Angriffskrieg gegen Rom ist.[4] In Karthago will man diesen Krieg nicht. Das System Karthagos ist auf den Handel zentriert. Die

Gründe für Hannibals Angriffskrieg sind allein in ihm selbst zu suchen. Die „realpolitische Komponente"[5] hat ihren Ursprung in der Zentralfigur, in dem „tiefe[n] Geheimnis" (WWV I, § 24, S. 182) des „Charakters" (WWV I, § 26, S. 197), das sich auszeichnet durch das „Unergründliche (Grundlose d.i. Wille), [...] das nicht weiter Abzuleitende [...]". Dieser Wille strebt zur Tat, denn es gibt „nur ein einziges, einförmiges, durchgängiges Prinzip aller Bewegung: ihre innere Bedingung ist *Wille*, ihr äußerer Anlaß *Ursache*, welche nach Beschaffenheit des Bewegten auch in Gestalt des Reizes oder Motivs auftreten kann."[6] Hannibal hat diesen Zug zum handlungsauslösenden Motiv hin vollkommen ausgeprägt. Die Aussicht, tätig werden zu können, setzt ihn in Bewegung. Im Drama ist dieses aktionale Moment in der Figur als „Kraft" (WWV I, § 22, S. 165) umgesetzt, die sich im „Kampf" (WWV I, § 27, S. 207) zum Ausdruck bringen will. Nicht umsonst stellt die „Schlacht" (V, 133) ein wesentliches, sich durch den gesamten Text ziehendes Motiv dar. In ihr kann sich der elementare Zusammenhang der *qualitates occultae* (WWV I, § 24, S. 181) von Kraft und Kampf am reinsten entfalten.

Esse und Operari

Hannibals Handeln ist vorbestimmt. Mit Schopenhauer gesprochen bestimmt sein „Esse" sein „Operari". Dies geschieht jedoch, ohne dass Hannibal davon weiß, oder darüber zu reflektieren vermag. Sein Bewusstsein, nach Schopenhauer seine „Vorstellung", ist durch den Willen determiniert. Zwischen dem „Esse", der unbewussten Natur, und dem „Operari", dem sichtbaren Handeln, besteht eine Kreisstruktur, über die Hannibal weder kritisch reflektieren noch die er bewusst durchbrechen kann. Deshalb ist auch seine Vorstellung vorbestimmt. Denn sein Auge ist vom „Schleier der Maja" verhangen. Die Abhängigkeit des Handelnden von seinem Willen und die Beziehung zum Auge und damit zur „Anschauung des Anschauenden" (WWV I, § 1, S. 31) wird bei Hannibal sehr deutlich. Sie kommt motivisch durch seine Einäugigkeit zum Ausdruck: „Kerl tritt nicht links hin, hieher, vor mein rechtes Auge – Thrasymene (ganz Karthago muss es wissen) schlug das andere mit Blindheit." (III, 100f.) Dieses körperliche Defizit ist symbolisch zu verstehen. Nicht allein Thrasymene hat Hannibal mit Blindheit geschlagen. (III, 101) Neben der körperlichen Einschränkung mangelt es auch seiner Vorstellung am klaren Blick, da sein Wille Hannibal von innen heraus blind macht. So sehr Hannibal das Äußere auch fixieren mag: dieses Äußere formt sich in seinem Erscheinungsbild stets auf die innere Wahrheit seines für ihn selbst wie für andere letztlich unergründlichen Willens hin, der in seinem Ursprung „ewig ein Geheimniß [bleibt], ein ganz Fremdes und Unbekanntes,

sowohl bei der einfachsten, wie bei der komplicirtesten Erscheinung." (WWV
I, § 17, S. 148)

    Dieser Wille bildet, mit Schopenhauer gesprochen, Hannibals „Esse", in dem
Hannibals Freiheit liegt, nicht etwa im „Operari", dem Handeln: „[D]ie ganze
NOTHWENDIGKEIT [liegt im] WIRKEN UND THUN (*Operari*), die ganze
FREIHEIT hingegen [im] SEYN UND WESEN (*Esse*) [...]". (WWV II, Kap.
25, S. 375) Dem Esse kommt „Aseität" zu. Dies bedeutet, dass Hannibals Taten
unfrei sind, weil sie stets seiner grundsätzlichen „BEJAHUNG DES WILLENS"
(WWV I, § 60, S. 425) unterliegen. Bewusst kann er diesem Verhältnis nicht
entrinnen. Er will also, ohne zu wissen, warum er will. Ein direktes Ziel hat dieses Wollen nicht. Es will um des Wollens wegen. Hierin gleicht Hannibal dem
Grabbeschen Napoleon. Auch dieser „will, was er will, aber er weiß nicht, was
er tut – er hat keine Erkenntnis von seinem Handeln."[7] Aus diesem Grund kann
Hannibal den Kreislauf von Willensdetermination und Handlungsnotwendig-
keit nicht durchbrechen: „In Folge [des Determinismus] aber wird die Welt zu
einem Spiel mit Puppen, an Drähten (Motiven) gezogen; ohne daß auch nur
abzusehen wäre, zu wessen Belustigung: hat das Stück einen Plan, so ist es ein
FATUM, hat es keinen, so ist die blinde Nothwendigkeit der Direktor." (WIN,
S. 376f.)

Der fechtende Satan

Am berühmten Bild des „fechtenden Satan" lässt sich das näher erläutern. Diese
Metapher weist direkt in den extremen Bildbereich, dessen Hannibal sich sehr
oft bedient und den Klotz als das „Plus Ultra"[8] Hannibals beschreibt. Dieses
„Plus Ultra" ist nichts anderes als die intensive Willensbejahung Hannibals.
Diese steht diametral zum rational-ökonomischen Denken des Marktes in
Karthago, welches durch die kosmische Metapher des Scheichs ins Unendliche
erhöht wird: „Die Sterne seien um Euch und die Bewohner dieser Stadt, wie sie
um uns auf nächtiger Wanderung durch die Wüste waren: leitende Gottheiten,
in funkelnden Gewändern!" (III, 94) Quer zu diesem Nützlichkeitsdenken steht
das naturhafte Bild des fechtenden Satans: „Billiger! Fechte der Satan, wo Kaufleute rechnen!" (III, 101) Im reduzierten Preisgefüge, das diametral zum unge-
bändigt Heroischen steht, liegt ein Anstoß, der Hannibals ungebremsten Zorn
erregt. Nirgends sonst findet dieser Zorn als Abbild des Willens sein kongeniales
Analogon eher als im Bild des fechtenden Satans, welches durch die Regel- und
Haltlosigkeit direkt auf den Naturursprung dieser Imagination verweist. Der
fechtende Satan stellt die äußerste Entfesselung von Willensenergie dar, die in
Kraft und Kampf ihren Inhalt und Vollzug hat und darin keine Grenzen kennt.

Schopenhauer malt im *bellum omnium contra omnes* die schrecklichen Seiten eines derart haltlosen Zustandes aus. (WWV I, § 61, S. 432)

Die heroische Gruppe

Kraft und Kampf sind wesentliche Grundlagen der heroischen Gruppe um Hannibal, insbesondere der Familie der Barkiden. Das Heroische zeigt sich so als Ausdruck eines Naturwollens, das die gesamte Barkas-Familie untereinander verkettet. Zu dieser mythisch-heroischen Aufladung findet sich eine Entsprechung im Denken Schopenhauers, der den „inneren Widerstreit des Willens mit sich selbst" (WWV I, § 61, S. 432) am eindringlichsten in einem mythologischen Bild ausgedrückt findet:

> Eine Hauptgestalt des Leidens, welches wir oben als allem Leben wesentlich und unvermeidlich gefunden haben, ist, sobald es wirklich und in bestimmter Gestalt eintritt, jene ERIS, der Kampf aller Individuen, der Ausdruck des Widerspruchs, mit welchem der Wille zum Leben im Innern behaftet ist, und der durch das principium individuationis zur Sichtbarkeit gelangt: ihn unmittelbar grell zu veranschaulichen sind Thierkämpfe das grausame Mittel." (WWV I, § 61, S. 433)

Im griechischen Mythos gibt „Eris", die Göttin des Streits, durch ihren Zorn „indirekt den Anlass zur Entstehung des Trojanischen Krieges."[9] Das mythisch-heroische Denken ist tief in der Barkas-Familie verwurzelt. Es ist mit dem Blut der Barkiden verbunden. Bei Schopenhauer findet sich eine biologische Sicht auf das Heldische, in seinem Kapitel „Erblichkeit der Eigenschaften": „Hingegen war KIMON der Sohn des MILTIADES, und HANNIBAL des HAMILKARS, und die Scipionen bilden eine ganze Familie von Helden und edlen Vertheidigern des Vaterlandes." (WWV II, Kap. 43, S. 603) Diese Genealogie „hingebende[r] Vaterlandsliebe und Tapferkeit (Ebd.) ist auch in Grabbes Drama ein wichtiges Motiv und kommt im willensbestimmten Ursprung des Handelns zum Tragen. *Hannibal* macht eine direkte Vater-Sohn-Linie in der Willensabfolge ersichtlich. Schopenhauer sagt zu einem derartigen Phänomen: „Dies beruht darauf, daß zwischen Vater und Sohn wirkliche Identität des Wesens, welches der Wille ist, besteht, zwischen Mutter und Sohn aber bloße Identität des Intellekts, und selbst diese noch bedingter Weise. Zwischen Mutter und Sohn kann der größte moralische Gegensatz bestehen, zwischen Vater und Sohn nur ein intellektueller." (Ebd., S. 608)

Auge und Schmerz

Diese direkte Willensverbindung von Vater und Sohn ist im Drama zwischen Großvater Barkas und Enkel Hannibal verwirklicht. Der Wille wird durch Vererbung zum „Charakter" (WWV II, Kap. 44, S. 624) des neuen Individuums. Der Wille bestimmt die Vorstellung der heroischen Personen. Gleich zu Beginn des Dramas ist dies an der Abschiedsszene von Alitta und Brasidas zu erkennen. Hier wird das wichtige Leitmotiv des Auges bedeutsam. Alitta wird als Waise wie die Hebbelsche Judith vom Bereich der Tat und damit von einem genuin männlichen Bereich angezogen. Für beide Frauen bedeutet das Tatwollen eine Möglichkeit, sich sinnhaft in die Gesellschaft, für die sie nur Außenseiter sind, zu integrieren. Von daher konzentriert sich alles in Alittas Vorstellung auf die Tat. Sie ermahnt Brasidas, Hannibal zu helfen: „Du *sprichst* von dem Schwarzgelben vor Rom? Was aber *tust* Du?" (III, 89)[10] Nur das Handeln als Zeichen des Wollens interessiert Alitta. Sprechen ist dem Handeln untergeordnet. Diese Einstellung beeinflusst ihr Auge. Sie sieht nur Dinge, die sie sehen will. Deshalb entspricht nur der heroische Kampf Hannibals Alittas Vorstellung. Hannibal ist ein „Schützer, Sieger" (III, 90), Personifikation von Tatentschlossenheit und Kampfeskraft. Sie projiziert das Ziel ihres Wollens in Brasidas. Erst wenn sich in ihm vollzieht, was ihr Auge sehen will, ist ihr Tatwollen befriedigt: „Sei besser, gib ein Beispiel, freiwillig zu ihm, und kämpf ihm zur Seite!" (Ebd.) Diese äußerste Konsequenz des willensbestimmten Denkens aber ändert die Verhältnisse schlagartig.

„Heilige Astaroth, was hab' ich gesagt!" (Ebd.) Die subjektiven Bilder des Willens werden zurückgedrängt. Das Auge kann wieder klar sehen. Der Wille sucht in der Vorstellung und im Handeln immer das Extrem, das „Plus Ultra". Erst wenn dieses erreicht ist, setzt eine Erkenntnis über das Geschehene ein. Der Einbruch des Realen („Du, durchbohrt von den römischen Speeren – –" [Ebd.]) macht das Irrationale des Willens offensichtlich. Der Gedanke, Brasidas im Krieg vielleicht verlieren zu können, erschreckt Alitta und drängt ihr Wollen zurück. Die Erkenntnis über die Täuschung des Willens wird von diesem selbst ausgelöst. Er sucht den Schmerz des Erkennens. Als fände er einen besonderen Gefallen daran, dass sein zerstörerisches Werk auch in die Vorstellung gerate, die „seine Objektität, seine Offenbarung, sein Spiegel" (WWV I, § 29, S. 230) ist. Alittas „Abschiedsschmerz" (III, 91) drängt das Wollen zurück. Der Schmerz wird zum körperlichen Ausdruck der Liebe: „Armes Ding, beim Scheiden erst merkst du, was du besaßest!" (Ebd.) Die Figur durchbricht auf diese Weise den „Schleier der Maja", den der blinde Wille über ihr Auge gelegt hat. Deshalb „*verdeckt* [sie] *ihre Augen mit der Hand*." (Ebd.), um das Schmerzhafte nicht länger anschauen zu müssen.

Die Bedeutsamkeit der Vorstellung wird durch die Motive von Teichoskopie und prophetischem Traum weiter verdichtet. Die Bilder in Alittas Traum sind

Ausdruck ihres ahnungsvollen Wesens. Rom wird zur „rote[n] Sonne, alles verschwemmend!" (III, 90) Im Traum ist das Auge zentrales Moment: „Dann wieder wars ne Wölfin, mit Augen, groß, weit, wie das Meer, wenn es sich mit seinen stillen Tiefen nach dem Sturm hinsehnt, und in den Augen lagen versunkene Städte!" (Ebd.) Der Untergang Karthagos metaphorisiert sich ins Bild der Wölfin, in deren Augen sich die Zerstörung spiegelt. Alittas Augen blicken in die Wolfsaugen und werden so eins mit dem Schrecken, der sich im Tier figuriert.

Das korreliert mit der Spiegelmetapher in Turnus Bericht in V, 4. Hier wie dort verdichtet die Spiegelung des Bildes dessen Bedeutung unmittelbar, indem es den darin geborgenen Schrecken erneut in die Vorstellung beruft. Durch die Signifikanz von Sehen und Vorstellung für den ersten Akt wird eine Klammer aufgemacht, die sich im fünften Akt durch Hannibal selbst schließt. Denn das Wollen Hannibals kann dort nicht mehr durch ein unmittelbares Schlacthandeln konkret werden, sondern muss sich auf die Vorstellung beschränken.

Die Teichoskopie rafft Raum und Zeit. Sie bringt schwer darstellbare Vorgänge im Zuschauer zu innerer Anschauung und Wirkung. Dies macht deutlich, wie wichtig die Rezeptionsleistung des Zuschauers für das Drama ist. Grabbe setzt die Teichoskopie im Drama mehrfach als konzentrierten Blick auf das Geschehen ein. Am „Fenster" (III, 91) stehend, dem geöffneten Auge des Dramas selbst, muss Alitta erst die Irritation überwinden, ob sie nun „[t]räum[t]" (Ebd.) oder ob es sich um ein reales Geschehen handelt, dem sie beiwohnt. Sie projiziert die eigenen Gefühle und Wünsche in Brasidas hinein: „Sieht er nach meinem Fenster um? Nein, er wagts nicht, sein Herz würde zu schwer." (Ebd.) Instinktiv erahnt sie den direkten Zusammenhang zwischen Sehen und Herz, zwischen Auge und Zentrum menschlicher Emotion: „Atem der Liebe umweh ihn!" (Ebd.) Nun ist sie ganz empfindende Frau: „[V]on Sekunde zu Sekunde entfernt sich der Einzige, den ich liebe, auf dem Meer!" (Ebd.) Weil sie in ihrem innersten Kern getroffen ist, „greift [sie] ans Herz". (Ebd.) Ihre „Tränen" (Ebd.) werden zum sichtbaren Zeichen dafür, dass das Wollen nun zugunsten der Vorstellung und der Liebe zurückgetreten ist: „Das WEINEN ist demnach MITLEID MIT SICH SELBST, oder das auf seinen Ausgangspunkt zurückgeworfene Mitleid. Es ist daher durch Fähigkeit zur Liebe und zum Mitleid und durch Phantasie bedingt [...]." (WWV I, § 67, S. 486)

Wille und Herz

Das Auge kann sowohl anregend auf den Willen als auch verneinend wirken. Diese Zweiseitigkeit gilt auch für ein weiteres zentrales Motiv des Dramas, welches den Text durchzieht: das Herz. Als Hannibal das intrigante Geschehen in

Karthago deutet, verwendet er das Motiv des Herzens an dieser Stelle für eine im letzten Grund nicht aufschlüsselbare Natureinheit: „Die Sinnlosen! Roms furchtbare Nähe zu vergessen um die goldblinkenden Fernen im West – das Herz wegen des Rocks!" (III, 100) Im Herzen bündelt sich der zur Tat drängende Wille, der durch das Auge in die Vorstellung blickt. Auge und Herz sind unmittelbar miteinander verbunden. Wie Hannibal im Bereich des Herzens empfindet, so sieht er auch durch sein Auge in die Welt.

Aus der Sicht Schopenhauers hat das Herz mehrere Bedeutungen, die sich auf die Willensproblematik beziehen. Zum einen – so auch hier in der von Hannibal verwendeten Fügung – ist es mit dem blinden Naturwollen verbunden als organischer Ausdruck des Willens: „Der WILLE hingegen, als das Ding an sich, ist nie träge, absolut unermüdlich, seine Thätigkeit ist seine Essenz, er hört nie auf zu wollen [...]. Seine Unermüdlichkeit theilt er, auf die Dauer des Lebens, dem HERZEN mit, diesem *primum mobile* des Organismus, welches deshalb sein Symbol und Synonym geworden ist." (WWV II, Kap. 19, S. 248) Zum anderen aber ist das Herz auch Sitz moralischen Empfindens: „Denn die Güte des Herzens ist eine transscendente Eigenschaft, gehört einer über dieses Leben hinausreichenden Ordnung der Dinge an und ist mit jeder andern Vollkommenheit inkommensurabel." (Ebd., S. 270) All dies bestätige uns, „daß der Sinn und Zweck des Lebens kein intellektueller, sondern ein moralischer ist." (Ebd., S. 272)

Daran lässt sich erkennen, dass Schopenhauer in Bezug auf das Herz sowohl eine organische, als auch eine symbolische Seite veranschlagt. Dies steht metaphorisch gesehen genau im Einklang mit seiner Lehre: Das naturhafte Wollen muss sich aus sich heraus selbst beschränken. Es ist Aufgabe des Geistes, sich über das Diktat der Natur zu erheben. Von daher wird es begreiflich, wenn Schopenhauer das Herz als Sitz moralischen Empfindens bestimmt, also als geistige, im engeren Sinn dann noch eigentlich weibliche Komponente, die das willensbestimmte Dasein transzendieren kann.

Nichtheroische Strukturen

Gegen die von irrationalem Heroismus geprägte Gruppe sind im Drama nichtheroische Strukturen gerichtet, die jedoch auch vom Willen determiniert sind. Hier aber manifestiert sich der Wille nicht als irrationale Dimension, sondern zeigt sich im Gegenteil als sehr rationaler Wille, der sich der Vernunft zum Erreichen seiner Zwecke bedient. In Rom werden alle Entscheidungen im Rahmen eines geordneten Prozesses vom Senat abgesegnet, so dass der handelnde Feldherr die Legitimation der staatlichen Gewalt besitzt. Während Hannibal glaubt, für Karthago zu kämpfen, in Wirklichkeit aber allein für seinen Willen in den Kampf zieht, erhalten die Scipionen für ihr Tun eine offizielle Legitimation: „Kato Zensor *erhebt die Hand* K a r t h a g o   s o l l   z u   G r u n d e   g e h e n!/ Alle   W i e d e r   Z e n s o r!" (III, 98), anders als Hannibal, der auf eigene Faust agiert.

Anders als in Rom sind die Entscheidungen des karthagischen Synedrions und der Dreimänner, welche gemeinsam die politische Entscheidungskaste Karthagos darstellen, nicht einsehbar. Insbesondere die Dreimänner agieren in der Heimlichkeit des Kabinetts. Von hier aus entwerfen sie ihre intriganten Operationen. Sowohl in Rom als auch in Karthago sind Willensstrukturen manifest. Sie sind nicht so offensichtlich zu erkennen wie im naturhaften, ganz auf das Handeln ausgerichteten Wollen Hannibals. Sie camouflieren sich stärker, sind aber nicht minder präsent. Der Wille nimmt nur eine andere Rolle ein, bleibt aber auch in erhöhter Raffinesse oder verstärkter Rationalität präsent: So stellt sich der rationale Wille im römischen Senat dar als ein „unter der Leitung der Vernunft sich äußernde[r] Wille [,...] welcher [...] nur die deutlichste Erscheinung des Willens ist." (WWV I, § 22, S. 165)

Damit ist die natürliche Bewegung des Willens gekennzeichnet. Der Wille kennt „Bejahung" und „Verneinung" ebenso wie er ein blindes und von Vernunft durchdrungenes Handeln kennt, denn die „Welt als Wille" (WWV I, § 71, S. 527) reicht „vom erkenntnißlosen Drange dunkler Naturkräfte bis zum bewußtvollsten Handeln des Menschen [...]." (Ebd.) Von den Spannungen, die aus den entgegengesetzten Strukturen entstehen, wird die natürliche Bewegung des Dramas erzeugt.

Die politische Situation in Karthago ist nicht so transparent wie in Rom. I, 3 zeigt die konspirative Abgeschlossenheit eines „Kabinett[s]" (III, 94): *Brennende Kerzen auf einem kleinen runden Tische, um welchen Hanno, Melkir und Gisgon sitzen.*" (Ebd.) Die Enge und Verborgenheit des Raumes symbolisiert die innere Einstellung der Dreimänner. Sie wollen verbergen statt zeigen. Es geht hier um das „[S]chein[en]". (Ebd.) Die Maskerade findet „heimlich hinter zehnfach verschlossenen Türen" (Ebd.) statt. Das Handeln ist rational und nichtaffektiv: „Nicht ärgerlich. Heftigkeit schadet stets. Mit Ruhe." (Ebd.) Die Physiognomie darf die Gedanken nicht zeigen: „Hanno Man sollte nicht lächeln./ Melkir Und nicht weinen. Beides verrät." (III, 95) Die Dreimänner handeln aus dem Hinterhalt durch „geheime Befehle" (Ebd.) und nicht durch „offne[n] Kampf" (Ebd.) Gisgon bezeichnet die Verhältnisse als „Spinnweb" (III, 96) und gibt damit die dunklen Verstrickungen zu erkennen. Dies wird auch im Beiseite-Sprechen der Figuren deutlich. Im Beiseite-Sprechen wird der eigentliche Charakter der Person, ihr Wille, offensichtlich. Besondere Bedeutung hat diese Technik auch in der „Judith", wo Judith und Holofernes ihr Wollen im

Beiseite-Sprechen offen zeigen, während die direkte Rede diese Empfindungen verbergen soll. Die Omnipräsenz des Willens wird auf diese Weise sehr deutlich.

Im Gegensatz zur Heimlichkeit des Kabinetts sind die Gesetze des Marktes offen zu erkennen. Dieser Unterschied wird auch an der räumlichen Symbolik ersichtlich. Während sich die Dreimänner für ihr perfides Unterfangen in abgeschlossene Räume zurückziehen, ist der Marktplatz vom freien Handel bestimmt. Die Raffinesse tritt hier offen zutage: „MARKTWEIBER Hyänen schreien nicht so vor Hunger, wie der Junge seine Ware ausschreit!" (III, 91) Die Marktweiber bemühen Tiermetaphern, um den kaufmännischen Ehrgeiz des Jungen zu charakterisieren. Auch Hannibal spricht in einer solchen Bildsprache vor Brasidas, als er sich über das Verhalten der politischen Elite in Karthago aufregt: „Katzen, die von den Buben durch die Straßen getrieben werden, Windhunde auf der Jagd springen nicht so hin und her!" (III, 108) Die Figuren berufen den animalischen Bereich in ihre Vorstellung, um einem elementaren Naturwollen Ausdruck zu geben. Der Marktjunge hat sein raffgieriges Verhalten von der Mutter. (III, 92) Dieses nichtheroische Erbe steht diametral gegen die Willensobjektivationen bei den Barkiden, deren Zusammenhalt auch entscheidend auf der Verbindung des Blutes fußt. Hannibal macht darauf aufmerksam, als er in II, 2 über Alitta spricht: „Hätte je eine einzige Ader von ihr im Synedrion geschlagen, Rom läge zerschlagen!" (III, 108f.) Nicht ohne Grund, aber für ihn selbst in seinem Wollen unbewusst, spricht Hannibal vom Schlagen des Blutes, das vom Herz angetrieben den gesamten Körper durchfließt. Dies zeigt, dass „der Wille das Radikale unsers Wesens sei und mit ursprünglicher Gewalt wirke [...]." (WWV II, Kap. 19, S. 254) So wird der Wille zum allumfassenden Moment der Gruppe um Hannibal. Zwischen dem „Herz" der Barkiden und der „Ware" des Marktes besteht ein nicht ausgleichbarer Kontrast.

Ausgleich und Kompromiss als zentrale Handlungskriterien des Marktes stehen diametral zu Kraft und Kampf, zum satanischen Fechten, wie es bei Hannibal zum Vorschein kommt. Es kann zwischen diesen beiden Welten keine Vermittlung geben. Der Graben zwischen Händler und Held ist nicht zu überbrücken. In beiden Sichtweisen kommt aber die einseitige Ideologie der jeweiligen Position zutage. Sowohl Hannibals Heroismus als auch der „Interessenegoismus"[11] des Marktes sind von einer ideologischen Struktur bestimmt. In der „Ökonomisierung aller Lebensbereiche"[12] geht der historische Sieg von Cannae unter. Er passt nicht in das auf Tausch und Ausgleich ausgerichtete System, gefährdet es in seinen Grundlagen: „EIN BOTE *eilt durch die Menge* Bei Kannä Sieg! Unermeßlicher Sieg! / VIELE Gut. Schrei nur nicht so." (III, 93) Die „äthiopische Karawane" (Ebd.) indes erregt mehr Interesse, weil sie mit ihrem Reichtum das Sinnbild der Markt-Ideologie darstellt. Nichts geht über den ungestörten Waren- und Geldfluss. Die Personen des Marktplatzes veranschaulichen den

„natürlichen Willen, als welcher an sich schlechthin egoistisch ist.“ (WWV II, Kap. 19, S. 249)

Die natürliche Dialektik des Willens

Das Drama als Panoptikum des Willens kann vor allem deshalb überzeugen, weil Grabbe keinem Theorem oder einem wie auch immer gearteten theoretischen Blick folgt:

> Bei Grabbe aber erscheinen Kraft und Wille [wie bei Hebbel] zwar auch als notwendig, aber nicht als durchaus schuldhaft. [...] Er pejorisiert den Willen nicht, kann ihn deshalb in seiner gleichsam natürlichen Dialektik zeigen, die insgesamt von den Sinngebungsversuchen einer tragischen Versöhnung noch nicht überdeckt ist.[13]

Tragödie ist bei Grabbe eine naturhaft sich entwickelnde Form, deren Bewegungen ihrer eigenen Gesetzmäßigkeit entsprechen. Darin liegt der bedeutsamste Unterschied zur Hebbelschen Tragödie: Hannibal ist ein ambivalenter Charakter. Während die Immanenz des Leids bei Hebbel nicht aufgebrochen wird, sondern durch die große Reflexionsphase Judiths im fünften Akt nun in ihrer ganzen Tiefendimension in die Vorstellung der Heldin gerät, kann es beim Grabbeschen Helden in speziellen Momenten zu einer partiellen Verneinung des Willens kommen. Dies ist Hannibals Ambivalenz. Zum einen ist er ganz vom blinden Willen geprägt. Zum anderen kann er in den Kontemplationsmomenten des Stücks seinen Willen durch Anschauung des Schönen und durch die Momente der Erinnerung zur Ruhe kommen lassen. Hier liegt in der „Quelle des ästhetischen Genusses [...eine] Seeligkeit und Geistesruhe des von allem Wollen [...] befreiten reinen Erkennens [...]“. (WWV I, § 42, S. 285)

Über diese Momente hinaus liegt in Hannibals Wesen eine besondere Schwermut begründet. Wenn Hannibal sich in einer derart resignativen Stimmung befindet, kommt sein Wille ebenfalls temporär zur Ruhe. Diese Stimmung wird zum „QUIETIV, welches alles Wollen beschwichtigt und aufhebt.“ (WWV I, § 56, S. 402) Allerdings kann sich ein solcher Zustand bei Hannibal schon innerhalb eines Satzes wieder ins Negativ ändern. Darin liegt die besondere Komik der Grabbeschen Dramenwelt.

Diese Besonderheiten begründen die Stellung von Grabbes Drama innerhalb der Interpretationskette. Aus der Immanenz des Willens bei Hebbel wird bei Grabbe eine Ambivalenz des willensbestimmten Charakters, die wiederum zu der Resignation des Büchnerschen Danton überleitet, welcher die Verneinung des Willens von Beginn des Dramas an in sich trägt. Derart nachhaltiges Leid

wie bei Hebbel kommt bei Grabbe nicht zustande. Vorher werden solche Phänomene durch die Tragikomik des Stücks abgefangen. Durch diesen tragikomischen Blick Grabbes auf die Geschichte lässt sich auch das Verhältnis des Dramatikers zu Schopenhauer näher bestimmen. Die Figur des Terenz, die Grabbe
auf sich bezieht, macht deutlich, dass der Autor die Geschichte in ihrem Gesamt
als großen Leidenszusammenhang begreift. Obwohl Terenz Lustspieldichter ist,
vermag sein künstlerisches Auge nur Leid und Schmerz zu sehen, was sich in seinen Werken niederschlägt, die von diesem schmerzerfüllten Blick geprägt sind.

Terenz

Trotz aller Schrecken, die von Hannibal ausgehen, hat Grabbe den Lustspieldichter Terenz, der im Drama die Funktion eines moralischen Korrektivs hat, an
die Seite der Römer gestellt. Dies zeigt Grabbes Sympathie für seinen Helden.
Nieschmidts Bewunderung für Rom[14] lässt sich angesichts der Bestialität des
römischen Vorgehens bei Numantia nur schwer beipflichten. Terenz verurteilt
den römischen Vernichtungskrieg. Nicht ohne Grund wird diese pazifistische
Botschaft durch den Lustspieldichter vermittelt, den Grabbe auf sich und sein
eigenes Schaffen bezieht. Terenz symbolisiert,

> wie in einzelnen Menschen die Erkenntniß sich [der] Dienstbarkeit [des Willens]
> entziehen, ihr Joch abwerfen und frei von allen Zwecken des Wollens rein für sich
> bestehen kann, als bloßer klarer Spiegel der Welt, woraus die Kunst hervorgeht [...].
> (WWV I, § 27, S. 215)

Grabbe sieht sein Drama wie Terenz zwischen Komödie und Tragödie angesiedelt. Terenz ist eigentlich Lustspieldichter, doch das Drama konfrontiert ihn mit
einer harten geschichtlichen Wirklichkeit, die ihn nur Tragisches sehen lässt.
Dabei wird die Bedeutsamkeit seiner Vorstellung sehr deutlich, denn sie wird
zum „Spiegel" für das „innere Wesen der also erscheinenden Kräfte". (WWV I,
§ 17, S. 149) Aus diesem Grund ist das tragische Szenario am Eingang von II,
1 allein durch die Vorstellung des Dichters vermittelt. Nur durch das Auge,
durch die Anschauung des Dichters, kann der Leser an Numantias Untergang
teilhaben. Die dramatische Welt ist hier ganz durch das sie vermittelnde Subjekt bedingt: „Der Künstler läßt uns durch seine Augen in die Welt blicken."
(WWV I, § 37, S. 264) Ohne das dichterische Auge, das in seiner Imagination
die Greuel vermittelt, blieben diese dem Auge des Lesers verborgen. Dies unterstreicht die seit der Szene „Vor Rom" wachsende Bedeutung der Vorstellung für
die dramatische Entwicklung.

Anschauung und Erinnerung

Die natürliche Bewegung des Willens bringt seine Gegenbewegung hervor, der Wille strebt zum einen zur Katastrophe, welche die Einsicht in sein Wirken ermöglicht, zum anderen aber auch zu seiner eigenen Begrenzung. Neben den wichtigen, den Willen bremsenden Momenten von Schmerz und Liebe, vermag auch die Anschauung eines Kunstwerkes, die ästhetische Kontemplation, eine Zäsur im ansonsten ungebremsten Wollen herbeizuführen. Initiiert wird das temporäre Ruhen von Hannibals Willen durch die spezifische Ruhe und Schönheit der Naturszenerie, der „Weite[n] schöne[n] Flur bei Cajeta", einer vom Kriegsgeschehen weitgehend unberührten Idylle. Die Unschuld und Freundlichkeit der Szenerie stimmt Hannibal milde: „Nun setzt eure Spiele fort. Das Heer rastet hier ohnehin. Wir wollen zusehn – so etwas ward uns lange nicht." (III, 117) Der ruhige Ton seiner Sprache spiegelt den Übergang in eine ausgeglichene „Welt als Vorstellung" wider. Sein Auge wird von innen her beruhigt. Die reaktive Struktur seiner Persönlichkeit geht zurück. Sein Auge kann sich zum ersten Mal in einer nichtaffektiven Balance zwischen Wille und Vorstellung halten.

Ausgelöst wird dies durch das Sylen-Spiel, das Hannibal anschaut. Seine Vorstellung ist dabei frei vom Einfluss des Willens, weil Hannibal „sich gänzlich in diesen Gegenstand VERLIERT, d. h. eben sein Individuum, seinen Willen vergißt [...]." (WWV I, § 34, S. 244) Durch das Sylen-Spiel ist in das Drama, dessen genuine Bestimmung die Bühne ist, zusätzlich eine Bühne integriert. Hier wird wie im Gespräch von Terenz und den Scipionen erneut die Methode angewandt, dramatische Prozesse zum thematischen Moment des Dramas selbst zu machen.[15]

Seine Vorstellung drängt Hannibals Willen zurück: „Der Himmel ist so rein, die Luft so erquickend, mein eigner Geist wie durchweht von ihr, die Leute so heiter, wie ihre lachenden Gefilde [...]." (III, 117) Durch die Schau des Kunstwerkes löst sich das Auge aus der Umklammerung des Willens. Hier ist Hannibal „gleichsam in eine andere Welt getreten, wo Alles, was unsern Willen bewegt und dadurch uns so heftig erschüttert, nicht mehr ist." (WWV I, § 38, S. 267) Bei Hannibal ist der willensfreie Zustand aber nur temporär. Die Ahnung eines kommenden Unheils leitet bereits den Übergang ein: „– Ich fühle mich zu wohl, und fürchte fast, es steht mir ein Unglück bevor." (III, 117) Die Figur ahnt nicht allein den Umschlag im Geschehen an sich, sondern beschwört damit indirekt auch die dramaturgischen Konsequenzen herauf, die sich daraus ergeben. Die Artifizialität in der Art und Weise, wie die Anagnorisis herbeigeführt wird, macht dies sehr deutlich. Sie ist unmittelbar mit der Willensproblematik verbunden.

Die formalen Extravaganzen stellen deshalb, mit Schopenhauer gelesen, keine dramaturgischen Schwächen dar, sondern zeigen vielmehr, wie ursprünglich und unverstellt Grabbes Dramatik das Verhältnis von Wille und Vorstellung abzubilden vermag. Die Artifizialität in Form und Emotion ist somit logische Konsequenz der Willensdetermination von Figur und Gattung. Im Moment der Anagnorisis sind alle Personen in das artifizielle Schema eingebunden:

> HANNIBAL Mein Glück wäre vollendet, säh ich des Bruders teures Haupt!
> DER RÖMER *wirft ihm den Kopf Hasdrubals vor die Füße*
>   Hier ist es!
> ALLE UMSTEHENDEN Entsetzen!
> HANNIBAL Gut! Das Schauspiel endet, wie es muß! Mit einem Theaterstreich!
>   (III, 118)

Formal betrachtet bildet diese Stelle die Verbindung von Peripetie und Anagnorisis. Doch schon seit der Szene „Vor Rom" (III, 9) ist klar, dass die Hannibal-Handlung eine fallende ist. Sie treibt der Katastrophe nicht nur zu, sondern hat sie durch die Bindung an die blinde Kraft des Willens von vornherein verinnerlicht. Das „Esse" Hannibals stellt somit nicht allein die Bestimmung der Figur, sondern auch jene des Dramas dar. Diese Bestimmung bedeutet für Hannibal Bindung und Freiheit zugleich. Denn obwohl er und seine heroische Gruppe immer stärker in den Griff des Nichtheroischen geraten, zweifelt er nie das Grundsätzliche seines Charakters an: dass dieser qua seiner Natur ein Recht auf Handeln habe.

In der Alpen-Erinnerung verdichtet sich die Anschauungsmotivik zu einer intensiven Innenschau, Hannibals Auge versenkt sich in die Erinnerungen an seinen Bruder. Ausgelöst wird diese melancholische Passage durch den Anblick von Hasdrubals Haupt. Hannibal ist hier ganz Vorstellung:

> Bruder, D u, – ja, es sind seine Locken, seine Züge – Ach,
> neun Jahr war ich alt, als ich von der Heimat schied, da
> klettertest Du dem ältern Bruder heimlich nach auf das
> hohe dunkle Schiff, und wolltest und wolltest nicht lassen
> von ihm, bis man Dich wegriß, und seitdem sah ich Dich
> nicht wieder, doch Dein Gesicht blieb mir in das Herz ge-
> schnitten, und wuchs Dir nach mit den Jahren wie ein Na-
> menszug in der Eichenrinde! – Laß Dich umfassen –
> Wehe, er hat ja die Brust nicht mehr! (III, 118)

Das gesperrt gedruckte „Du" zeigt, wie sehr Hasdrubals Anblick Hannibal ergreift. Er will die Physiognomie seines Bruders als Bild in seiner Vorstellung vergegenwärtigen, wenn er die „Züge" Hasdrubals berührt. Das Leid wird so in seiner körperlichen Dimension, als Schmerz erfahrbar. Die großgeschriebenen

Personalpronomen „Du" und „Dich" zeugen von der Innerlichkeit, die Hannibal ergreift. Diese Großschreibung ist kein formaler Zufall, wenn man es mit den kleingeschriebenen Personalpronomen vergleicht, die auf Rom bezogen sind: „Rom, du tröstest mich: sinkst du von deinen sieben Hügeln so niedrig, daß du deinen Feind mit grausamen Spott bekämpfst, so sinkst du bald noch tiefer." (Ebd.) Auch die Zeichensymbolik der Sprache soll vom Leid erfasst werden.

Hannibal „*nimmt Hasdrubals Haupt*" in die Hände und betrachtet das „Gesicht" (Ebd.) seines Bruders. Etymologisch betrachtet liegt der Ursprung von „Gesicht" in „Sehen" und „Anblicken". Das Drama wählt bewusst das Wort „Gesicht", nicht etwa „Kopf", um die Bedeutung des Sehens und damit der Vorstellung für diese Szene zu veranschaulichen. Der Anblick des toten Bruders löst Schmerz aus. Der Schmerz ist körperlicher Ausdruck der Liebe und damit eines gegen den Willen gerichteten Motivs. Denn auf die gleiche Weise wie der Leib durch Tat zum unmittelbaren Ausdruck des Willens wird, kann er sich durch den Schmerz auch gegen den Willen wenden. Diese Leiblichkeit des Schmerzes wird zudem durch das Weinen deutlich: „HANNIBAL [...] Und du, Schurk, lächelst? / DER RÖMER Mein Wunsch ist erfüllt. Ich sah den Todfeind weinen." (Ebd.)

Die Leiblichkeit des Schmerzes ist unmittelbar mit dem „Herz" (Ebd.) verbunden, das nun in seiner emotionalen Qualität die Vorstellung beeinflusst. Wenn sich die Vorstellung durch Schmerz und Gefühl vom Willen löst, erkennt das Auge die tragischen Zusammenhänge, in denen sich die Person befindet. Die Verbindung von Schmerz, Auge, Herz ist von besonderer Wichtigkeit, wenn es um den Loslösungsprozess der Vorstellung vom Willen geht.

Die Funktion des Tragikomischen

Die Hasdrubal-Szene ist komisch und tragisch zugleich. Diese Verbindung von Komik und Tragik ist für das Stück wesentlich. Die Artifizialität in diesem Brennpunkt von III, 3 macht das Geschehen zum einen grotesk, forciert es zum anderen aber auch auf die Notwendigkeit des Tragischen hin, indem es die Form stark betont. Die Funktionen der Gattung werden in III, 3 überdeutlich. Es wird ausgesprochen, was sonst im Stummen des dramatischen Nebentextes vollzogen wird. Dies ist ein komisches Moment. Zudem entsteht der Eindruck, als wären sich die Figuren der Tatsache bewusst, dass sie sich in einem Schema befinden, das sie lenkt. Sie nehmen hier alle sehr gewissenhaft und bewusst ihre Funktion war, wie sie das Hinarbeiten auf die Anagnorisis voraussetzt. Dadurch tritt die Funktionalisierung der Figur stärker hervor, als die Verdichtung des Gehalts, die eigentlich sonst dadurch angestrebt wird. Hannibal bringt das zum

Ausdruck, wenn er das „Muss" des „Schauspiels" als „Theaterstreich" definiert. Er wirft dadurch ein Licht auf die Funktion des Theaterstücks, in dem er sich als Rollenträger befindet. Hier verbindet sich die Vorstellung der Figur mit den Formgesetzen der Gattung, in der sie sich ereignet.

Eine wichtige Passage, die auch eine derartige Reflexion über die Kunst bein-haltet, ist in II, 1, im Gespräch des Lustspieldichters Terenz mit den Scipionen, zu finden. Terenz fühlt beim brutalen Vorgehen der Römer bei Numantia Kälte angesichts einer vom Menschlichen verlassenen Welt: „Ich vergehe vor Frost. Hier wohl Feuer, aber welches! Reisig von Häusern und Menschenknochen!" (III, 103) Die Abfolge der Ereignisse ist symbolisch. Das Grauen der Geschichte geht den Gesprächen über Komik und Tragik voran. Das verdeutlicht die Über-macht der Geschichte über die Kunst. Die Scipionen diskutieren mit Terenz vor dem Hintergrund von Tod und Zerstörung über das Verhältnis von Komik und Tragik. Das irritiert die Erwartungshaltung des Lesers an Szene und Figuren. Dies korreliert mit Büchners „Danton". Auch dort diskutieren die Figuren über Kunstgattungen, während sie selbst Teil einer solchen Gattung sind. (Vgl. II, 1 und II, 3) Üblicherweise dringen Besonderheiten der Gattung, in der sich die Figuren bewegen, nicht in deren Bewusstsein und werden von ihnen problema-tisiert. Dieses bewusste Erleben des Mediums durch die Figur weckt den Schlaf der Fiktion über sich selbst.

Dann sind die Figuren weniger selbstvergessen, ihnen ist bewusst, dass sie eine Rolle einnehmen. Die Figuren diskutieren in II, 1 nicht allein darüber, was „Stoff" (III, 104) für Tragödie und Komödie sei. Sie geben auch Hinweise zur Rezeption dieses Stoffes: „Scipio der Ältere Eh, Freigelassener, was tragisch ist, ist auch lustig, und umgekehrt. Hab ich doch oft in Tragödien gelacht, und bin in Komödien fast gerührt worden." (Ebd.) Diese Aufhebung der Grenze zwischen tragisch und komisch, zwischen Tragödie und Komödie ist über das Gespräch der Figuren hinaus allgemeines Merkmal der Poetik Grabbes. In „Hannibal" manifestiert sie sich als Phänomen des Gesamttextes. Grabbe selbst schreibt dazu am 3. Februar 1835 an Immermann: „Wie eng hängt das Lustige mit dem Ernsten zusammen." (VI, 150)

Terenz aber vermag das Grauen nicht zu transzendieren: „Ihr schufet den Stoff so tragisch, daß ich doch zu schwach bin, ihn zu einem lustigen umzudichten." (III, 104) Für den geschichtlich Handelnden ohne moralisches Gewissen indes ist das Grauen von „Numantias Kohlen" (Ebd.) der „Stoff zu einem Lustspiel, besser als eins der Atellanen, nicht bloß wunderlich – auch im Scherz mit einem großen Hintergrunde." (Ebd.) Gerade das moralisch-geschichtliche Gewissen aber ist unabdingbar, um die Gattungsinhalte richtig beurteilen zu können:

Daß moralische Untersuchungen ungleich wichtiger sind, als physikalische, und überhaupt als alle andern, folgt daraus, daß sie fast unmittelbar das Ding an sich betreffen, nämlich diejenige Erscheinung desselben, an der es, vom Lichte der Erkenntniß
unmittelbar getroffen, sein Wesen offenbart als WILLE. (WWV II, Kap. 47, S. 684)

Über diese Kunstreflexionen hinaus entspricht die Entseelung des Gehalts
zugunsten der Form dem Muss des Willens, die Vorstellung zu seinen Zwecken
zu funktionalisieren. So überträgt sich der innere Handlungszwang Hannibals
auf den formalen Rahmen, in dem er sich ausspielen soll. Es ist kein natürlich
ablaufender, für die Figuren unbewusster Handlungszusammenhang mehr, sondern auf artifizielle Weise werden die Stationen der Dramaturgie abrupt bewusst
gemacht.

Letztlich wird im fünften Akt, in der Prusianischen Groteske, das Komi-
sche zum Selbstzweck. Der leere Ästhetizismus des Prusianischen Systems stellt
eine Parodie idealistisch-klassischen Kunstverständnisses dar: „[D]as S y s t e m
nur ist ewig und nach dieser Richtschnur müssen sich Heere richten, Gedichte
ordnen, und d a s S y s t e m s t i r b t n i c h t, geschäh ihm auch ein Unfall."
(III, 146)

Hannibal, noch immer zwischen Wille und Vorstellung pendelnd, kann aufgrund seiner exilbedingten Isolation bei Prusias von Bithynien seinem Wollen
nicht mehr ungehindert freien Lauf lassen. Das Wollen wird in die Vorstellung,
in Bilder von heroischer Größe verschoben. Doch überwölbt wird dieser unstill-
bare Antrieb von der Groteske, die Hannibal umgibt. So stirbt Hannibal einen
grotesken Tod, der nichts mit den heroischen Momenten zu tun hat, die für
sein Leben maßgeblich prägend waren. Er findet in V, 4 das Schicksal, drapiert
und arrangiert vor der Monarchenkarikatur „hingereckt" daliegen: „PRUSIAS
[…Hannibal] war doch einmal mein Gastfreund, und darum seien seine Fehler,
seine Abstammung vergessen, ihn und sie deck ich zu mit diesem Königsmantel!
Grad so machte es Alexander mit Dareios!" (III, 154) Doch die Hervorhebung
der Skizze ist bezeichnend. Akt V wird beherrscht durch Motive von „Licht",
„Fenster", „Blick" (III, 147) und „Auge". (III, 152) Dies korreliert mit der wach-
senden Handlungsohnmacht Hannibals. Er erscheint in den letzten Szenen
mehr als Beobachter denn als Agierender, da er nun auf Berichte angewiesen ist,
anstatt selbst aktiv ins Geschehen einzugreifen:

Aus der ‚heroischen' Situation, die den karthagischen Helden noch als Triumphator
in Italien zeigt, entwickelt sich ebenfalls in immer stärker hervortretenden Zeichen
und Bildelementen die unheroische, die Welt der Komödie als die beherrschende und
den Helden abdrängende.[16]

Nur noch über die Visionen und Anschauungsberichte der heroischen Gruppe bleibt er mit dem Heroischen verbunden. Dabei „spiegel[n]" sich nicht allein die „Flammen" (III, 151) des brennenden Karthago „im Meer" (Ebd.), sondern das darin symbolisierte Leid spiegelt sich durch Turnus Bilder auch in die Vorstellung Hannibals. Aus diesem Grund wird das Motiv des Spiegelns, welches das Drama leitmotivisch durchzieht, in V, 4 neben der wichtigen Struktur von Auge und Sehen zum prägenden Symbol. Vor diesem Hintergrund lösen im fünften Akt mehrere im Laufe des Dramas eingesetzte Anspielungen und Ahnungen ihr prophetisches Potential ein. Der Leser blickt durch Alittas Auge aus I, 1 auf die Bestienimagination Turnus. Denn während dort die Wölfin mit ihren „Augen" auf „versunkene Städte" (III, 90) blickt, sind es hier „Löwenaugen", die „in das Feuer" (III, 152) starren. Und die Spiegelung des Brandes im Harnisch des Scipionen: „[U]nd es sah prächtig aus, wenn die brennende Stadt in dem Brustharnisch des Jüngeren, der auf einer Anhöhe des Lagers stand, sich abspiegelte" (Ebd.) hat ihren Vorläufer in der zornigen Imagination Gisgons vom „Elmsfeuer" der Scipionen, das in „die späteste Nachwelt glänzen" (III, 141) wird. Verstärkt in den Bereich der Vorstellung gezogen wird dieses Korrelat noch durch Scipios Position beim Brand. Er steht auf einer „Anhöhe". Dies korreliert sowohl in seiner teichoskopischen Anlage, als auch durch die Abschiedsthematik direkt mit Hannibals Abschied von Italien in III, 6. Hannibals Schmerzempfinden dort wird hier in V, 4 komisch persifliert, indem auch Scipio sich scheinbar eines Gefühls nicht erwehren kann: „Als [Scipio] in der siebenundzwanzigsten Nacht kam, wurde er wehmütig – die Stadt erlosch just, und es fielen ihm mit ihren letzten Funken Tränen aus dem Auge." (III, 152)

Vor diesen heroischen Reminiszenzen fällt Hannibal einer letzten Entwertung zum Opfer, wenn Prusias, der Tragödiendichter, Hannibals Ende zu tragischer Größe stilisiert: „Jetzt ist der Moment in das Leben getreten, wo es das zu tun gilt, was ich in mancher Tragödie ahnungsvoll hingeschrieben: edel und königlich sein gegen die Toten!" (III, 154) Die Distanz des Komischen im Grabbeschen Stück stellt ein vorsichtiges Nein zum Willen dar, das sich aber nicht in aller Nachhaltigkeit verfestigen kann. Dafür ist die Grabbesche Dramatik zu unmittelbar in den Willenskreislauf aus Bejahung und Verneinung eingebunden.

Anmerkungen

1   Dirk Haferkamp: Das nachklassische Drama im Lichte Schopenhauers. Eine Interpretationsreihe. Schiller: *Die Jungfrau von Orléans*, Hebbel: *Judith*, Grabbe: *Hannibal*, Büchner: *Dantons Tod*. Frankfurt a. M. 2014 (Phil. Diss. Duisburg-Essen 2013). Vgl. die Rezension in diesem Jahrbuch.

2 Arthur Schopenhauer: Die Welt als Wille und Vorstellung I und II. Nach den Ausgaben letzter Hand hrsg. von Ludger Lütkehaus. München 2005, hier I, § 3, S. 37. Künftig zitiert im fortlaufenden Text als WWV mit Paragraphen- bzw. Kapitel- und Seitenzahl in runder Klammer.

3 Herbert Kaiser: Friedrich Hebbel. Geschichtliche Interpretation des dramatischen Werks (UTB, 1226). München 1983, S. 9.

4 Oellers meint: „[Hannibal], der notwendig den übermächtigen Verhältnissen erlag, ohne daß in seinem Fall (anders als bei Wallenstein) die Frage einer persönlichen Schuld oder auch nur einer objektiven Verfehlung bei subjektiver Integrität und Lauterkeit eine Rolle spielte." Das Gegenteil ist der Fall: Die Begründung des Handelns im Willen Hannibals schließt die Schuld an seinen Handlungen nicht aus, sondern bedingt sie nach Schopenhauer unmittelbar. Norbert Oellers: Die Niederlagen der Einzelnen durch die Vielen. Einige Bemerkungen über Grabbes „Hannibal" und „Die Hermannsschlacht". In: Christian Dietrich Grabbe (1801-1836). Ein Symposium. Im Auftrag der Grabbe-Gesellschaft hrsg. von Werner Broer und Detlev Kopp unter Mitwirkung von Michael Vogt. Tübingen 1987, S. 114-128, hier S. 120f.

5 Hans-Werner Nieschmidt: „Fechte der Satan, wo Kaufleute rechnen!" Zur dramatischen Exposition in Grabbes *Hannibal* und ihrer Neufassung in Brechts *Hannibal*-Fragment. In: Grabbe-Jahrbuch 1 (1982), S. 25-40, hier S. 39.

6 Arthur Schopenhauer: Über den Willen in der Natur. Eine Erörterung der Bestätigungen, welche die Philosophie des Verfassers seit ihrem Auftreten durch die empirischen Wissenschaften erhalten hat. In: Sämtliche Werke. Textkritisch bearbeitet und herausgegeben von Wolfgang Freiherr von Löhneysen. Bd. III. Darmstadt 1977, S. 301-479, hier S. 409. Künftig zitiert im fortlaufenden Text als WIN mit Seitenzahl in runder Klammer.

7 Kaiser: Friedrich Hebbel (Anm. 3), S. 204.

8 Klotz sieht „Plus Ultra" auch in spezifischen Metaphern verwirklicht: „Besonders nachhaltig behaupten sich Sprachbilder von Himmelskörpern (Sonne, Sterne); von Witterung (Donner, Blitz, Sturm); von Elementen (Feuer, Meer, Luft); von Bestien (Tigern, Löwen, Schlangen). Aufs Ganze gesehen, haben diese Metaphern einen gemeinsamen Ausdrucksnenner. Sie rufen ein unbändiges, außermenschliches Anderswo und Anderswie herauf." Volker Klotz: Radikaldramatik. Szenische Vor-Avantgarde: Von Holberg zu Nestroy, von Kleist zu Grabbe. Bielefeld 1996, S. 130.

9 Brockhaus, Bd. 6. Leipzig 2001, S. 531.

10 Auch Judith verurteilt Ephraim, weil er nicht handeln will, als Holofernes die Stadt bedroht. (Vgl. II, 1) Die Szenen sind architektonisch sehr verwandt. Ihre Natur empört sich gegen Ephraims Feigheit. Weil in ihrer Vorstellung alle Männer die Tat scheuen, konstruiert ihr Wille einen Auftrag Gottes, den sie selbst zu erfüllen habe. Erst nachdem sie Holofernes getötet hat, kann sie den rein subjektiven Grund und die Selbstbezogenheit ihres Handelns erkennen. Vgl. Friedrich Hebbel: Sämmtliche [sic!] Werke. Historisch-kritische Ausgabe. Hrsg. von Richard Maria Werner. Berlin 1901, Bd. 1, S. 23.

11 Winfried Freund: Die menschliche Geschichte und der geschichtliche Mensch in
    Grabbes „Hannibal". In: Grabbes Gegenentwürfe. Neue Deutungen seiner Dramen.
    Zum 150. Todesjahr Christian Dietrich Grabbes. Hrsg. von Winfried Freund. Mün-
    chen 1986, S. 85.

12 Ebd.

13 Herbert Kaiser: Zur Bedeutung des Willens im Drama Grabbes. In: Grabbe und die
    Dramatiker seiner Zeit. Beiträge zum II. Internationalen Grabbe-Symposium 1989.
    Im Auftrag der Grabbe-Gesellschaft hrsg. von Detlev Kopp und Michael Vogt unter
    Mitwirkung von Werner Broer. Tübingen 1990, S. 217-231, hier S. 229.

14 Vgl. Nieschmidt: „Fechte der Satan..." (Anm. 5), S. 29ff.

15 Vgl. hierzu „Die Funktion des Tragikomischen".

16 Manfred Schneider: Destruktion und utopische Gemeinschaft. Zur Thematik und
    Dramaturgie des Heroischen im Werk Christian Dietrich Grabbes (Gegenwart der
    Dichtung, 7). Frankfurt a. M. 1973, S. 296.

Kai Köhler

„Hörner, Pauken, Kriegsgeschrei der Deutschen und allgemeiner Kampf"
Schlachtszenen bei Grabbe

Grabbes Theater ist eines des Krieges. Nicht nur in der *Hermannsschlacht*, die die militärische Auseinandersetzung bereits in ihrem Titel trägt, nehmen Kampfszenen einen breiten Raum ein. In der Mehrzahl der Dramen kommen Schlachten auf die Bühne. Dies hat zum Ruf von Grabbes Stücken beigetragen, nur unter Schwierigkeiten oder gar nicht aufführbar zu sein. Dem ist mit der Unterscheidung zwischen frühen und mittleren Stücken einerseits, dem in dieser Hinsicht problematischen Spätwerk andererseits begegnet worden[1], aber auch mit theatergeschichtlichen Argumenten[2]. Für zeitgenössische Inszenierungsweisen, die auf Illusionismus keinen Wert legen, dürfte es nur noch geringe bühnenpraktische Schwierigkeiten geben. Doch soll es hier weniger um den Nachweis gehen, dass Grabbe in den meisten seiner Schlachtszenen durchaus Rücksicht auf die Möglichkeiten einer Inszenierung nimmt. Das Interesse gilt gar nicht den Möglichkeiten, die tatsächlich für Aufführungen gefunden wurden.[3] Im Zentrum stehen vielmehr die Schlachträume, wie Grabbe sie entworfen hat, und einige Schlussfolgerungen aus dieser Darstellung. Dazu werden die einschlägigen Szenen zunächst in einem chronologischen Durchgang vorgestellt.

„Herzog Theodor von Gothland"

In seinem ersten Stück bringt Grabbe zwei Schlachten auf die Bühne. Die erste bildet den zweiten Teil der sehr umfangreichen Szene III, 1. An deren Beginn hat Gothland erfahren, dass sein von ihm erschlagener Bruder Manfred unschuldig war; der Herzog entschließt sich, während sich der Kampf zwischen Schweden und Finnen vorbereitet, künftig ohne Rücksicht auf irgendeine Moral zu leben.

Auf der Szene links befindet sich das Lager der Finnen, insgesamt ist die Szene als „Küste an der Ostsee" (I, 74) bezeichnet. Die kommende Schlacht wird akustisch vorbereitet, nämlich durch die „Kriegsmusik der anrückenden schwedischen Armee" (I, 83), die nach Gothlands Entschluss zum Mord als „[l]aute, nahe Kriegsmusik" (I, 85) den Beginn der Konfrontation markiert und bald durch finnische Kriegsmusik und „Schlachtgeschrei" (I, 86) ergänzt wird.

Der bisher nur hörbare Kampf wird durch die Nachricht von Gothlands Gefolgsmann Erik konkretisiert, der seinen Herren angesichts des schwedischen

Vormarschs zur Flucht auffordert. Doch bietet auch die Ostsee – wie Gothland zurücktaumelnd sieht und Erik gleich darauf erklärt – keine Rettung, denn dort kreuzt die schwedische Flotte.

Der Kriegsraum besteht also aus Musik, Geschrei, Nachrichten und (sichtbar in Gothlands Zurückweichen) Gestik; er erscheint aus Sicht des Protagonisten zunächst als Falle, die zum Anlass für moralische Reflexion wie für politisches Kalkül wird. Das letztere ist gerade durch den militärischen Erfolg seiner schwedischen Verfolger, von dem die finnischen Feldherrn Irnak und Rossan berichten, ermöglicht: Je verzweifelter die Lage der Finnen wird, desto höher steigt die Bedeutung von Gothlands Truppen für deren Rettung. Gothland hetzt Rossan gegen seinen Hauptfeind auf, den finnischen Oberbefehlshaber Berdoa.

Finnische Rufe hinter der Szene und einzelne Flüchtende markieren den scheinbaren schwedischen Erfolg. Noch handelt Gothland nicht. Vielmehr schaltet Grabbe eine Konfrontation ein, die die Entwicklung der Hauptfigur betrifft. Der alte Gothland als Führer des schwedischen Heeres trifft auf seinen Sohn, der getarnt und mit verstellter Stimme den Vater verhöhnt, ihn aber bei einem erfolgreichen finnischen Gegenstoß – hörbar durch Musik und sichtbar durch Heerhaufen im Hintergrund – entkommen lässt. „Die Schlacht beginnt von Neuem und scheint sich zu entfernen" (I, 93), lautet die Szenenanweisung, parallel zum Handeln Gothlands, der offensichtlich noch kein konsequenter Mörder ist.

Die Finnen müssen wieder fliehen, Berdoa stellt ihnen – akustisch unterstützt durch „nahende Trommeln und Geschrei" (I, 95) der Schweden – ihre verzweifelte Lage vor Augen und fordert sie auf, zu ihrer Rettung Gothland an die Schweden auszuliefern. Dies verhindern Rossans revoltierende Truppenteile. Durch eine Reihe von Winkelzügen gelingt es Gothland, Berdoa zu entmachten und selbst zum finnischen König ausgerufen zu werden. Im weiteren Verlauf des Kampfes gewinnt die Küstenlage an Bedeutung: Der Himmel verfinstert sich, bei beginnendem Unwetter muss die schwedische Flotte landen und wird von Gothland in die Irre geführt. In der einbrechenden Dunkelheit zeigt er mit einer Fackel einen falschen Weg, der auf eine Klippe führt. Die Schweden sind in diesem Abschnitt fast nur durch Rufe von außen präsent. So lässt Grabbe ihr Nahen und ihren Untergang hörbar werden; allein der Tod eines letzten Mannes, der sich bei wieder aufhellendem Wetter noch an einem Felsvorsprung festklammert, wird von Gothland pars pro toto beschrieben. Wenn der schwedische Graf Arboga als Überläufer mit Truppen aufmarschiert, markiert dies den finnischen Erfolg auch auf dem Land. Ein Schlussteil der Szene bringt vor allem den Plan Berdoas, Gothlands Sohn Gustav für sich zu gewinnen und gegen den Vater zu wenden.

Die Schlacht, so viele Seiten sie auch einnimmt, hat also einen geringen Grad an Selbstständigkeit. Die Szene weist sowohl am Anfang als auch am

Ende weitere wichtige Handlungselemente auf. Der Kampf selbst verläuft – was Darstellungen in späteren Stücken vorwegnimmt[4] – wechselhaft. Er wird noch nicht auf der Bühne gezeigt. Vielmehr vermitteln Rufe, Musik und vor allem Berichte den Ablauf, der damit keinerlei bühnenpraktische Probleme aufwirft. Die Zeitstruktur ist ganz den Bedürfnissen der Handlung angepasst, sowohl was Gothlands innere Entwicklung angeht als auch die politischen Verläufe: Auch in größter Bedrängnis der Finnen bleibt Gelegenheit, interne Auseinandersetzungen in beachtlicher Breite zu führen. Auf der anderen Seite ist die Folge von Verdunklung – Gewitter und Untergang der fehlgeleiteten schwedischen Flotte – Aufhellung im Zeitraffer gezeigt.

Dass die Schlacht wenig Eigenwert hat, bestätigen die weiteren Kampfszenen in diesem Drama. Das Scheitern von Gothlands Versuch, mittels Arbogas Truppen in der Nacht das finnische Heer abzuschlachten, ist in V, 3 kurz durch Tumulte und Stimmen hinter der Bühne abgehandelt und damit einfach umzusetzen. Wichtiger ist die Szene V, 5, die mit folgender Anweisung beginnt: „Wildes Gefecht finnischer und schwedischer Heerhaufen. Ferne und nahe Schlachtmusik. – Auf einmal wird es todesstill, und die kämpfenden Soldaten treten voller Eile weit auseinander". (I, 193) Die Massen halten inne und schaffen Raum für den Kampf der beiden großen Einzelnen Gothland und Berdoa, der das Zentrum des Dramas bildet. Ist dieser abgeschlossen, so folgt in der „letzten Szene" Gothlands Ende; er lässt sich, da ihm nach Berdoas Tod nichts mehr zu tun bleibt, widerstandslos von Arboga abstechen.

Nach diesen langen Passagen markieren zwei allein durch Nebentext szenisch und akustisch vorgeschriebene Abschnitte den Sieg der Schweden. Im ersten füllen verzweifelnde Finnen die Bühne: „Dann großes Getöse; gleich darauf stäuben die Finnen und die Überreste von Arbogas Regimentern in der zügellosesten, unaufhaltsamsten Flucht über die Bühne. Die Trompeten der Verfolger schallen immer näher und lauter zwischen den Tumult hindurch." (I, 204) Kurz danach schreibt Grabbe einen prunkhaften Einzug vor: „Unter Triumphmusik und wehenden Fahnen kommen der König Olaf und der Graf Holm, von ihren norwegischen, russischen und deutschen Heeren begleitet." (I, 205)

Beides ist problemlos in einer Inszenierung umzusetzen. Der Raum, der nach dem Tod der beiden Hauptpersonen bleibt, wird durch die Massen gefüllt. Dass dies keine Lösung ist, zeigt sich, wenn am Ende nicht die Freude über die Vernichtung der Finnen steht, sondern die Trauer des alten Gothland, der nun auch seinen letzten Sohn verloren hat.

„*Marius und Sulla*"

Obgleich der Dramentitel gleich zwei Feldherren aufbietet, gibt es in den von
Grabbe ausgeführten Teilen des Werks zwar etliches an Gewalt (die brutale
Niederschlagung einer Meuterei mittels Dezimierung in der Szene II, 1, Mas-
saker beim Einmarsch des Marius in Rom in II, 4), doch nur wenige eigentliche
Kampfszenen. In der nur skizzierten Szene IV, 2 der Zweitfassung hätten Ver-
wundete von der Niederlage des jüngeren Marius bei Praeneste berichtet; die
Szene IV, 5 hätte dann – vermutlich auf der Bühne – eine Schlacht der Truppen
Sullas gegen die mit Marius verbündeten Samniten gebracht. Grabbes Inhalts-
angabe lässt darauf schließen, dass eine Massenszene geplant war, in deren Mit-
telpunkt indessen die Konfrontation der beiden Heerführer gestanden hätte:

> Sullas Heer rückt an. Die Vertilgungsschlacht zwischen Sulla und Telesinus beginnt.
> Beide Heerführer begegnen sich, beide geben einander zu erkennen, daß sie sich
> durchschauen, womit aber auch ausgesprochen ist, daß unter ihnen nur das Schwert
> über das endliche Schicksal Roms entscheiden kann. (I, 406)

Wie in der ersten Schlacht im *Gothland* und in der Mehrzahl der Kämpfe, über
die noch zu reden ist, scheint zuerst diejenige Partei zu gewinnen, die zuletzt
eine Niederlage erleidet. Sulla wendet – nach der Skizze – den Kampf durch
die religiöse Anrufung Apollos, wobei Grabbe als offene Frage benennt, ob der
Feldherr tatsächlich religiös war oder propagandistisch auf seine Soldaten wirken wollte. (II, 406) In der einzigen Schlachtszene der ausgeführten Teile nimmt
Sulla in einer ähnlichen Lage zu einem weltlicheren Mittel Zuflucht. Die Szene
I, 4 ist in der Erstfassung einfach als „Schlachtfeld" (I, 311) bezeichnet; es handelt sich um die römische Seite – Sulla umgeben von Offizieren und der Elite-
einheit der Triarier. Das Vordringen des pontischen Königs Mithridates wird
zunächst berichtet, dann aber sichtbar, indem der König mit seinen Soldaten
die Szene betritt. In diesem Moment der unmittelbaren Konfrontation entreißt
Sulla seinen Legionären den Adler und wirft ihn unter die andringenden Feinde.
Für die Triarier ist es nun eine Frage der Ehre, ihr Leitzeichen zurückzuerobern.
Dies entscheidet die Schlacht.

Da In der entsprechenden Szene der Zweitfassung ist der allzu knappe Verlauf
deutlich ausgeweitet. Dabei fehlen Passagen, in denen zuvor Sulla seine Freude
am Feldherrendasein ausgeführt hatte – mehr als zuvor wird der Römer als handelnde, nicht als räsonierende Person gezeigt. Vor allem aber wendet Grabbe
mehr Verse auf für die räumliche Verdichtung, die im Aufeinandertreffen der
Feinde gipfelt.[5]

Die Szene beginnt wieder beim römischen Befehlsstand mit Nachrichten
über das pontische Vordringen. Darauf reagiert Sulla mit einer ersten Handlung,

nämlich indem er sich selbst in Gefahr bringt und seine Leute so dazu bewegt, ihn kämpfend zu schützen. Es folgt eine Überblendung in einen anderen Teil des Schlachtfeldes, wo Mithridates zunächst Erfolgsmeldungen, dann aber Nachrichten über den von Sulla erfolgreich eingeleiteten Gegenstoß erhält. Es gelingt ihm, die regellose Flucht in einen geordneten Rückzug zu verwandeln und diesen – wie Sulla nach erneutem Szenenwechsel berichtet wird – wieder in einen Angriff. Erst in dieser zweiten Krise kommt Mithridates bis ins römische Lager und muss Sulla zu dem Mittel greifen, den Adler einzusetzen.

Szenenwechsel und sich steigerndes Hin und Her des Schlachterfolgs führen zu einer Steigerungsdramaturgie, die – anders als in der Erstfassung – Sullas ungewöhnliche Gefährdung des Adlers nachvollziehbar machen. Dabei sind die Änderungen durchaus bühnengerecht. Nun erst gibt Grabbe der Handlung die notwendige Zeit, sich zu entwickeln. Sprechen und Tun fallen mehr als in der ersten Fassung in eins. Der Großteil der Informationen wird über Botenberichte beigebracht. Letzteres gilt auch für die Beschreibung der Niederlage eines konsularischen Heers gegen den auf Rom anrückenden Marius, die Grabbe in die Szene II, 3 der Zweitfassung eingerückt hat.

Hohenstaufendramen

Das hier weitaus wichtigere der beiden Stücke, die Grabbe aus seinem unvollendet gebliebenen Hohenstaufen-Zyklus fertiggestellt hat, ist *Kaiser Friedrich Barbarossa*. Die erste der zwei umfangreichen Schlachtdarstellungen in diesem Drama macht die Szene II, 3 aus, deren Örtlichkeit anfangs genauer beschrieben ist. Das „Schlachtfeld bei Legnano" ist als großes Panorama vorzustellen: Gezeigt werden die „von den Lombarden besetzten Hügel", auf oder zwischen denen „[g]ewaffnete Lombardenhaufen aus allen lombardischen Städten", also eine größere Anzahl von Personen, gruppiert sind. Auf einem der Hügel steht in seiner Rüstung der Heerführer Gherardo, unter dem Kriegsvolk befinden sich „die Todesbanner der Jünglinge von Mailand", wie Sullas Triarier eine Elitetruppe für den Einsatz auf dem Gipfelpunkt der Schlacht und damit, im Theater, gleichzeitig Mittel dramaturgischer Steigerung. Zum optischen Aufwand kommt der akustische: „Überall, aus Näh und Ferne, lombardische und deutsche Feldmusik". (II, 49)

Die sich überkreuzenden Klänge nehmen die eigentliche Konfrontation vorweg, die noch einige Momente auf sich warten lässt. Auf den Schwur der Todesbanner, bis zum Ende zu kämpfen, folgt als Mauerschau Gherardos der Bericht über das anrückende deutsche Heer, genauer: über dessen herausgehobene fürstliche Anführer, gipfelnd in einer Beschreibung des Kaisers selbst. Gherardo retardiert den Gegenangriff bis zu einem taktisch günstigen Moment. Auftreffende deutsche Wurfspieße, schließlich Stimmen hinter der Szene markieren den Anmarsch des Feindes, und Wortwechsel hinter der Szene deuten an, dass die schließlich attackierenden Lombarden auf erbitterten Widerstand stoßen.

An dieser Stelle wandelt sich die Perspektive. Auf einem „andern Teil des Schlachtfeldes" (II, 52) stehen die Deutschen, jedenfalls der Erzbischof von Mainz und der Erzherzog von Österreich. Gefolgsleute sind nicht erwähnt. Diese beiden wehren den Angriff veronesischer Krieger ab, wobei der keulenschwingende Erzbischof einen durchaus derben Humor beweist: „Nußknacker, knacke! [...] Die Schufte sind kaum wert, daß man / Sie totschlägt! Fallen auf den ersten Streich!". Erst dass nach diesem Erfolg, laut Szenenanweisung, Mainz und Österreich „mit Truppen ab" (II, 53) die Bühne verlassen, zeigt, dass doch mehrere Deutsche anwesend waren. Daraufhin treten Wittelsbach, dann auch Barbarossa, Prinz Heinrich und Hohenzollern jeweils mit Truppen auf. Gherardos feindliche Befehle und Kampfesrufe vermitteln hinter der Szene den Fortgang der Auseinandersetzung, und angesichts der zunehmend bedrängten Lage der Kaiserlichen greift Barbarossa selber ein. Dennoch hält Gherardo das Todesbanner vorerst zurück.

Das Geschehen ist in dieser Phase nur angedeutet, nämlich durch Rufe hinter der Bühne und auf der Bühne durch einen Dialog der kaisertreuen Könige von Böhmen und Polen über die zunehmend bedrängte Lage auf den beiden Flügeln. Fliehende deutsche Krieger kommen auf die Szene, nach ihnen Barbarossa, der sie ermutigt und mit ihnen zum Kampf zurückstürmt. Die folgende Kampfhandlung, den abschließenden Einsatz des Todesbanners inbegriffen, spielt sich überhaupt nur hinter der Szene ab; zugunsten praktischer Erwägungen opfert Grabbe hier die Bühnenwirksamkeit.

Doch hat diese Zurückhaltung eine inhaltliche Funktion. Der Kern des Geschehens ist, dass der Held Barbarossa eine Niederlage erleidet. Kern des Gezeigten ist das Gegenteil. Mailändische Soldaten treten auf und bezeugen die Macht wie die verzweifelte Lage des Kaisers: „Entsetzlich ist der Kampf mit diesem Häuflein! / Doch jetzt sind sie umzingelt!" (II, 56). Hinter der Szene ordnet Barbarossa einen geregelten Rückzug an; auf der Szene befiehlt er, die Mailänder zu vertreiben, was sogleich sichtbar wird. Ein gemessen an der gefährdeten Stellung langer Wortwechsel geht um den und mit dem tödlich verwundeten Fahnenträger Wittelsbach, der erst dann beruhigt stirbt, als er das Feld- und Ehrenzeichen an den vertrauten Hohenzollern übergeben kann: „Dem Hohenzollern – mir wird ruhiger – / Ich sehe sie durch alle Zukunft siegen! / – O selig, wer da stirbt in solcher Aussicht!" (II, 57)

Die Episode mag pragmatischen Erwägungen Grabbes geschuldet sein, der im preußisch dominierten Deutschland einen Theatererfolg erhoffte; bezogen aufs Drama verwandelt es die verlorene Schlacht in einen ideellen Sieg. Die obersten Gefolgsleute Barbarossas bekräftigen Kampfbereitschaft bis in den Tod; „viele Hauptleute des Heeres", so die Szenenanweisung, „springen vor" und betonen im Namen ihrer ungefragten Soldaten: „Das Heer stimmt ein! es will mit untergehn! / Und mit Trompeten grüßet es den Tod!". „Jubelndes Trompetengeschmetter im Heere" bestätigt dies. (II, 58)

Doch gehorcht das ganze Stück einer Steigerungsdramaturgie. Der eigentliche Gegner des Kaisers ist der – folgt man Grabbe – andere große Mann der Zeit, Heinrich der Löwe. Und so verbietet Barbarossa die blutige Auseinandersetzung mit dem Versprechen einer noch blutigeren:

> Freunde, uns winkt bald
> Ein größrer Gegner und ein größres Schlachtfeld,
> Am Fuß des Harzes, wo der Löwe wandelt
> Und seine Niedersachsen ihn umscharen!
> Bis dahin spare uns den Tod – Denn schlecht
> Kenn ich den Löwen, oder sonst wird da
> Eur Blut schon strömen! (II, 58)[6]

Dass dies ein ideeller Sieg sein soll, wird deutlich, wenn sich Barbarossas Heer „unter Paukenschlag und Trompetengeschmetter mit der Leiche Ottos von Wittelsbach" (II, 61) zurückzieht, und Gherardo angesichts der lombardischen Verluste und Barbarossas Überleben über die Nutzlosigkeit des Erfolgs sinniert. Der versprochene große Kampf findet dann in der Szene V, 1 statt, die einfach mit „Schlachtfeld an der Weser" beschrieben ist. Sie setzt am Standort Kaiser Friedrichs und seines Gefolges ein. Der Kampf ist, wie die ersten Verse des Kaisers verraten, bereits weit fortgeschritten: „Vom frühen Morgen schon bis Nachmittag / Währt dieser Schreckenskampf – Die Heere schmelzen / Zusammen, – aber keines weicht [...]". (II, 92)

Das Außerordentliche der Auseinandersetzung wird allerdings nicht sichtbar. Die Kämpfe finden hinter der Szene statt und sind zunächst als eine Folge von Duellen hörbar, die die Großen der beiden Gefolge untereinander ausfechten. Nur zeichenhaft – und nur auf der Seite Heinrichs des Löwen – ist in dieser Phase der Einsatz von einfachen Soldaten zu erahnen, nämlich wenn mit Wilhelm einer der beiden Landsknechte, die den Kriegergeist von Heinrichs Heer das ganze Stück hindurch veranschaulichen, auf direkten Befehl des Adligen Jordanus Truchseß den kaisertreuen Grafen von Montpellier absticht.

Dies ändert sich, nachdem sich der Kaiser selbst in den Kampf gestürzt hat und der Erzbischof von Mainz, der schon in der vorigen Schlacht für derb-volkstümliche Brutalität zuständig war, mit seinen Truppen die Bühne bevölkert. Er schildert, welcher Fürst gegen welchen kämpft; ungewiss bleibt, ob es sich um Zweikämpfe handelt oder ob die jeweiligen Gefolgsleute involviert sind. Sein Befehl an die eigenen Männer deutet aufs letzte hin: „Würget tüchtig, aber alles christlich!" (II, 94) Beim folgenden Zusammentreffen der überlebenden Getreuen des Kaisers treten zwar wieder auch Soldaten auf, aber der Erzbischof sieht als einzige Möglichkeit, dass Friedrich selbst den Löwen niederringt.

Die Weserschlacht ist, wie die von Legnano, hinsichtlich des Handlungsorts zweigeteilt. Grabbe blendet auf einen anderen Teil des Schlachtfeldes zu Heinrich und seinen sächsischen Truppen über. Der Fürst beklagt den Verlust seiner wichtigsten Gefolgsleute, doch auf seiner Seite sind auch die einfachen Soldaten wichtig. Landolph, der andere der beiden Landsknechte, versichert dem Fürsten seine Treue; der Kaiser dagegen spricht bei keiner Gelegenheit mit niederem Personal.[7]

Vor den sächsischen Soldaten als Publikum erfährt der Erzbischof, wie richtig seine Einschätzung war, dass nur der Kaiser Heinrich den Löwen besiegen könne. Er trifft auf den wichtigsten Feind und greift ihn an. Hier wird tatsächlich eine Steigerung gegenüber der Lombardenschlacht behauptet, doch sprachlich-motivisch ins Groteske verkehrt: „Blut! Blut! Den Wilden da! den Leu'n! Gegrüßt / Mit meiner Keule! – Eins, zwei, drei! Drei Schläge, / Und noch zu Stücken nicht! Westfale, kein / Lombarde!" (II, 95)

Der Tod des Erzbischofs wird knapp abgemacht, ebenso schnell folgen der Erzherzog von Österreich und die Könige von Polen und Böhmen, derweil Wilhelm – wie Landolph berichtet – eben den Grafen von Barcelona beseitigt. In dieser Phase hat ein Teil der sächsischen Truppen die Bühne verlassen. Was der andere Teil zu tun hat, erfährt man auch nicht, als es zum Hauptkampf kommt, als nämlich Barbarossa und Heinrich aufeinandertreffen. Ein langes Gespräch zwischen den beiden Herrschern geht bis zu gemeinsamen Jugenderinnerungen zurück und retardiert den Verlauf. Das Illusionäre der damaligen Vorstellung, die Familien der Welfen und Waiblinger zu versöhnen, wird dann aber durch den akustischen Hintergrund betont: Sachsenheer und kaiserliches Heer bekennen sich hinter der Szene durch Rufe zu ihren jeweiligen Herrschern, von dort ertönt auch „[l]aute Kriegsmusik". (II, 97)

Das Ergebnis des Zweikampfs, der kurz darauf endlich beginnt, wird durch kaiserliche Soldaten vorweggenommen, die über die Bühne sächsische Krieger verfolgen. Als dann Friedrich gesiegt hat und Heinrich verwundet am Boden liegt, wird der durch Sperrdruck hervorgehobene Ruf des Kaisers: „Ich bin Herr / Der Welt! (II, 98) ebenfalls durch fliehende Sachsen unterstrichen. Nach dem Abzug des kaiserlichen Heeres und dem Abgang des geschlagenen Löwen bleiben allein die schwer verwundeten Wilhelm und Landolph zurück, die es nicht bereuen, alles für ihren Herzog geopfert zu haben.

Der Eindruck, den die beiden Schlachtszenen im Vergleich hinterlassen, ist zwiespältig. Auf der einen Seite wird die sprachlich vielfach behauptete Steigerung nicht sinnfällig; die Weserschlacht endet in einem recht umstandslosen Zweikampf. Das Gegeneinander der Parteien ist beim Kampf gegen die Lombarden eindrücklicher entwickelt, wobei Grabbe, indem er wesentliche Verläufe hinter der Bühne und ins nur Hörbare verschiebt, auf die Aufführbarkeit geradezu peinlich Rücksicht nimmt. Aus der anderen Seite wird in der Weserschlacht das Verhältnis des Anführers zur Masse der Gefolgschaft erstmals zum Problem. Es wird hier noch nicht stimmig gelöst, doch bereitet die Darstellung der Weserschlacht insofern das *Napoleon*-Drama vor.

Kaiser Heinrich der Sechste bringt demgegenüber nichts wesentlich Neues. Überhaupt kommt nach der Belagerung der Festung von Rocca d'Arce in der Szene IV, 2 nur ein Kampf skizzenhaft auf die Bühne. Am Beginn der Szene IV, 3 steht wieder die Kriegsmusik der verschiedenen Parteien. In einer konzentrierten Massenszene rücken normannische Truppen vor, flüchten aber kurz danach wieder; die Rebellen Guiskard und Tankred haben schon, als das erste Wort fällt, begriffen, dass sie im Zangengriff von Kaiser Heinrichs Heer und den Verteidigern der Festung verloren haben. Ein kurzer Versuch, die eigenen fliehenden Truppen aufzuhalten, scheitert; bald kommen deutsche Soldaten auf die Bühne und verfolgen die Normannen. Ein einzelner deutscher Krieger erschlägt Guiskard, zum Missfallen des schnell mit dem ganzen Heer nachrückenden Kaisers: „Schont ihn für das Schafott: zu ehrenvoll / Ist ihm der Tod durch Kriegers Schwert!" (II, 221) Der Krieger, der mit einem: „Zu spät, / Da liegt er schon!" antwortet, ist immerhin individualisiert; auch im weiteren Verlauf ist das Verhältnis Heinrichs zu seinen Soldaten anders gezeichnet als das seines traditionalistischeren Vaters, der nur mit Fürsten kommunizierte. Heinrich VI. drückt auch dankbar die Hände einzelner Soldaten, die indessen hier noch kaum über eine Rolle als Staffage herauskommen.

„Napoleon oder die hundert Tage"

Dies ist im folgenden Drama ganz anders. Eine Vielzahl von Personen aus unterschiedlichsten Klassen und Rängen ist individuell charakterisiert. Die beiden Schlachten, die im Stück auf die Bühne kommen – die Schlacht von Ligny im 4. Aufzug, die von Waterloo im 5. – sind mit einer Fülle geographischer und historisch oder wenigstens anekdotisch überlieferter Einzelheiten ausgestattet. Das mag auch daran liegen, dass unter allen von Grabbe gestalteten Schlachtszenen nur diese beiden auf Ereignissen aus neuerer Zeit beruhen, die in ihrem Verlauf genau bekannt sind und von denen zum Zeitpunkt der Entstehung sogar noch Zeitzeugen lebten. Vor allem aber hängt die neue Gestaltung der Kämpfe mit einem veränderten Bild des Verhältnisses des großen Einzelnen und seiner Gefolgschaft zusammen.

Die Steigerungsdramaturgie ist diesmal viel deutlicher ausgeprägt als in *Kaiser Friedrich Barbarossa*: Die Schlacht von Waterloo nimmt, verglichen mit der von Ligny, nicht nur ein Mehrfaches an Zeit ein, sondern verlangt auch erheblich mehr an Aufwand.[8] Was sonst mehrfach in einen Schlachtverlauf zusammengedrängt war, der Sieg der zuerst scheinbar unterliegenden Partei, das ist hier auf die beiden Schlachten verteilt.

Doch sprengt schon die Schlacht von Ligny, in der Napoleon die preußische Armee hart, aber nicht entscheidend schlägt, jeden möglichen Theaterraum: „Das französische Heer. Kanonen werden aufgefahren, die Kaisergarden stehen in Schlachtordnung, die Infanterie- und Kavallerieregimenter der Linie marschieren auf beiden Seiten der Szene auf." (II, 417) Das Massenaufgebot wird eingesetzt: „Der Zwölfpfünder wird abgefeuert. Sofort donnern auch alle französischen Batterien, Heergeschrei, Trommeln, Trompeten, Janitscharenmusik dazwischen." (II, 419f.) Entsprechend umfassend ist nach der Schlacht das Panorama der Zerstörung: „Sombref, Ligny, St. Amand lodern vor der französischen Schlachtlinie in lichten Flammen, – hinter ihr Quatrebras, Pierrepont, Frasnes, Geminoncourt und andere Ortschaften ebenso." (II, 423)

Dies umfasst eine Gegend von etwa acht Kilometern in der Tiefe, wobei die Schwierigkeit, die Zuordnung der zuvor im Dialog gar nicht genannten Dörfer zu leisten, hinzukommt. Die Konkretion der Vernichtung sperrt sich der theatralen Umsetzung; doch gibt es immerhin den Versuch, das Ausmaß der Zerstörung durch den Krieg zu veranschaulichen.

Dieser Ebene steht die Darstellung des zunächst schlafenden Napoleon entgegen, der – wie ängstliche Beteiligte zunächst meinen – zu spät geweckt wird, doch dann sogleich den Überblick besitzt. Napoleon ist überlegener Schlachtenlenker. Die zentralen Informationen über den Kampfverlauf, auf die er stets entschlossen und richtig reagiert, erhalten die Leser bzw. Zuschauer durch Botenberichte an ihn, was die Darstellung aufs Praktikable und theatralisch Etablierte zurückverweist. Dabei ist allerdings neben dem Militärischen das Politische stets präsent. Als Napoleon noch schläft, und ein „in der Ferne in die Schlachtlinie rückendes Regiment" die Marseillaise zu singen beginnt, folgt sofort der Befehl dies zu unterlassen: „Der Kaiser liebt die Marseillaise nicht – Man soll mit ihr aufhören." (II, 418f.)

Statt einer republikanischen Ordnung gibt es den einen großen Mann, der, wie die Schlacht, auch Staat und Gesellschaft kontrolliert und den militärischen Erfolg sogleich politisch ausnutzt:

Estafetten nach Paris: ich hätte gesiegt [...]. Zugleich der Munizipalität durch den Moniteur angedeutet, sie möchte mit Abnahme der Vormundschaftsrechnungen nicht so nachlässig sein, wie im vorigen Jahre, oder mein Zorn träfe sie ärger als die Preußen. (II, 423)

Seine Machtbasis ist indessen die Gemeinschaft der Kämpfer. Die Geschichte der Gardisten Vitry und Cassecœur zieht sich durch das ganze Drama, vergleichbar mit dem Personenpaar Wilhelm und Landolph, doch mit deutlich mehr Raum. Sie zeigt, dass Napoleon, der anders als der Welfe Heinrich der Löwe dynastisch nicht legitimiert ist, seine Macht vor allem als charismatischer Führer einer kleinen Gruppe von Getreuen zu sichern sucht. Die Geschichte der Schlacht von Ligny ist auch eine Geschichte der beiden Soldaten, die vor Napoleons Rückkehr aus Elba noch als abgedankte Veteranen am Rande der Gesellschaft dahinlebten, nun aber, wegen Tapferkeit beim Einschlag von Kanonenkugeln, zu Hauptleuten der kaiserlichen Suite avancieren.

Die Schlacht von Ligny ist akustisch mit Kanonenlärm, optisch mit dem Aufgebot von Massen und Flammen, die umfassende Zerstörung anzeigen, sehr aufwendig angelegt. Gleichzeitig ist sie als bruchlose Verwirklichung von Napoleons Willen und mittels klarer Berichte von dessen Adjutanten durchaus übersichtlich. Es fehlen die Umschlagspunkte, die die Mehrzahl der früheren Schlachten auszeichneten, es fehlen auch ein Szenenwechsel und damit der Blick auf einen Gegenwillen. Dadurch ist das Ereignis klar als Vorspiel zu einem sehr viel größeren Entscheidungskampf gekennzeichnet.

Der preußische Gegner war in den Szenen IV, 4 und IV, 5 nur in der Etappe, während der Vorbereitung des Kampfes, auf die Bühne gekommen. Die Szene V, 2, „Heerstraße in der Gegend von Wavre", zeigt teils dasselbe Personal, nur eben nach der Niederlage und im Chaos: „Linie und Landwehr, hin und wieder in Schwadrone oder Kompanien geordnet, meistens aber aufgelöst, reiten und marschieren durcheinander. Artilleriezüge und Fuhrwerke jeder Art darunter. Auf den Kanonen und Wagen sitzen und liegen Verwundete und Gesunde. Jeden Augenblick stürzen Marode." (II, 432) Bedrohung vermittelt „ununterbrochener Kanonendonner" aus der Ferne, Regen erschwert die Übersicht. Im Vordergrund dominiert die Auflösung jeder Ordnung; im Hintergrund finden sich, Pfeife rauchend, Blücher, und, zu Pferde, Gneisenau. Eine groteske Episode veranschaulicht, wie ausgeliefert die einfachen Akteure dem Unvorhersehbaren sind; ein Berliner Freiwilliger kann eine Ohrfeige des Juden Ephraim deshalb nicht erwidern, weil diesem zuvor eine Kanonenkugel den Kopf abreißt. Beim folgenden Beschuss durch die Franzosen greifen Blücher und Gneisenau ein und stabilisieren die Lage. Im Wortwechsel des Berliner Freiwilligen mit dem Marschall wird insbesondere dessen Volkstümlichkeit hervorgehoben.

Die Szene konzentriert sich im weiteren Verlauf auf das Führungspersonal, insbesondere auf die Auseinandersetzung Gneisenaus und Blüchers mit dem General von Bülow, „welcher, zu Pferde, mit seinem Armeekorps unter Feldmusik in größter Ordnung in die preußischen Linien rückt". (II, 437) Der Streit markiert den Übergang von der preußischen Niederlage bei Ligny zum rettenden Eingreifen bei Waterloo: Bülow kann begründen, weshalb er seine Truppen befehlswidrig nicht erschöpft in die allgemeine Auflösung während der Niederlage geschickt, sondern sie für die Entscheidungsschlacht bewahrt hat.

Die Entwicklung der Szene ist eine von unten nach oben: von den Kriegsfreiwilligen, die noch im ärgsten Durcheinander den Humor bewahren, zu den Kommandeuren, die den Rückzug in einen Vorstoß verwandeln werden. Wo in der Masse der Soldaten Chaos war, da wird es durch die Ordnung von Bülows Korps ersetzt; Feldmusik tritt an die Stelle bedrohlichen Kanonenlärms. Das kollegiale Miteinander der drei preußischen Offiziere markiert eine Differenz zur alleinigen Führerschaft Napoleons, der als Ausnahmegestalt eine außerordentliche Mobilisierungsleistung erbringt, doch bei Waterloo mit einer groben Fehleinschätzung zur Niederlage beiträgt.

Die Übergangsszene V, 3 beginnt mit einem eigentümlichen Nebeneinander von örtlicher Präzision und einer Orientierungslosigkeit, der die Praxis abhelfen soll. In der Szenenanweisung heißt es übersteigert und komplett bühnenfremd:

> Hinter der Schlucht auf den Höhen von Mont Saint Jean steht das Gros des Wellingtonischen Heeres, – rechts von ihr steht das Vorwerk Houguemont, – in einiger Entfernung vor ihr das Gehöft la Haye Sainte, etwas weiter hin das Haus la Belle Alliance, und noch entfernter die Meierei Caillou, – links die Dörfer Planchenoit, Papelotte, Frichemont p.p. (II, 439)

So wie aber ein Zuschauer nicht in der Lage wäre, die Dörfer zu benennen, und die Mehrzahl dieser Orte auch in Grabbes folgender Darstellung keine Bedeutung erlangt, so fragt in der ersten Replik ein „englischer Jäger": „Wie heißt diese Gegend?" und erhält von seinem Sergeanten die Antwort: „Weiß nicht, James, – wir taufen sie bald mit Schlachtenblut." (II, 439)

Der übersichtlichen Szenenbeschreibung entgegen erschweren laut Dialog Regen und Nebel den Überblick. Ein junger Hannoveraner Scharfschütze, berühmt für sein gutes Auge, klärt die Lage, indem er im Nebel ein französisches Regiment ausmacht und es in die Flucht treibt, indem er dessen Obristen erschießt. Die Aktion klärt; französische Soldaten „sprengen heran" (II, 442) und ziehen sich zurück. Wie sich dann eine Schlacht entfaltet, die alles Vorherige übertreffen soll, das erklärt in der Folge ein englischer Obrist:

Wahrlich, ich habe noch keine Schlacht gekannt – Vitoria, wo man sich besinnen und atmen konnte, war Kinderspiel – – Hier jedoch: meilenweit die Luft nichts als zermalmender Donnerschlag und erstickender Rauch, – darin Blitze der Kanonen, flammende Dörfer wie Irrlichter, immer verschwunden, immer wieder da – der Boden bebend unter den Sturmschritten der Heere, wie ein blutiges, ein zertretenes Herz [...]. (II, 443)

Das Unerhörte wird aber von Grabbe schnell auf das Beherrschbare zurückgebracht. Die Szene V, 4 bringt ein weites Panorama der Schlacht von Waterloo, aber als Zentralpunkt die Hügel von Mont Saint Jean: „Auf ihnen Wellingtons Heer. Im Vor- und Mittelgrunde die Infanterie in Karrées, – zwischen diesen die Artillerie, ununterbrochen feuernd [...]." (II, 443) Auch Wellington konstatiert der ganz Neue der Konfrontation, doch bedachtsamer als sein Oberst:

Auch ich finde Ihn und seine Mittel und die Art, wie er sie gebraucht, gewaltiger als ich gedacht. Ich meinte einen etwas besseren General als Masséna oder Soult, die wahrlich auch tüchtige Feldherrn waren, in Ihm zu treffen – – aber das ist gar keine Ähnlichkeit, – wo die aufhören, fängt Er erst an [...]. (II, 444f.)

Mit Mauerschau und Botenbericht stehen etablierte Methoden der theatralen Schlachtgestaltung im Vordergrund. Doch ein hartes Gegeneinander zu den Kavallerieattacken der französischen Seite sprengt diese Konvention auf. Zu sehen ist ein Nahkampf zwischen französischen Reitern und britischen Infanteristen, zu hören ist ein im Bereich der englischen Kanonen ein Dialog von groteskem Humor: „Milhaud: Kamerad, wo dein rechter Fuß? – Ein Kürassier: Mein Fuß? Sakrament, da fliegt er hin, der Deserteur!" (II, 447)

Die Szene bringt gigantomanische Übersteigerung: „(Das Karrée öffnet sich und sechzig schwere Geschütze desselben geben Feuer)" (II, 447), vor allem aber ein Gegeneinander von französischem Aktivismus und englischem Ausharren. Die Szene V, 5 setzt konventioneller ein. Wie in den beiden Schlachten in *Kaiser Friedrich Barbarossa* gibt es einen grundsätzlichen Seitenwechsel. Nun ist die Hauptperspektive der zweifach erhöhte französische Feldherrenblick: Ort ist die „[k]leine Anhöhe vor Caillou", und „Napoleon hält auf ihr zu Pferde." Zwar ist akustisch mehrfach mittels Kanonendonner an die Kämpfe erinnert, und in einem Fall ist das Hörbare auch optisch markiert; „Großes Krachen von Mont Saint Jean her, – ungeheure Flammenmassen fliegen dort in die Luft". (II, 451) Doch dominiert insgesamt Napoleon, der aufgrund von Meldeberichten seine Anordnungen trifft, allerdings die wichtige Information, dass intakte preußische Truppen in die Schlacht eingreifen können, zu spät glaubt.

Die weiteren Meldungen und seine weiteren Befehle ändern nichts mehr. Der Entschluss Napoleons am Ende der Szene V, 5, zusammen mit seinen ältesten

Getreuen zu kämpfen und zu sterben, bleibt folgenlos. Die Szene V, 6 bringt zunächst, als Hintergrund von Wortwechseln, Massenkämpfe: „Das Bülowsche Corps folgt dem des Grafen Lobau, – nur vier Bataillone bleiben zurück, und erstürmen, ungeachtet der heftigen Gegenwehr der Franzosen, welche aus Türen und Fenstern schießen, während des Folgenden Belle Alliance." (II, 455) Französische Reiter verbreiten „im Vorbeisausen" Panik, und so nützt es nichts, wenn sich die Infanterie „noch etwas geordnet" zurückzieht Die Artillerie zerstört den Rest der bestehenden Ordnung: „Sie fahren über einen Teil der Infanterie", der versucht, ihre Flucht aufzuhalten. (II, 456)

Danach zerfällt in der Szene V, 7 das Bündnis zwischen charismatischem Führer und Gefolgschaft. Vor die Wahl gestellt, ob er kämpfend sterben oder fliehen soll, entscheidet Napoleon: „General, mein Glück fällt – Ich falle nicht." (II, 458) In einer letzten Massenszene bringt Grabbe den Endkampf der derart Verlassenen auf die Bühne: „Die Granitkolonne samt Cambronne wird nach verzweifeltem Kampfe zusammengehauen. Die alliierte Reiterei rückt weiter, andere englische und preußische Truppen gleichfalls." (II, 459)

Der Schlachtenraum ist zuletzt der eines pathetischen Untergangs, der sowohl politisch und militärisch sinnlos ist als auch, verglichen mit der Realität, überhöht – der genannte Cambronne brachte es später unter Ludwig dem XVIII. zum Feldmarschall. In diesem Endkampf liegt äußerlich eine Steigerung (die wohl nur schwer zu inszenieren ist), innerlich hingegen eine Bekräftigung, dass das Geschehen ins Leere läuft.

Dieses Geschehen erscheint freilich, Thesen in einem Teil der Forschung entgegen[9], keineswegs als chaotisch, sondern ist auf wenige Hauptaktionen konzentriert: Napoleons von Artillerie und Kavallerie getragene Angriffe auf die englischen Stellungen, das von Wellington befohlene Ausharren, das preußische Eingreifen, der Zusammenbruch der französischen Armee mitsamt dem letzten Ausharren ihrer Garde. Der optische und akustische Aufwand, den Grabbe vorschreibt, mag diesen Überblick erschweren, wird ihn aber nicht verhindern können.

„Hannibal"

Das auf *Napoleon oder die hundert Tage* folgende Drama hat erneut einen Feldherrn zum Titelhelden, doch nimmt es den Stellenwert von Schlachtszenen deutlich zurück. Am Beginn des Abschnitts III „Abschied von Italien" findet sich Hannibal mit seinen Truppen in einem Tal eingekesselt. Die zweite Szene, „Höhe des nördlichen Engpasses bei Casilinum", blendet auf die römische Seite über, wo der Befehlshaber Fabius Maximus mit seinen Truppen den Sieg erwartet. Sie flüchten dann aber vor etwas, was sie für einen Angriff der feindlichen Reiterei halten, was aber nur verkleidete Ochsen sind, die Hannibal auszustaffieren und emporzujagen befohlen hat.

Der vermiedenen Schlacht entspricht die berichtete im Teil V „König Prusias". In Hannibals Exil beim König von Bithynien ist eine Szene aus Karthago zwischengeschaltet, in der heldenhafte Verteidiger der Stadt sich entschließen, angesichts der Übermacht römischer Angreifer die Stadt niederzubrennen. Der „Negerhäuptling" Turnu wird als Kamerad Hannibals fortgesandt, um dem einstigen Heerführer den Verlauf von Karthagos Untergang zu übermitteln. Dies gelingt; in der übernächsten Szene berichtet Turnu Hannibal von den verschiedenen Phasen der Verteidigung Karthagos und dem Brand, der der Stadt ihr Ende bereitete. Das Untergangsgeschehen erscheint in epischer Distanz.

Die einzige wirkliche Schlacht in der Bühnengegenwart ist die von Zama im Abschnitt IV „Gisgon". Es gibt zwei Vorbereitungsszenen. Die erste, „In der Nähe des Städtchens Zama", zeigt das römische Lager: „Vor dem Zelt der Scipionen. Das Heer und die Hülfstruppen in Schlachtordnung". (III, 130) Sie erweist die Rücksichtslosigkeit der römischen Befehlshaber, die Verhandlungen mit Hannibal nur akzeptieren, um ihre Aufstellung zu vervollkommnen. Entsprechend kann die Unterredung zwischen Hannibal und Scipio dem Jüngeren in der folgenden Szene „Die Ebene zwischen beiden Heeren" zu keiner Verständigung führen und endet mit dem Ruf zur Schlacht.

Der Kampf selbst ist qua Mauerschau dargestellt. Auf einer „Warte über einem Haupttor Karthagos" sagt ein Pförtner seinem „Knaben": „Kind, sieh genau hin, denn heute erblickst du etwas, wovon du nach hundert Jahren erzählen kannst, und zum Glück ists helles Wetter." (III, 134)

Das naive Kind nimmt zunächst „lustige Musik" und die „blanken Harnische" (III, 134) wahr; dieser Eindruck des Hellen verfinstert sich während der folgenden Gewalt. Als Angehörige des Volkes sind Vater und Sohn ganz auf der Seite Hannibals, solange es darum geht, Erfolge und Krisen im Kampf gegen den römischen Feind zu benennen. Doch all diese Anstrengung hilft nicht. Zwar fragt der Knabe angesichts der karthagischen Reserven, die er sieht, nach „den Unzähligen, die nahe vor uns stehen, so schön in Silber gewaffnet, ihm [Hannibal, K.K.] zu helfen", und die sich nicht rühren. Der allzu weltkluge Vater aber weiß:

Müßten auch Narren sein, ihre teuren Rüstungen und ihr kostbares Leben einzusetzen. Genug, daß sie dastehn und dem Feinde Achtung einflößen. Sprich vorsichtiger von ihnen, Junge. Es sind die Söhne unserer angesehensten Familien, und von ihnen hängt es einst ab, ob du mein Nachfolger werden sollst oder nicht – Die Unsterblichen sind's! (III, 135f.)

Im Zentrum des Gesprächs steht weniger die Schlacht selber als der Grund für Hannibals Niederlage; wie der Feldherr an den Politikern scheitert, so dominiert in der Darstellung das Politische über das Militärische. Der Pförtner enthüllt wider Willen die Gründe für die Notwendigkeit der karthagischen Niederlage, die das Kind, sei es naiv oder selbst schon zynisch, rasch auffasst: Die Unsterblichen hießen wohl so, weil „sie, wie jetzt, weglaufen, ehe man sie totschlägt". (III, 136)

„Der Cid"

Grabbes Opernlibretto für Norbert Burgmüller enthält drei Schlachtszenen, die als Kriegsdarstellung kaum in Betracht kommen, weil der Text eher Gattungsmuster parodiert als einen Inhalt von irgendeinem Eigenwert vorzustellen.

Am ehesten ist noch die Szene 2 Grabbes ernsthaften Schlachtszenen zuzuordnen. Die muslimischen „Mohren" scheinen siegreich, und wie zuvor Sulla befiehlt der Cid einen Angriff in praktisch aussichtsloser Lage. Erfolg ist – und hier beginnt die Groteske – ein Farbwechsel der befehlsgemäß Geprügelten: „Die Mohren werden geschlagen, so daß sie etwas schwärzer werden wie Mauren oder Mohren gewöhnlich sind." (II, 527)

Die Szene 6 verlangt dann „Furchtbarer Spektakel", wobei Opernzitate das Geschehen sogleich in den Bereich der Kunstparodie verlagern und, nachdem ein islamischer Jussuf von einer Armee von drei Millionen Mann gesprochen hat, in eine Satire auf die Theaterpraxis. So kommandiert der Cid: „Schiebt hier zwölf Statisten vor. Dort neun. Mehr kann ich nicht bezahlen. So. Die Bataille ist gewonnen." (II, 533)

Nach diesem Sieg der wenigen Statisten über die imaginierten vielen Feinde folgt in der Szene 8b der Sieg des auf einem Schaf reitenden Cid, der am rechten Bühnenrand platziert ist, über eine Million Gegner links, die vom Schaf gefressen werden. Nach der Parodie auf den sparsamen Theaterbetrieb in Szene 6 ist dies – jedenfalls bei der Lektüre – Parodie auf Grabbes eigene Anforderungen im „Napoleon"-Drama, die in seinem letzten Stück ihre Entsprechung finden werden.

„Die Hermannsschlacht"

Dem Titel entsprechend ist in diesem Drama der Kampf das Zentralereignis und nimmt etwa die Hälfte des Textes ein. Ausgangslage ist, dass Hermann sich zum Schein mit dem römischen Feldherren Varus, der Germanien erobern will, verbündet hat und ihn samt drei Legionen in die Falle lockt. Zu Beginn des Kampfes trennen sich die cheruskischen „Hilfsvölker" von den Römern und vereinigen sich auf Anhöhen rings um die unten umzingelten Eindringlinge mit anderen Germanen. Hermanns offener Seitenwechsel markiert den Beginn der Schlacht, die sich über drei Tage und Nächte hinzieht, nach zeitweilig erfolgreichen römischen Operationen ihren Ort wechselt und mit der Vernichtung der Legionen endet.

Dabei wird einerseits die Zeit verdichtet. Der erste Kampftag umfasst knapp die Hälfte der Schlachtszenen und der zweite Tag etwa ein Viertel. Die erste und zweite Nacht bilden kurze Zwischenspiele, während denen die Heere räumlich getrennt ausruhen; eine Verbindung gibt es nur in der ersten Nacht, und zwar akustisch – indem das germanische „Bardengeheul", das Grabbe von Klopstocks *Hermann's Schlacht* übernommen haben mag, die Römer quält.

Der dritte Tag scheint mit einem Szenenwechsel auf die „Falkenburg" von Hermanns romtreuen Schwiegervater Segest ein retardierendes Element zu haben. Doch erweist sich dies als räumliche Verdichtung, wenn Grabbe vorschreibt: Segest „steigt die Falkenburg hinunter und begegnet Varus." (III, 370) Zudem wird der Ablauf intensiviert, indem sich die Kämpfe des dritten Tags bis in die dritte Nacht, bis zu Varus' endgültiger Niederlage, fortsetzen; dieser Abschnitt umfasst wiederum ein Viertel der Schlachtszenen.

Szenisch wirkt dieser Raffung andererseits entgegen, dass die Ereignisse keineswegs beschleunigt ablaufen, sondern nur eben pro Schlachttag weniger Details zu sehen sind. Dass in diesem Fall Grabbe auf eine Steigerungsdramaturgie verzichtet, zeigt der frühe Einsatz der Elite, den Varus pragmatisch begründet: „Die Triarier sollen zwar stets als die letzten und besten im Kampf aufgespart werden, doch kehren wir die Ordnung um, brauchen wir sie einmal als die vordersten. Cäsar kehrte auch oft eine Regel um und siegte." (III, 364)

Die taktische Lage des ersten Tages ist von Beginn an klar: Die Deutschen besetzen die Berge, die Römer befinden sich unten; die Dörenschlucht, auf die sich Hermann zunächst von Varus entfernt, ist keine Talgegend, sondern ein Höhenzug. So haben im ganzen weiteren Verlauf dieses Tages die Römer den Nachteil, dass sie nach oben angreifen müssen.

Schon bei dieser Gelegenheit werden zwar große Räume durchquert, die bühnentechnisch kaum wiederzugeben sind. Doch schwankt Grabbe hier noch in seinen Darstellungsmitteln. Eine mehrere Druckseiten umfassende Kampfphase mit der germanischen Bergstellung wird zunächst als Handlungsort dargestellt: Eine Stimme erklingt „aus der Tiefe", und Reitertrupps, die die Gefährdeten unterstützen sollen, bringen „nach einer Pause" die Überlebenden nach oben zurück. (III, 350) Doch kurz darauf nimmt Grabbe auf diese Vorgabe keine Rücksicht mehr. Das gesamte Schlachtfeld wird zum Schauplatz.

So wäre die westfälische Landschaft zwischen Dörenschlucht und Falkenburg der ideale Ort einer Aufführung. Varus erkämpft am zweiten Schlachttag den Übergang über die Retlage (III, 362) und seine Legionen kommen „unter beständigem Handgemenge bis auf das Bruch bei Detmold". (III, 363) Mehr noch als im *Napoleon*-Drama herrscht eine Art Übernaturalismus: Der Schlachtort ist nicht theatergemäß zeichenhaft gekennzeichnet, sondern genau jene Landschaft, die Grabbe als Ort des historischen Ereignisses vermutete – freilich anachronistisch mit neuzeitlichen Ortsnamen markiert.

Der realen Landschaft als idealem Ort eines ins Überdimensionale ausgeweiteten Theaters entspricht zum einen ein Massenaufgebot, wie es von Grabbe es schon für seine Waterloo-Gestaltung gefordert hat. Umfassende Reiterattacken sollen zu sehen sein, ganze Legionen marschieren, so etwa, wenn man alle drei auf römischer Seite beteiligten Legionen sieht: „Die neunzehnte und zwanzigste Legionen folgen dichtgedrängt der achtzehnten auf den Fuß". (III, 362) Wenn am Morgen des dritten Tags Varus das Ausstehen befiehlt, so sieht er (und sollen die Zuschauer sehen): „Da bleiben Tausende liegen!" (III, 368)

Wie im *Napoleon*-Drama ist zum anderen, jedenfalls auf der deutschen Seite, eine soziale Schichtung zu sehen, mit Hermann als Führer (der mit seinem Plan, Rom anzugreifen, politisch scheitert), mit Fürsten als Unterführern, die misstrauisch vor einer Alleinherrschaft Hermanns mindestens so viel Angst haben wie vor einem römischen Sieg; und mit den Geführten, die hartnäckig ihr eigenständiges Leben zu verteidigen bereit sind, doch keineswegs Hermann bei einer Offensive gegen das stets noch drohende imperialistische Rom unterstützen mögen. Noch vor dem militärischen Erfolg, nämlich in der zweiten Nacht, resigniert deshalb Hermann politisch.

Die Hermannsschlacht ist also insofern der Hannibals bei Zama zu vergleichen, als die kriegerischen Auseinandersetzungen als eng verknüpft mit internen Konflikten gezeigt werden. Doch nimmt sich hier der Führer zurück, wobei er sowohl den Wünschen der Großen seiner Seite entspricht als auch denen des Volks, das zwar auf Hermann fixiert ist, doch – erstmals bei Grabbe[10] – eine eigene politische Position bezieht und diese sogar durchsetzt.

Auf der römischen Seite ist das Verhältnis insofern weniger komplex, als die Ebene der einfachen Soldaten hier – zumindest im Dialog – fehlt; sie wurde freilich in der allerersten Szene des Stückes gezeigt. Doch findet sich auch hier eine Parallele zum *Hannibal*, insofern Varus auch am Krämergeist scheitert. Sein Hauptkontrahent im eigenen Lager ist nicht der erfahrene Eggius, der, obgleich Kommandant einer Legion, sich schließlich als für den Endkampf zu schwach erweist, sondern ein Schreiber, den angesichts der drohenden Niederlage nichts mehr interessiert, als von Varus, solange der noch lebt, eine für den Eigentumserhalt notwendige Unterschrift zu bekommen. Derartige Leute sind freilich

Hassobjekt aller Großen. Hermann duldet die Folter, die das Volk für den Schreiber verlangt; er schreitet erst danach ein, um die Arbeitskraft der anderen Gefangenen für den Wiederaufbau zu bewahren. (III, 375f.)

Anders als noch in *Napoleon oder die hundert Tage* spielen Botenberichte keine Rolle mehr; die Schlacht wird durchgehend als theatrale Gegenwart gezeigt. Auch ist – abgesehen von den ersten beiden Nächten, die Kampfpausen bedeuten – kein Szenenwechsel mehr vorgesehen, der Befehle und Handlungen der germanischen und der deutschen Seite trennen würde. Das kann sich – während des ersten Tages – zu einer Dreierkombination steigern, in der von unten Varus Eggius zu rascheren Erfolgen gegen die die germanischen Stellungen mahnt, der Offizier von der Mitte her antwortet und Hermann oben befiehlt. Dabei tritt zur militärischen Konfrontation die sprachliche – wenn Eggius im Namen des Kaisers den Angriff befiehlt und Hermann darauf reagiert, indem er die im Namen des Kaisers begangenen Verbrechen in Erinnerung ruft. (III, 354)

Der Schlachtraum ist damit – verglichen mit den vorangegangenen Gestaltungen – zugleich im szenischen Arrangement verdichtet und von den Ortsangaben her ausgeweitet. Diesem Widerspruch entsprechen Aktionen der Landschaftsbeherrschung wie Erfahrungen von Ortsverlust. Zu ersteren gehört Hermanns Strategie, bereits während der Schlacht Stätten markanter Ereignisse umzubenennen und sie so im kollektiven Gedächtnis mit dem Sieg zu verbinden: Die Berlebeke soll „Knochen- und Blutbach" heißen (III, 369), das Windfeld „Winfeld, weil wir drauf nicht Wind machen, sondern da gewinnen werden." (III, 371)

Die Größe und Gewaltsamkeit des Geschehens setzt hingegen einer solchen Orientierungsmöglichkeit Grenzen. Die westfälische Heimat ist ins Nationale – und damit ins Unanschauliche – geweitet, wenn Hermann „mit seinem Heere von West, und viele Bundesgenossen von der Weser und Elbe von Ost auf die Römer losstürzend" (III, 370) agieren soll. Eine zweite Variante der Entortung geht auf Destruktion zurück. Als Varus am Ende des zweiten Schlachttages befiehlt, sich in Detmold festzusetzen, informiert ihn ein Legat: „Das geht nicht, Prokonsul. Der Ort ist abgebrannt, wie alle übrigen Flecken, Dörfer und Weiler umher." (III, 364)

Zuletzt geht, im Übergang zur dritten Nacht, sogar noch die Möglichkeit des Sehens verloren. Am Ende des dritten Tages war die Bedeutung des Akustischen hervorgehoben, „Hörner, Pauken, Kriegsgeschrei der Deutschen und allgemeiner Kampf". (III, 371) Das ist der Hintergrund dessen, was dann abläuft: „Wütendes Nachtgefecht" (III, 372). Dabei soll noch sichtbar sein, die die Reste der römischen Legionen allmählich zusammenschmelzen, die deutschen Verluste hingegen durch hinzukommende Kämpfer ersetzt werden. Erst als ein römischer Pfeil Hermann leicht verwundet, befiehlt dieser, die Fackeln

zu löschen, damit er nicht weiterhin ein Ziel bietet. Der Rest des Geschehens
müsste folgerichtig allein durch Repliken vermittelt in weitgehender Dunkelheit ablaufen; doch immerhin heißt es im Nebentext: „Die zwanzigste Legion
wird zurückgetrieben, und unten durch Ingomar und seine Truppen vernich-
tet",[11] und Ingomar, „einen römischen Adler in der Hand, ersteigt die Berg-
fläche". (III, 374)

Das Ende der letzten von Grabbe auf die Bühne gebrachten Schlacht ist somit
in seiner intendierten Wirkung nur schwer festzuschreiben. Ob nun aber völlige
Dunkelheit herrscht oder ob umfassende Entwicklungen immerhin wahrge-
nommen werden können: Es spricht viel dafür, dass für diesen Schlusskampf das
Akustische, das in der Konkurrenz der Sinne bei der Inszenierung von Waterloo
am Ende doch unterlag, dominiert.

Schluss

Aus der Betrachtung der Einzelszenen lassen sich sechs übergreifende Thesen
ableiten.

Erstens folgen mehrere der Schlachtanlagen einer Steigerungsdramaturgie.
Das kann Schlachtpaare betreffen – die Kämpfe bei Lombardo und die an der
Weser, Ligny als Vorspiel zu Waterloo. Es kann aber auch durch die Intensität
der Auseinandersetzungen vermittelt sein, wie sie mehrfach der aufgeschobene
Einsatz von Eliteeinheiten anzeigt. Die Vernichtung der „Granitkolonne" am
Ende der Schlachtszenen von Waterloo bestätigt dies zwar, ist aber insofern Aus-
nahme, als diese Treue zu einem Herrscher, der bereits auf der Flucht ist, gleich-
zeitig Gipfelpunkt von Heldentum und sinnlose Aufopferung ist.

Zweitens, und damit verbunden, zeigt sich eine Dramaturgie des Wechsels.
Zumeist gewinnt jene Seite, die am Beginn der Kämpfe in Bedrängnis gerät. Was
die Schlachtpaare angeht, zeigt sich dieser Wechsel auch im Großen: Friedrich
Barbarossa verliert gegen die Mailänder, aber spart den Kern seiner Truppen für
den Sieg an der Weser auf. Napoleon verliert keinen Moment die Kontrolle über
die Ereignisse bei Ligny, aber verliert bei Waterloo. Die Dramaturgie des Wechsels ist auch dadurch gestützt, dass in mehreren der umfangreichen Schlachtdarstellungen der Handlungsort wechselt – und zwar auf jene Seite, die zuletzt
verliert.

Drittens besteht ein Spannungsverhältnis zwischen Führern und Gefolgschaft. In *Herzog Theodor von Gothland* bildet letztere nur den Hintergrund für
die moralische Entwicklung der Hauptfiguren; in *Marius und Sulla* sind die Soldaten das Material ihrer charismatischen Kommandeure. Erst in den Hohenstaufen-Dramen stellt sich die Frage, inwieweit die szenische Repräsentanz der

Masse Eigenwert hat, wobei sich eine Tendenz von der Fixierung Barbarossas auf den hohen Adel zu einem moderneren Verhalten Heinrichs des Löwen und Heinrichs des Sechsten zeigt. Napoleon mit seinem steten Blick auf Gefolgschaft und Innenpolitik radikalisiert diese Politik, wobei er zuletzt das Bündnis von Führer und Geführten verrät. Umgekehrt wird in der Schlacht von Zama der Verlierer Hannibal, wenngleich er seine Soldaten kontrolliert, Opfer karthagischer Innenpolitik. Der militärisch siegreiche Hermann scheitert dann politisch am Unwillen seines Heerhaufens wie auch der Fürsten, nach der Vernichtung der imperialistischen Invasionsarmee auf das Zentrum des Imperialismus vorzustoßen; ein angesichts des national- wie lokalpolitisch hochgewerteten Stoffs problematisches Resultat, das nur außerhalb der Schlacht, im in Rom spielenden Epilog, aufgefangen werden kann.[12]

Daraus folgt viertens, dass die Schlachtszenen ins Zentrum der Handlung rücken. Im *Gothland* sind sie Hintergrund und Anlass der Auseinandersetzung zwischen den Hauptfiguren, in *Marius und Sulla* Gelegenheit, Führereigenschaften zu entfalten. Noch in *Kaiser Friedrich Barbarossa* sind die Schlachten eher Mittel, die Monumentalität des Geschehens zu demonstrieren, als das bewegende Element der Handlung. Heinrich VI. tritt dann eher als Politiker denn als Schlachtenlenker auf, und Hannibals Kämpfe sind durch politische Intrigen vorweg entschieden. Doch im *Napoleon* und der *Hermannsschlacht* sind militärische und politische Entscheidung ganz bzw. weitgehend identisch.

Dies mag fünftens ein Grund dafür sein, weshalb in diesen beiden Dramen die Schlachtszenen besonders ausgedehnt sind und der verlangte Aufwand, nähme man die Bühnenanweisungen wörtlich, das Medium Theater sprengt. Damit ist indessen nicht erklärt, weshalb zum massenhaften Einsatz der Mittel ein Naturalismus der Lokalität tritt, der zugunsten einer historisch getreuen Szenerie Punkte bezeichnet, die für die Haupthandlung der dramatisierten Schlacht nicht relevant werden (*Napoleon*) oder der sich sogar einer Identität von historischem Ort und Dramenort annähert. Dass dies nicht einfach Marotte des späten Grabbe ist, zeigen zwischen diesen Stücken *Hannibal* (der ganz ohne aufwendige Schlachten auskommt) und *Der Cid*, wo der tatsächliche Umgang des Theaters mit solchen Anforderungen parodiert ist. Vielmehr geht es darum, einen umfassenden Kriegs- und Zerstörungsraum zu veranschaulichen, der etwas von der Vieldimensionalität eines Schlachtengeschehens vermitteln kann. Mittel dazu ist auch die Ausweitung der akustischen Mittel: Musik, Pferdegetrappel und Rufe hinter der Szene in den frühen Dramen werden durch Kanonendonner und Explosionen ergänzt; in der *Hermannsschlacht* – die bedingt durch die eingesetzten Waffen diese Ebene wieder zurücknehmen muss – entsteht dann sprachlich ein Kampf- und Propagandaraum, der stellenweise die Grenze zwischen den Parteien überschreitet.

Sechstens führt der Aufwand der Mittel im *Napoleon* und der *Hermanns-schlacht* zur Darstellung eines Chaos, das freilich sehr begrenzt bleibt. Gegen-mittel ist zum einen eine brutale Lustigkeit, für die in *Kaiser Friedrich Barba-rossa* mit dem Erzbischof von Mainz noch ein Fürst zuständig war, die nun aber auf die Ebene der Gefolgschaft verlagert ist. Zum anderen setzt Grabbe stets sprachliche oder szenische Mittel ein, um die Hauptlinien des Kampfes zu ver-deutlichen und die Übersicht der Kommandoebene herzustellen. Seine Schlach-ten rufen das Chaos nur dazu auf, um zuletzt den Krieg als ordnungsstiftendes Element herauszustellen.

Anmerkungen

1   Vgl. Manfred Schneider: Destruktion und utopische Gemeinschaft. Zur Thematik und Dramaturgie des Heroischen bei Grabbe. Frankfurt a. M. 1973, S. 83.
2   Vgl. Bernd Vogelsang: Das Theater Grabbes und das Problem der „Unspielbarkeit". In: Grabbe-Jahrbuch 12 (1993), S. 26-48.
3   Beispiele bei Maria Porrmann: Grabbe – Dichter für das Vaterland. Die Geschichts-dramen auf deutschen Bühnen im 19. und 20. Jahrhundert. Lemgo 1982; für die neueste Zeit Peter Schütze: Eigentlich gut spielbar... Grabbe auf deutschen Bühnen. In: Grabbe-Jahrbuch 28/29 (2009/2010), S. 37-66.
4   Vgl. Wolfgang Hegele: Grabbes Dramenformen. München 1970, S. 150.
5   Ein detaillierter Vergleich dieser Szenen ebd., S. 143f.; S. 152 der Hinweis, dass von der Zweitfassung von *Marius und Sulla* an die Führer nicht mehr über ihre Situation reflektieren, sondern sprachlich zielgerichtet handeln.
6   Zum Verhältnis der beiden Schlachten Näheres bei Antonio Cortesi: Die Logik von Zerstörung und Größenphantasie in den Dramen Christian Dietrich Grabbes. Bern u.a. 1986, S. 188ff.
7   Schneider: Destruktion (Anm. 1), S. 88, weist auf die Bedeutung dieses Figurenpaars hin, durch die zum ersten Mal bei Grabbe die sozial Unteren während der Schlacht eine individualisierte Stimme bekommen, was die Darstellung des Krieges als „sozia-lem Schmelztiegel" vorbereitet.
8   Wenigstens ein Beleg für Grabbes kalkulierten Aufbau soll hier gegeben werden. An Kettembeil schreibt er am 4. Februar 1831: „Sämmtliche Wasserkünste dürfen aber bei Ligny nicht springen, weil Waterloo blendender seyn muß." (V, 322).
9   Vgl. vor allem Carl Wiemer: Schall und Rauch oder das Vergehen von Hören und Sehen. Grabbes Phänomenologie des Krieges. In: Ders.: Der Paria als Unmensch. Grabbe – Genealogie des Antihumanitarismus. Bielefeld 1997, S. 81-103. Wie-mer kommt das Verdienst zu, mit Verweisen auf zeitgenössische Kriegsberichte auf den Lärm und die Rauchentwicklung der Schlacht, die von Grabbe durchaus ein-bezogen ist und von einer auf Dialoge konzentrierten Literaturwissenschaft leicht überlesen wird, aufmerksam gemacht zu haben. Doch vernachlässigt er seinerseits

die Kontrolle von oben, auf die beide Schlachtszenen zielen; vgl. hier zutreffend Detlev Kopp: Geschichte und Gesellschaft in den Dramen Christian Dietrich Grabbes. Frankfurt a. M. 1982, S. 149. Eine vermittelnde Position findet sich bei David Lescot: Dramaturgies de la Guerre. Belfort 2001. Lescot sieht zwar auch in den Schlachtszenen das Volk noch als geschichtsprägende Kraft (S. 154) und akzentuiert das Schlachtfeld als Ort unzähliger, nur schwer zu verarbeitender Sinneseindrücke (bes. S. 167), doch erkennt er zuletzt den ordnenden Blick von oben als Gegenbewegung. (S. 168ff.)

10 Vgl. Schneider: Destruktion (Anm. 1), S. 375.

11 Dass solche Vorgangsbeschreibungen dem Begriff dramatischer Zeit widersprechen, hat Schneider: Ebd., S. 374, hervorgehoben, was ihn – neben anderen Gründen, wie der fehlenden Bindekraft des Dialogs – zur Abwertung dieses Dramas führt.

12 Hegele: Grabbes Dramenformen (Anm. 4), S. 148, betrachtet die Frage unter dem Gesichtspunkt der Modernisierung des Krieges mit seinen größeren Heeren und ausgedehnteren Schlachtfeldern. Doch trotz wachsender Entfernungen findet Grabbe im Napoleon Möglichkeiten, direkte Verständigung zwischen Kommandeuren und einfachen Soldaten auf die Bühne zu bringen.

Annäherung an einen „elektrischen Geist"
Gutzkow sucht Grabbe und findet ihn nicht

Christian Dietrich Grabbe und Karl Ferdinand Gutzkow sind einander nie begegnet. Von einem möglichen Briefwechsel ist nichts überliefert. Gleichwohl finden sich eindeutige Hinweise auf eine sporadische Korrespondenz. Gutzkow berichtet 1838 in seinem Nachruf auf den verstorbenen Kollegen, er habe „briefliche von ihm selbst herrührende Mittheilungen" erhalten, die man aber „ihrer übertriebenen verrückten Persönlichkeiten wegen nicht abdrucken" könne.[1] Grabbe seinerseits bestätigt in einem Brief an seinen Düsseldorfer Verleger Schreiner vom 31. Oktober 1835, dass er Gutzkow und Wienbarg die „Theilnahme an ihrem künftigen Journal" versprochen habe. (VI, 289) Gemeint ist die gemeinsam von Wienbarg und Gutzkow geplante *Deutsche Revue*.

Ein im Dezember 1834 von Gutzkow in Frankfurt, ohne Absprache mit Grabbe, geplantes Treffen kam nicht zustande. Gutzkow hatte die Redaktion des „Literatur-Blattes" im *Phönix. Frühlingszeitung für Deutschland*, übernommen, den Eduard Duller im Verlag Sauerländer gegründet hatte und der dann erstmals am 1. Januar 1835 in Frankfurt erschien. Als Gutzkow am 27. Dezember 1834 nach Frankfurt kam, wollte er mit Grabbe auch über dessen Mitarbeit am *Phönix* reden. Der aber hatte inzwischen seinen kurzen Aufenthalt in Frankfurt (seit seiner Abreise aus Detmold am 4. Oktober 1834) abgebrochen und war nach Düsseldorf zu Immermann geflüchtet, wo er am 6. Dezember 1834 ankam.

Schon vor dem Eintreffen Gutzkows in Frankfurt hatte Grabbe mit Duller Bekanntschaft geschlossen, wie aus einem kurzen Brief vom 18. November 1834 hervorgeht: Er wollte Duller besuchen, traf ihn aber nicht an und bat um einen Besuchstermin. (VI, 99) Ob dieses Treffen stattgefunden hat, ist nicht mehr zu klären, da eine weitere Korrespondenz mit Duller nicht erhalten ist, bis auf einen viel späteren Brief vom 21. April 1836, in dem er Duller als „Hochgeehrtester Freund" anredet. (VI, 329) Jedenfalls muss er Duller noch in Frankfurt den Abdruck einer Szene aus *Hannibal* erlaubt haben. Die Szene „Vor Rom – Hannibal mit Truppen" erschien bereits in der Nr. 3 des *Phönix* vom 3. Januar 1835 und wurde als „Bruchstück der ältesten Fassung" von Bergmann in dessen Gesamtausgabe wieder veröffentlicht. (III, 3-6) Die erste Ausgabe von Gutzkows „Literatur-Blatt" erschien erst am 7. Januar 1835.[2]

Tatsächlich hat Gutzkow weder im *Phönix*, aus dessen Redaktion er bereits im August 1835 wieder ausschied, noch im neu gegründeten *Telegraph für Deutschland* je eine Zeile von Grabbe veröffentlicht: offenkundig, weil Grabbe sein von ihm erwähntes Angebot niemals konkretisiert hat. Gutzkow war stets darauf bedacht, in allen Auseinandersetzungen der „literarischen Epoche" präsent zu sein. Die von ihm selbst ins Leben gerufenen Zeitschriften beschleunigten den prinzipiell öffentlich geführten Diskurs, in dem es vordringlich darum ging, die Meinungsherrschaft zu erringen und zu verteidigen. Sein *Telegraph für Deutschland* repräsentierte schon im Titel das Programm der Beschleunigung des Kommunikationsprozesses: 1832 wurde die erste elektrische Telegraphenlinie in Deutschland errichtet. Gutzkow operierte auf der Höhe der Zeit. Er machte die Zeitungen zum Kriegsschauplatz, während Grabbe aus den Zeitungen und Zeitschriften, die er bei seinem Düsseldorfer Buchhändler und Verleger Schreiner entlieh, seine gesamten Kenntnisse über die literarischen Zeitgenossen bezog, ohne sich an den literarischen Fehden jemals öffentlich zu beteiligen. Für ihn war das Medium bereits die Botschaft, und die lautete immer gleich: „Der Phönix hat mich wo erwähnt. Taugt doch nichts."[3] (VI, 273)

Der Beitrag, den er Gutzkow für dessen *Revue für Deutschland* versprochen hatte, belegt den sorglosen Umgang Grabbes mit seinen literaturkritischen Texten. Dabei handelt es sich um die Rezension zu Bettina von Arnims *Goethe's Briefwechsel mit einem Kinde. 2 Theile, und Tagebuch* (Berlin: Dümmler 1835), die aber keineswegs direkt für Gutzkow bestimmt war. Grabbe hatte die beiden Bände Anfang Mai 1835 von Immermann zur Lektüre erhalten und, wie aus einer Notiz vom 8. Mai 1835 hervorgeht, angeblich auch gelesen. (VI, 220) Die Lektüre kann nur oberflächlich gewesen sein, denn am 23. Mai bittet er den Buchhändler und Verleger Schreiner, ihm den 2. Band für seine Rezension zu leihen: „Ich hätte Lust, daran zu bläuen, obgleich ich bei der Lectüre (ich habe den 1sten Theil nicht durchlesen können) kränklich werde." (VI, 234)

Obwohl er demnach beide Bände noch gar nicht richtig gelesen hatte, muss Grabbe die Rezension schon Anfang Juni abgeschlossen haben. Denn am 22. Juni bietet er Wolfgang Menzel „ein Dings über Bettinas Briefwechsel" auf etwas kryptische Weise zur Veröffentlichung in dessen einflussreichem „Literatur-Blatt" an: „Es ist von mir, aber gehört jetzt dem Dr. Runkel allhier, der es von mir geschenkt erhalten, aber verbessert hat." (VI, 257) Martin Runkel (1807-1872) war Eigentümer und Redakteur der Zeitschrift *Hermann*, in der eine Reihe von Grabbes Theaterkritiken erschienen. Trotz etlicher abfälliger Bemerkungen über Runkel in Briefen an Immermann, gehörte dieser zu seinem engeren Bekanntenkreis in Düsseldorf. Aus mehreren Briefstellen geht hervor, dass Grabbe sich auf Spaziergängen mit ihm erholte, wenn ihm Krankheit und Depressionen zusetzten.[4] (VI, 242) In einer kurzen Notiz vom 17. Juni 1835 bittet er Runkel, „unter meinen Debatten über Bettine und Goethe u. Schiller meinen Namen oder seine Andeutung" wegzulassen.[5] (VI, 250) Zu dieser Publikation kam es nicht mehr, da der *Hermann* bereits am 30. Juni 1835 sein Erscheinen einstellte.

Man kann nicht direkt behaupten, dass Grabbe sein Gutzkow gegebenes Versprechen nicht habe einhalten wollen. Allerdings erinnerte er sich erst vier Monate später daran, nachdem er von Runkel erfahren hatte, dass Wienbarg und Gutzkow seinen Namen in einer Liste der für die *Deutsche Revue* vorgesehenen Beiträge in der *Allgemeinen Zeitung* vom 26. Oktober 1835 genannt hatten. Offensichtlich kommt er der eingegangenen Verpflichtung nur sehr ungern nach. An Schreiner schreibt er am 31. Oktober: „Was soll ich machen? Runkel verwundert sich, aber ich kenne nicht die literarischen Cotterieen,und gab mein Wort." (VI, 289) Zugleich bittet er Schreiner um Zusendung eines nicht überlieferten Briefes von Wolfgang Menzel, in dem dieser die Veröffentlichung der Rezension über Bettinas Briefwechsel abgelehnt hatte. Bei Menzel entschuldigt er sich am 22. November für die Verwirrung, die bei der Übergabe der Rezension durch Runkel entstanden war, vor allem aber, weil er sie Gutzkow versprochen hatte: „Ich will das Zeugs von Bettina dem Gutzkow überlassen, weil ich ihm, ehe ich sein Verhältnis zu Ihnen kannte, einen Beitrag zu einem Journal, das er mit Wienbarg, der so übel nicht, geben wollte." (VI, 294)

Anscheinend wusste Grabbe noch nicht, dass sein Gutzkow gegebenes Versprechen bereits obsolet geworden war. Gutzkows und Wienbargs *Deutsche Revue* war bereits am 14. November 1835 noch vor dem Erscheinen der ersten Nummer verboten worden, und auch das „Literatur-Blatt" des *Phönix* kam dafür nicht mehr infrage, da Gutzkow seine Mitarbeit bereits im August gegenüber Eduard Duller und dessen Verleger Sauerländer aufgekündigt hatte. Grabbe brauchte nicht zu befürchten, die „Bettina-Sache" werde ihm „beim Publico vermuthlich schaden", wie er in dem Brief an Menzel schreibt, und auch seine Bemühungen, die Rezension wenigstens ohne Nennung des Verfassers zu veröffentlichen, hatten sich erübrigt. Zwar bot er sie am 21. April 1836 Eduard Duller für den *Phönix* an, der aber „aus Schicklichkeitsgründen" von einer Veröffentlichung absah. Der Censor, so Duller, „würde sich genöthigt gefunden haben, an dem Aufsatz gerade das Charakteristische zu unterdrücken." Worin dieses „Charakteristische" bestand, wird auch angedeutet, nämlich darin, dass in der Rezension „Grabbe's Ärger über alles, was Götzendienst hieß, in jeder Zeile hervorblitzte."[6]

Aus solchen ,Schicklichkeitsgründen' hat auch Gutzkow in seinem Nekrolog auf Grabbe in *Götter, Helden, Don Quixote* auf die Veröffentlichung der an ihn gerichteten Briefe Grabbes verzichtet. Es ist also kaum anzunehmen, dass er die „Bettina-Sache" akzeptiert hätte. Noch merkwürdiger ist aber, dass Grabbe selbst die von der Zensur drohende Gefahr und darüber hinaus mögliche Beleidigungsklagen nicht erkannt hatte, noch mehr dass sie ihm offenbar vollständig egal waren. Er hat durchaus gewusst, dass Gutzkow zum Zeitpunkt seines Briefes an Menzel bereits in ein Gerichtsverfahren gegen seinen am 12. August 1835 erschienenen Roman *Wally, die Zweiflerin* verwickelt war. Am 16. November wurde in Mannheim der Prozess gegen ihn und seinen Verleger wegen „Gotteslästerung" eröffnet, der in der Öffentlichkeit hohe Wellen schlug und am 13. Januar 1836 mit der Verurteilung *Gutzkows* zu einem Monat Gefängnis endete.

Auslöser des Verfahrens waren zwei Kritiken Wolfgang Menzels im „Literatur-Blatt" zum *Morgenblatt* vom 11. und 14. September. Menzel verriss Gutzkows Roman mit Argumenten, die ohne weiteres in die gerichtliche Anklage gegen den Autor eingehen konnten. Menzel galt deshalb bei den liberalen Literaten des Jungen Deutschland als Denunziant und literarischer Vorkämpfer der monarchistischen und klerikalen Restauration. Von der darauf folgenden öffentlich ausgetragenen Literaturfehde zwischen Menzel und Gutzkow hat Grabbe, wie er an Menzel schreibt, erst durch dessen „Erwiederung im Morgenb.[latt]" erfahren. Alfred Bergmann vermutet wohl zu Recht, dass es sich bei dieser „Erwiederung" um Menzels dritte „Abfertigung" Gutzkows und Wienbargs im „Literatur-Blatt" Nr. 107 vom 19. Oktober handelt, in der Menzel seine Anschuldigungen rekapitulierte.[7]

Der Brief an Menzel vom 22. November 1835 belegt nachdrücklich, dass sich Grabbe als Außenseiter des Literaturbetriebs im Vormärz verstand. Die Jungdeutschen operierten auf der Höhe einer Zeit, für die er kein Zeitgenosse sein wollte. Speziell Gutzkow musste durch seine auffallende Umtriebigkeit als Repräsentant der Epoche erscheinen, Menzel als dessen ebenso repräsentativer Gegner. Auffällig ist hier, wie auch in sämtlichen Bemerkungen, die Grabbe zu dieser gespenstisch indirekten Diskussion mit Gutzkow beisteuerte, seine Gleichgültigkeit gegenüber den literarischen und politischen Zielen, die von den Jungdeutschen verfolgt wurden. Er schlägt sich ziemlich leidenschaftslos auf die Seite Menzels, ohne im Geringsten auf die politischen und ideologischen Positionen einzugehen, die den *Wally*-Streit zum Paradigma für die neu erstandene gesellschaftliche Rolle der Literatur machten. Ihm ist auch nicht bewusst, dass Menzel seinen Ruf als führender Kritiker der Zeit durch den persönlichen Angriff auf Gutzkow und damit dessen Brandmarkung als Verbrecher nachhaltig ruiniert hatte.

In einem Brief an Moritz Leopold Petri vom 21. Juni 1836 erklärt Grabbe die vorgebliche Erneuerung der Literatur durch die Jungdeutschen für gescheitert: nämlich an ihrer Unfähigkeit mit jener Gesellschaft umzugehen, die sie kritisierten. Das schlagende Indiz dafür findet er eben in Gutzkows Rolle im *Wally*-Streit, nachdem er noch die von dem Journalisten Heinrich Eberhard Paulus veröffentlichte Verteidigung Gutzkows gegen das Mannheimer Urteil gelesen hatte.[8] Dass die gesellschaftlich Deklassierten auch noch schlechte Romane geschrieben haben sollten, erscheint daneben beinahe als lässliche Sünde:

Gutzkow und das junge Deutschland sind in Verachtung gerathen, werden sich auch nicht herausretten, weil sie kein Talent haben. Sie wollten mich auch fangen. Ich hütete mich, doch diese Wally ist ganz ohne Bedeutung, und wird nur durch diese Broschüre einige erhalten, woran vielleicht Geldspekulanten, Professoren darunter, arbeiten. Gutzkow sitzt sicherlich selbst dazwischen. (VI, 340f.)

Grabbes Sympathie für Menzel ist nicht frei von persönlichen Interessen. Er entschuldigt sich, dass er Gutzkow seinen Aufsatz, in Unkenntnis über Menzels Zwist mit jenem, versprochen habe, und begründet sein negatives Urteil über Gutzkow mit dessen Verstoß gegen die guten Sitten im zwischenmenschlichen Umgang: „Er handelt gegen Sie widerwärtig." Grabbe skizziert eine Literatur-Komödie, die von einer Literatengeneration beherrscht wird, die ausschließlich daran interessiert war, sich das Monopol über die Literaturkritik und damit die Durchsetzung ihrer politischen Ziele zu sichern, für die überlieferte Werte wie Freundschaft und Anstand nicht immer bindend waren. In Menzel erkennt er eine ältere Generation von Autoren und Kritikern, zu der er selbst gehörte: verwickelt in einen Zwist zwischen Generationen, der nur vordergründig als reiner Interessenkonflikt auftrat. Menzel erscheint ihm als Geistesverwandter im Streit zweier Generationen, der zwar eine Schlacht gewonnen, aber den Krieg verloren hatte. Wie allen Verlierern auf den welthistorischen Schlachtfeldern, die Grabbe inszenierte, gehört ihm die Sympathie des Überlebenden.

Für die Veröffentlichung der Bettina-Kritik, schreibt Grabbe an Menzel, hätte er kein Honorar gefordert, weil das „Literatur-Blatt" ihm „oft günstig war". Günstig waren, ohne Frage, die eigenhändigen Kritiken Menzels zu Grabbes früher erschienenen Dramen, wenn darunter ein wohl abgewogenes, zwischen Lob und Einwänden differenzierendes Urteil verstanden wird. Besonders die Rezension des *Kaiser Friedrich Barbarossa* zeugt von einer profunden Kenntnis sowohl der historischen Quellen wie der literarischen Tradition, die alle von Alfred Bergmann dazu gesammelten Kritiken bei weitem überragt.[9]

Gutzkow hat nur eine Werkkritik über Grabbe veröffentlicht, nämlich über den 1835 bei Schreiner in Düsseldorf erschienenen Sammelband mit *Hannibal* und *Aschenbrödel*. Menzel hat beide Dramen in getrennten Kritiken behandelt, die aber gemeinsam im „Literatur-Blatt" vom 20. Mai 1836 veröffentlicht wurden. Grabbe war zu diesem Zeitpunkt bereits unterwegs nach Detmold. Hinweise, dass er Menzels Kritik vor seinem Tod am 12. September 1836 noch gelesen hat, sind nicht überliefert. Gutzkows Kritik im *Phönix* hatte er von Schreiner erhalten und auch gelesen. Sie ist am 18. August 1835 im Literatur-Blatt des *Phönix* erschienen, also kurz bevor Gutzkow aus der Redaktion ausschied.

Anders als in der Reihenfolge der Buchausgabe vorgegeben, beginnt er mit einem Verriss der Komödie *Aschenbrödel*, „[u]m das Wertlosere sogleich

abzufertigen". Er bescheinigt Grabbe die vollständige Unfähigkeit, „ein Märchen dieser Art auszuführen". Dazu habe Grabbe „weder den Beruf des Witzes
noch der Lyrik. Seine Versuche im Witze sind hölzern, pritschenhaft, plump."[10]
Interessant an Gutzkows Urteil ist vor allem das Prädikat „pritschenhaft". Es dis-
qualifiziert Grabbes Komik als Kasperletheater nach dem Vorbild des populären
Volksstücks.

Differenzierter fällt die Kritik an *Hannibal* aus, wodurch allerdings die Wider-
sprüchlichkeit der zwischen Lob und Tadel unvermittelt schwankenden Urteile
noch deutlicher hervortritt. Gutzkow findet in dem Stück „den alten Grabbe
wieder", dem er eine nahezu poetische Vollkommenheit attestiert: „Die Situationen sind malerisch schön, die Charakteristik ist rapid und bis aufs äußerste
pointirt, der Dialog ist ein Muster von Kürze und schlagender Gedrängtheit."
Nur nützt das alles nichts, denn:

> Auch Hannibal mißbehagt, wenn man dies Trauerspiel als ein Ganzes faßt und auch,
> wenn man an das Einzelne den ästhetischen Maßstab anlegt. Hannibal ist nichts,
> als eine Veranschaulichung und Dramatisirung der Historie. [...] Grabbe's Werk ist
> fest in den Knochen, die Muskeln, Flechsen und Arterien winden sich um das starre
> Gerippe herum; aber der Rest fehlt, das Fleisch, die schöne Bekleidung der Haut, die
> blühende Farbe der Natur, des Lebens und der Wahrheit.[11]

Grabbes Kommentar zu dieser Kritik fällt lakonisch aus: „Phönix. nr. 194 Es sey.
Meine Detmolder Verhältnisse sind aber übel errathen. Sind besser."[12] (VI, 285)
Während er das Urteil über seine beiden Stücke für offensichtlich bedeutungslos hält, fühlt er sich durch Gutzkows Schilderung seiner zerrütteten Lebensumstände vor und nach seiner Abreise aus Detmold verletzt. Er kritisiert damit
einen Topos des Kritikers Gutzkow, der sich häufig auf einen Zusammenhang
zwischen den menschlichen Schwächen des Autors und denen seines Werkes
beruft. Umso merkwürdiger ist die Umkehrung des Argumentes in Gutzkows
Verriss: „Woher kömmt es nur, daß Grabbe's Dramen in Rücksicht auf seine Persönlichkeit uns so wohlthun, objektiv aber niemals die Billigung des Kunstrichters erhalten haben?" Gutzkow hat die Frage nicht beantwortet. Grabbe aber
sind wohl die offensichtlichen Widersprüche in Gutzkows Kritiken nicht entgangen, denn er verspottet sie mit einer Anmerkung zu einer Kritik, die Gutzkow zu Eduard Dullers historischem Roman *Kronen und Ketten* im *Phönix* vom
21. Mai 1835 veröffentlicht hatte: „Er will den Collegen loben, versteht's aber
nicht. Erst Lob, dann Tadel. Dann 'nen Katzenschwanz. Zu dumm."[13] (VI, 268f.)
Derartige kritische Bemäntelungen sind Menzel fremd. Er schreibt zum
Hannibal einen unumwundenen Verriss, allerdings mit Argumenten, die sich
grundsätzlich von jenen unterscheiden, die Gutzkow gebraucht hatte. Wie es

bei Kritikern vorkommt, die fest in der literarischen Tradition verankert sind, liefern Menzels abwertende Argumente zugleich die Stichworte für eine künftige Umwertung des ästhetischen Urteils. Er wirft Grabbe vor, dass er „[a]nstatt dramatischer zu werden, [...] immer epischer" werde, „und durch das Ganze geht ein Zug von Ironie, der nichts weniger als dramatisch ist." Mit anderen Worten: Menzel hat die Komik als Wesenszug in Grabbes historischen Dramen entdeckt, die er allerdings angesichts der historischen Wirklichkeit für verfehlt hält:

> Die Römer und Karthager sprechen nicht so, als wären sie im Kampf auf Leben und Tod begriffen, sondern als säßen sie ruhig an Grabbes Tisch, zwei Jahrtausende später, und dächten über die alten Geschichten, wie über ein Bagatell, und machten Witze darüber, um die Langeweile zu vertreiben. Aber wo bleibt die dramatische Illusion?[14]

Eine erstaunlich hellsichtige Beschreibung: Menzels negative Kriterien müssen nur ins Positive gewendet werden, um darin die Verwandtschaft zwischen Tragik und Komik in Grabbes epischem Drama zu erkennen. In der Besprechung des *Aschenbrödel* entdeckt Menzel durchaus positive Kriterien für Grabbes Komik. Er löst damit das Stück völlig aus der romantischen Lustspieltradition Tiecks, die nicht nur von Gutzkow als Argument für seine Abwertung bemüht wurde. Im *Aschenbrödel* identifiziert er, im Gegensatz zur latenten Komik des *Hannibal*, eine grundlegende Ästhetik des Komischen:

> Dieses Mährchen ist weit besser, weil es dem freien Witz weit mehr Spielraum läßt, als ein strenghistorischer Stoff. Ueberhaupt scheint uns Grabbe in vorzüglichem Grade Talent für das Komische zu besitzen und er könnte wohl unser erster Lustspieldichter werden, wenn er *bühnengerecht* würde, wenn er die phantastischen Ausschweifungen, die sich bloß gut lesen lassen, mit theatralischem Humor, der sich gut hören und sehen läßt, vertauschte.[15]

Vergleicht man die Kritiken Menzels und Gutzkows, so fällt auf, dass sich Menzel streng auf das besprochene Werk beschränkt. Er erweist sich als Kritiker einer älteren Tradition auch darin, dass er sein Urteil durch ausführliche Zitate belegt und so für das Urteil des Lesers offen lässt. Betrachtet man Literaturkritik unter dem modernen Gesichtspunkt eines an der Aktualität orientierten Journalismus, ist Gutzkow zweifellos der avancierte Kritiker: Er kommt ohne Zitate aus, weil ihn vor allem die zeitgenössische Bewertung des Autors interessiert. Davon erhalten seine Urteile etwas Endgültiges über das künftige Schicksal des besprochenen Autors und zugleich etwas unangenehm Rechthaberisches, das die ästhetische Qualität der Kritik beschädigt. Gutzkow hat tatsächlich das Urteil der bürgerlichen Germanistik über Grabbe als verlottertes Genie vorweggenommen.

Gutzkow fand sein Urteil durch die Bekanntschaft mit Georg Büchners Drama *Dantons Tod* bekräftigt. Büchner hatte ihm das Stück im Februar 1835 geschickt, mit der Bitte ihm zu einer Veröffentlichung im Verlag Sauerländer zu verhelfen. Gutzkow, der darin sofort das kommende Genie erkannte, kam dieser Bitte unverzüglich nach und schrieb im „Literatur-Blatt" des *Phönix* eine begeisterte Kritik, in der er den „jugendlichen Genius" Büchners vor der negativen Folie einer Schmähkritik über Grabbe erst richtig erstrahlen ließ:

> In Bildern und Antithesen blitzt hier alles von Witz, Geist und Eleganz. Keine verrenkten Gedanken strecken ihre lange Gestalt gen Himmel und schlottern wie gespenstische Vogelscheuchen am Winde hin und her. Keine ungebornen Embryone stehen in Spiritusgläsern um uns herum und beleidigen das Auge durch ihre Unschönheit [...]. Es ist Alles ganz, fertig, abgerundet. Staub und Schutt, das Atelier des Geistes sieht man nicht. [...] Was ist Immermanns monotone Jambenclassicität, was ist Grabbe's wahnwitzige Mischung des Trivialen mit dem Regellosen gegen diesen jugendlichen Genius![16]

Grabbe hat die Kritik wie gewohnt im von Schreiner entliehenen *Phönix* gelesen. Ohne auf die gegen ihn gerichteten heftigen Angriffe einzugehen, kommentiert er sie mit einem einzigen Satz: „nr. 27. Danton, der geistlose Titane, mit dem geschmeidigen Alcibiades verglichen."[17] (VI, 278) In seiner Besprechung von Büchners *Dantons Tod* hatte Gutzkow die Girondisten als die Römer, die Dantonisten als die Griechen und Danton als Alcibiades der französischen Revolution bezeichnet und dabei indirekt *Dantons Tod* zitiert: Im 4. Akt beruft sich Hérault auf das Beispiel der Griechen: „Griechen und Götter schrieen, Römer und Stoiker machten die heroische Fratze." Obwohl Grabbe Büchner nicht nennt und vermutlich auch *Dantons Tod* gar nicht gelesen hatte, richtet sich sein Einspruch nicht nur gegen den Kritiker, sondern auch gegen den Verfasser des Stückes. Die Wirklichkeit der Historie, gegen die Beide verstoßen haben, ist für Grabbe nach der Schrift *Über die Shakspearo-Manie*, die letztgültige Instanz, die über die Wahrheit der historischen Wirklichkeit entscheidet und nicht hintergangen werden darf.

Gutzkow ist offensichtlich bemüht, jeden ästhetischen Konsens zwischen den beiden Dramatikern auszuschließen. Während bei Büchner „Alles ganz, fertig, abgerundet" ist und frei vom Erdenstaub erscheint, bleiben von Grabbe nur die „ungebornen Embryone" verfehlter Dichtermühen. Unverkennbar ist aber, dass Gutzkow Büchner damit zum Heros der bürgerlichen Ästhetik macht, aus der er Grabbe zugleich hinausweist. Gutzkow hat auf die Weiterwirkung der beiden Kritiken großen Wert gelegt. Beide wurden 1836 in die *Beiträge zur Geschichte der neuesten Literatur* aufgenommen, die 1839 eine „Neue wohlfeile Ausgabe" erfuhren. Schließlich wiederholte er die Gegenüberstellung nochmals in dem

Band *Götter, Helden, Don-Quixote. Abstimmungen zur Beurtheilung der literarischen Epoche*, der 1838 bei Hoffmann & Campe in Hamburg erschien. Beide
firmieren neben Percy Bysshe Shelley als „Götter", nämlich als Frühverstorbene,
wobei der Nekrolog für Büchner bereits im *Telegraph für Deutschland* erschienen war, während Gutzkow für Grabbes Nekrolog einen neuen Text schrieb.

Offenkundig ist, dass Gutzkow damit Maßstäbe für die zukünftige Beurteilung beider Autoren setzen wollte, und das ist ihm auch gelungen: Büchner ging
als gemäßigter Revolutionär in die bürgerliche Literaturgeschichte ein, während
Grabbe die unrühmliche Rolle als Friedrich Theodor Vischers „Schnapslump"
zufiel.

Gutzkows Verhältnis zu Grabbe war geprägt durch ein merkwürdiges
Gemisch aus Abscheu und Faszination, beides bezogen sowohl auf die Person
wie das Werk. Noch im 1875 erschienenen zweiten Teil seiner Autobiographie
wird dieser Zwiespalt erkennbar. „Das titanische Schauspiel", das „der poetische junge Genius" Schillers und Goethes in deren dramatischen Erstlingswer-
ken entfaltet, vermisst er bei den Nachfolgern Kleist, Immermann und Grabbe
durchaus. Kleist habe seinen Stoffen nur die „Zuspitzung zum Epigramm"
abgewinnen können. Immermann fehlte es an Genialität, „weil er kalt und ironisch von Hause aus war". Grabbe verfehlte das Ziel, „weil er der Welt aus dem
Urgrund seines Innern nichts besonders Edles, Tiefes oder Hochgemuthes zu
sagen wußte. Grabbe hat nur die Grimasse der Genialität zu zeigen verstanden."[18]

Das selbst für Gutzkows Gewohnheiten übermäßig harsche, zudem nur in
verschwommenen Begriffen belegte Urteil wird einige Seiten weiter näher erläutert, zugleich aber auch relativiert. Dort heißt es: „Von Grabbe kaufte ich schon
als Primaner jedes neuerschienene Werk", freilich fügt er hinzu, „ohne davon die
volle Befriedigung zu haben".[19] Der Verdacht ist wohl begründet, dass der späte
Gutzkow mit der nachgetragenen Erklärung die Faszination des Primaners aus
seiner Biographie ausmerzen wollte, denn die mangelhafte Befriedigung des jungen Lesers wird ausführlich mit der Lektüre des *Napoleon* begründet:

> Im „Napoleon" empörte mich der französische Standpunkt. Vergötterung dieses
> Tyrannen! Gleichstellung mit Männern wie Cromwell, Karl dem Großen, Hannibal!
> Monologe mit ständiger Armverschränkung wie Wallenstein! Eine Titanenmaske –!

Was hier beschrieben wird, ist offensichtlich eine viel spätere Leseerfahrung.
Napoleon oder die hundert Tage ist erst 1831 erschienen, und der Primaner,
der 1829 seine Abiturprüfung absolvierte, kann das Stück unmöglich gekannt
haben.

In seinen späten Erinnerungen revidiert Gutzkow keines seiner Urteile über
Grabbes dramatische Dichtungen, deutlich wird vielmehr, dass Gutzkows Ab-

wertung des Dichters Grabbe untrennbar mit seiner Abwertung des Menschen verknüpft ist, die geradezu einer moralischen Verurteilung gleichkommt. Das gilt besonders für die Zeit nach Grabbes Tod. Die Frage, die Gutzkow in seiner *Hannibal*-Rezension aufwarf, stellt sich nicht mehr: „Woher kömmt es, daß Grabbe's Dramen in Rücksicht auf seine Persönlichkeit uns so wohlthun, objektiv aber niemals die Billigung des Kunstrichters erhalten haben?" Der Satz wird umgekehrt: Grabbe erscheint als Verkörperung sämtlicher in seinen Stücken auftretenden Laster. Alfred Bergmann, dem dieser Wandel aufgefallen ist, hat den Verdacht ausgesprochen, Gutzkow habe versucht, „die Gesinnung der Schöpfung mit der des Schöpfers gleichzusetzten."[20]

Eduard Dullers Grabbe-Biographie löste in Lippe-Detmold heftige Auseinandersetzungen aus. Zu den zahlreichen Artikeln, die gegen Duller veröffentlicht wurden, gehört auch ein Beitrag im *Lippe'schen Magazin*, der sich auch kritisch mit dem Verhalten Grabbes auseinandersetzte. Gutzkow benützte diesen Artikel als Grundlage für seine eigene, ungleich schärfer formulierte Polemik:

> Nimmt man zu dieser Schilderung noch hinzu, daß Grabbe mißtrauisch im höchsten Grade und bis in's Kindische feig war und doch soviel von der Welt verlangte und excentrisirte, so muß man gestehen, daß hier ein häßliches, widerliches Wesen geherscht haben muß.

Das Werk betreffend fährt er fort:

> Alle seine Dichtungen tragen auch diesen verzerrten, unausstehlichen, katzenjämmerlichen Charakter; nie die sanfte Ahnung eines Höheren, nie ein Blick in die *Tiefe* des menschlichen Herzens, immer nur unschöne Tollheiten, höchstens die Genialität jener Menschen, die sich dem Säuferwahnsinn nähern.[21]

Für Gutzkows Abneigung gegen Grabbe war dessen Alkoholismus das jederzeit schlagende Argument. Allerdings lässt die Bemerkung über das gescheiterte Treffen in Frankfurt in einem Brief an Gustav Schlesier vom 16. Januar 1835 auf ein gewisses Maß an Empathie schließen: „Grabbe war hier – wahnsinnig u betrunken: ganz ruinirt. Er irrt wie ein Vagabond umher: ich beklage, ihn nicht mehr getroffen zu haben. Vielleicht ist er zu retten."[22] Gutzkow reiht sich in die Liste der allesamt gescheiterten Retter ein, von Grabbes Jugendfreunden Moritz Petri und Karl Ziegler bis zu Tieck, Duller und Immermann. Gelegenheit für praktische Rettungsversuche hatte er nicht, da Grabbe inzwischen zu Immermann nach Düsseldorf geflüchtet war. Stattdessen erprobte er seine Samariterdienste an einem anderen Alkoholiker, seinem jungdeutschen Freund und Kollegen Ludolf Wienbarg, der sich aber gegen Gutzkows Behandlung derart resistent erwies, dass dieser ihm seinen „Undank" bis zu seinem Ableben nachtrug.[23]

Auch Immermann konnte Grabbe, der unbeirrt an seinem ruinösen Lebenswandel festhielt, nicht retten. Für den Schwerkranken war das Gift, das ihn umbrachte, schon längst zum einzig noch lebenserhaltenden Elixier geworden. 1838 veröffentlichte Immermann eine biographische Skizze über Grabbe und seine Erfahrungen mit ihm,[24] die Gutzkow gelesen hatte, bevor ihn Immermann im Herbst 1838 in Hamburg besuchte. Diese „Unterredung" hatte – so Immermann in seinem Tagebuch vom 9./10. Oktober 1838 – „die vornehme Haltung einer Tractatschließung kriegführender Mächte".[25] Beide Kontrahenten haben jeder für sich ihre Erinnerung festgehalten, Immermann in dem zitierten Tagebucheintrag, Gutzkow in einem Artikel im *Telegraph für Deutschland*, der aber erst 1840 nach Immermanns Tod erschien.[26]

Eduard Dullers 1838 erschienene Grabbe-Biographie hatte in Detmold einen Skandal ausgelöst, weil er die Vorwürfe der Witwe Louise Christiane gegen ihre Schwiegermutter unkritisch übernahm. Gutzkow, der die darauf folgenden Auseinandersetzungen in Grabbes Bekanntenkreis verfolgt hatte, war deshalb besonders an Immermanns Erfahrungen interessiert. Immermann andererseits ging es in dem Gespräch vor allem darum, sich gegen die im Bekanntenkreis erhobene Beschuldigung zu verteidigen, Grabbe für seine persönlichen Zwecke ausgenützt zu haben. Von dieser Anklage konnte Gutzkow ihn vollständig entlasten, was er umso lieber tat, als damit Grabbe wieder im schlechtesten Licht erschien: „Ich kann bestätigen, daß Immermann mit wärmster Theilnahme von dem unglücklichen Manne sprach, dessen Untergang er seinen häuslichen Verhältnissen und schlechter Gesellschaft zuschrieb."

Falls Gutzkow gehofft hatte, bei Immermann eine Bestätigung seiner Urteile zu erfahren, wurde er enttäuscht. Vielmehr wies Immermann Gutzkows Behauptung, Grabbe sei unfähig zu zwischenmenschlichen Beziehungen gewesen, vehement zurück: „Dies konnte ich nicht ganz zugeben, indem ich aus meiner eigenen Geschichte mit ihm anführte, Grabbe's Zuneigung sogar im höchsten Grade eine Zeit lang besessen zu haben."[27] Gutzkows aggressiven Angriff gegen „die radikale Herzlosigkeit, die sich in Grabbe's genialisirenden Produkten, meiner Meinung nach, unverkennbar ausspricht, die feigste Hinterlist und die Tücke eines eitlen Herzens, die Grabbe's Detmolder Bekannten nicht läugnen können",[28] zitiert er nicht, sondern schildert die Argumentation seines Gesprächspartners eher distanziert und nicht ohne Ironie: „Seine Äußerungen waren glasscharf und schneidend, wenn man will, ohne Liebe und Gemüth, zeugten aber von Wahrhaftigkeit, Verstand und Penetration."[29]

Gutzkow hat seinen Bericht über das Hamburger Treffen erst nach zwei Jahren veröffentlicht. Es hat auch nicht an einem „Novembermorgen des Jahres 1838" stattgefunden, wie er erwähnt, sondern nach Immermanns Datierung schon Anfang Oktober. Es ist also auch möglich, dass die Schärfe des Urteils erst später formuliert wurde, zumal sein Angriff zugleich die wohlmeinenden „Detmolder Bekannten" treffen sollte. Das ist ihm auch gelungen. Karl Ziegler, der mit der Materialsammlung für seine Grabbe-Biographie beschäftigt war, verteidigte den verstorbenen Freund gegen den Vorwurf der „Tücke und Feigheit" und berief sich dabei auf die von Gutzkow referierten Äußerungen Immermanns.[30] Als dann Zieglers *Grabbe's Leben und Charakter* 1855 erschien, reagierte Gutzkow sofort mit einer Besprechung, in der er Grabbe „eine katzenartige Natur" zuschrieb, „die selbst dem Freunde, wenn er ihm nicht sogleich nach Wunsch redete oder nach Wunsch handelte, tückisch ins Gesicht springen konnte."[31]

Entstanden sind bei diesem Gespräch zwei konkurrierende Texte, die in ihren Urteilen über die Person Grabbe vollkommen inkompatibel sind. Tatsächlich erfährt man über Grabbe, außer widersprüchlichen Meinungsäußerungen, so gut wie nichts. Grabbe ist in diesem Diskurs der unsichtbare Dritte, dessen wortlose Gegenwart alle Urteile in Argumente gegen deren Urheber verwandelt. Alles, was die beiden Gesprächspartner über sich selbst und ihr Verhältnis zu einander vorbringen, erhält seine Bedeutung erst durch die Reflexion auf dessen „wunderlichen elektrischen Geist"[32], der mit ihrer gemeinsamen Vorstellung von bürgerlicher Weltordnung nicht in Einklang zu bringen ist.

Immermanns Reden sind geprägt durch die überlegene Haltung des Großbürgers, der von Kind auf gelernt hat, jedem Menschen ein gewisses Maß an Toleranz entgegenzubringen. Dass Grabbes Freundschaft „des sittlichen Haltes entbehrt habe", bemängelt er zwar, ohne deshalb die Freundschaft in der Erinnerung aufzukündigen. Für den aufgeklärten Bürger Immermann ist die „Sittlichkeit" eine Selbstverständlichkeit; sie wird respektiert, ohne dass man sein Handeln ständig vor ihr zu rechtfertigen hätte. Gutzkow dagegen, von Immermann zitiert, halte die „Sittlichkeit" nur für „etwas Angeeignetes, Conventionelles", entscheidend bei einem Menschen sei der „Societätstrieb [...], die Empfindung der Reciprocität", die er bei Grabbe vermisse, der „ohne alles Bedürfniß nach Anderen gewesen sei."[33]

Anders als Immermann ist Gutzkow sichtlich bemüht, jede erdenkliche Gemeinsamkeit mit Grabbe auszuschließen. Er nimmt für sich eben jene soziale Bürgertugend des Ausgleichs in Anspruch, die Immermann ihm an der oben zitierten Stelle seines Tagebuchs abgesprochen hatte. Die Schilderung, die er Immermann über seine Lebenssituation gibt, lässt keinen „Societätstrieb" erkennen, sondern zeugt von einem grundsätzlichen Misstrauen gegenüber jeder „Reciprocität". Er äußert gleich zu Beginn die Befürchtung, dass eine Veröffentlichung seiner Bemerkungen „von seinen Feinden wider ihn gemißbraucht werden möge" und beschreibt „sein Schicksal [...] als das eines Verfolgten, Beistands- und Anhaltslosen."[34] Zugleich konstatiert er, der sich lebenslang bewusst als Angehörigen des gebildeten Bürgertums stilisierte, in Immermanns

Escheinung „eine gewisse bürgerliche Nachlässigkeit", die auch sein Verhältnis zur Poesie bestimme: „So war das Dichterische bei ihm immer nur Ansatz, eine Illusion des Augenblicks, die sogleich wieder von einer ernüchterten Regung seines freien, unabhängigkeitsfrohen Verstandes abgelöst wurde."[35]

In diesem Gespräch geht es um die Selbstbehauptung durch Besetzung gesellschaftlicher Positionen, die ihre Wirklichkeit erst durch Grabbes Person als Projektionsfläche gewinnen: Er ist jener Andere, auf den das alles nicht zutrifft. Gutzkow argumentiert gegen Immermann wie gegen Grabbe aus der Position des gesellschaftlichen Aufsteigers, der seine Stellung bedroht sieht: einerseits durch den Hochmut derer, die, wie Immermann, schon immer oben gewesen sind; andererseits durch die Verachtung jener, die sich der sozialen Anpassung verweigern, jene Verachtung, die aus Grabbes Gleichgültigkeit gegenüber Gutzkows Angriffen spricht. Grabbe, der wie Gutzkow aus den unterbürgerlichen Volksschichten stammte, stellt durch seine Verweigerung des angebotenen Dialogs die mühsam errungene bürgerliche Existenz Gutzkows in Frage. Seine Haltung ist im Grunde die des Aristokraten, der sich gegen nichts und niemanden rechtfertigen muss.

Gutzkow hat diese ambivalente Haltung gegenüber den geltenden gesellschaftlichen Konventionen nicht verstanden, wohl aber dass ein solcher Mensch über eine große Anziehungskraft gegenüber andern Menschen verfügt. Und das ist das Schlimmste: dass jener deshalb als „Genie" verehrt wurde, dass alle negativen Eigenschaften Grabbes dem „Genie" zugeschrieben und damit entschuldigt wurden. Das „Genie", das Gutzkow Büchner ohne weiteres zuerkennt, musste für Grabbe zum Schimpfwort abgewertet werden.

Immerhin drängt sich die Besonderheit der Erscheinung Grabbes in Gutzkows wiederholten Urteilen über Person und Werk immer stärker auf. Auf der Suche nach einem halbwegs neutralen Begriff erkannte Gutzkow darin einen „wunderlichen elektrischen Geist, der eine Weile am Horizonte unserer Literatur leuchtete und dann in grauen, leeren Dunst verpuffte."[36] Der in dieser Beschreibung konstruierte metaphorische Zusammenhang ist allerdings wenig geglückt. Der Eindruck der Vergänglichkeit wird durch den Vergleich mit einem Kometen neutralisiert, dessen seltene Erscheinung in jeder Chronik für die Ewigkeit festgehalten werden muss.

Die Wirkung der Elektrizität auf organische Körper war seit dem 18. Jahrhundert ein prominentes Forschungsfeld der Physik wie der Physiologie. Die Entdeckung, dass Körper elektrisch aufgeladen werden konnten, war nur der Ausgangspunkt für die naturwissenschaftliche Entwicklung. Gerade das darin verborgene Wissen führt aber sehr bald dazu, dass die spezifischen Wirkungen der Elektrizität durch einen Analogieschluss aus den physiologischen auch auf die psychischen und sozialen Prozesse übertragen wurden. Heinrich von Kleist findet das „höchst merkwürdige Gesetz" der elektrischen Polarität auch in der moralischen Welt:

> dergestalt, daß ein Mensch, dessen Zustand indifferent ist, nicht nur augenblicklich aufhört, es zu sein, sobald er mit einem anderen, dessen Eigenschaften, gleichviel auf welche Weise, bestimmt sind, in Berührung tritt: sein Wesen sogar wird, um mich so auszudrücken, gänzlich in den entgegengesetzten Pol hinübergespielt; er nimmt die Bedingung + an, wenn jener von der Bedingung –, und die Bedingung –, wenn jener von der Bedingung + ist.[37]

Dass jemand durch ein Erlebnis oder durch einen anderen Menschen „elektrisiert" wird, ist im 19. Jahrhundert ein Gemeinplatz der Literatur, und bei Gutzkow sehr häufig zu finden, z.B. in *Die Ritter vom Geiste*: „Wie, fuhr Melanie elektrisirt auf, Sie kennen Jemanden, den Niemand kennt?"[38] Folgt man der von Kleist erläuterten Analogie, so beschreibt die Formel vom „elektrischen Geist" den Ursprung des Stromstoßes, der den „Elektrisierten" trifft: „das elektrische Feuer des Geistes", das Bettina von Arnim dem Genie zuschreibt.[39] Gutzkow interessierte sich lebhaft für Physiologie und Medizin. Die Analogie, die den „elektrischen Geist" mit dem Magnetismus verbindet, ist ihm nicht entgangen. Das „elektrische" Genie wirkt auf seine Anhänger wie der Magnetiseur auf sein Medium: ein Scharlatan und Rattenfänger.

Solche moralischen Urteile betreffen aber den „elektrischen Geist" nicht, der unberechenbar ist wie die Katze, mit der Gutzkow Grabbe verglichen hat. Er ist unverantwortlich, weil er stets seinen Instinkten folgt, die immer im Recht sind. Er ist mutig und furchtlos, weil er die moralische Bedeutung dieser Begriffe nicht kennt und keine Vorbehalte oder Bedenken seine Entschlüsse trüben. Wie Kinder und Tiere befindet er sich im Zustand der Unschuld. Schließlich gilt Grabbes überbordende Tiermetaphorik nicht nur für die Helden seiner Dramen, sondern auch für ihn selbst: er ist „der gerupfte Hahn, die Lippische Krabbe, welche nur dann ihre Krebsscheren hat, wenn sie vom Schneider dergleichen leiht."[40] (V, 148)

Grabbes gesellschaftliches Außenseitertum ist grundiert durch ein kreatürliches Einverständnis mit allen natürlichen Wesen, das auch das Prinzip des Fressens und Gefressenwerdens einschließt: Er ist „der gerupfte Hahn" oder die „Krabbe", die ihre natürlichen Waffen verloren hat. Grabbes anarchischer Fatalismus, wurde von Gutzkow als Symptom der Selbstzerstörung des notorischen Trinkers identifiziert. Denn selbstverständlich wollte Grabbe nicht gerettet werden, weder vom Alkohol noch von der Literatur. Jeder solche Rettungsversuch war für ihn ein Angriff auf die Integrität seiner Person, eine Haltung, die für Gutzkow gegen grundlegende bürgerliche Tugenden verstieß.

Anmerkungen

1   Den Nachruf verfasste Gutzkow für eine Sammlung von Autorenportraits, die er
    unter dem Titel *Götter, Helden, Don Quixote. Abstimmungen zur Beurtheilung der
    literarischen Epoche* veröffentlichte (Hamburg: Hoffmann & Campe 1838). Hier zit.
    nach: Karl Ferdinand Gutzkow: Schriften. Hrsg. von Adrian Hummel. 2 Bde. Frank-
    furt a. M. 1998, Bd. II, S. 1152-1155, hier S. 1153f.
2   Biographische Daten zu Gutzkow sind zitiert nach: Wolfgang Raschs „Lebensschro-
    nik". In: Karl Gutzkow: Erinnerungen, Berichte und Urteile seiner Zeitgenossen.
    Hrsg. von Wolfgang Rasch. Berlin, New York 2011, S. 534-574, hier S. 539.
3   Grabbe an Carl Georg Schreiner, Juli 1835.
4   Vgl. Grabbe an Carl Georg Schreiner, 6. Juni 1835.
5   Eine ausführliche Würdigung Martin Runkels liefert Alfred Bergmann in den
    Anmerkungen seiner Ausgabe (VI, 496f.).
6   Grabbe's Leben, von Eduard Duller. In: Die Hermannsschlacht. Drama von Grabbe.
    Düsseldorf 1838. Reprint der Grabbe-Gesellschaft. Detmold 1978, S. 75.
7   Vgl. Alfred Bergmanns Kommentar in VI, 750.
8   Heinrich Eberhard Paulus: Des Großherzogl. Badischen Hofgerichts zu Mannheim
    vollständig motivirtes Urtheil über die in dem Roman: Wally, die Zweiflerin, ange-
    klagten Preßvergehen, nebst zwei rechtfertigenden Beilagen und dem Epilog des
    Herausgebers. Aktenstücke und Bemerkungen. Heidelberg 1836. Vgl. dazu Berg-
    manns Erläuterung in VI, 798.
9   Literatur-Blatt vom 19. Juli 1830. Beilage zur Nr. 171 des Morgenblattes für gebil-
    dete Stände. Stuttgart, Tübingen: Cotta. Vgl. dazu Grabbes Werke in der zeitgenös-
    sischen Kritik. Im Auftrage der Grabbe-Gesellschaft hrsg. von Alfred Bergmann.
    Detmold 1958-1966, Bd. 3, S. 51-55.
10 Karl Gutzkow. Zwei neue Dramen von Grabbe. In: Phönix. Frühlingszeitung für
    Deutschland. Frankfurt a. M.: Sauerländer, Nr. 194. Zit. nach: Grabbes Werke in der
    zeitgenössischen Kritik (Anm. 9), Bd. 4, S. 55-58, hier S. 56.
11 Ebd., S. 57.
12 Grabbe an Carl Georg Schreiner, 30. September 1835.
13 Grabbe an Carl Georg Schreiner, Juli 1835.
14 Literatur-Blatt des Morgenblattes für gebildete Stände, Nr. 121 vom 20. Mai 1836.
    Zit. nach: Grabbes Werke in der zeitgenössischen Kritik (Anm. 9), Bd. 4, S. 30f.
15 Ebd., S. 35.
16 Karl Gutzkow: Danton's Tod, von Georg Büchner. Phönix. Literatur-Blatt, Nr. 27
    vom 11. Juli 1827. Zit. nach: Gutzkow: Schriften (Anm. 1), Bd. 2, S. 892-897, hier
    S. 897.
17 Grabbe an Carl Georg Schreiner, August 1835.
18 Karl Gutzkow: Rückblicke auf mein Leben. Hrsg. von Peter Hasubek. Gutzkows
    Werke und Briefe. Hrsg. vom Editionsprojekt Karl Gutzkow, Exeter und Berlin.
    Autobiographische Schriften, Bd. 2. Münster 2006, S. 34f.
19 Ebd., S. 52.

20 Alfred Bergmann: Die Glaubwürdigkeit der Zeugnisse für den Lebensgang und Charakter Christian Dietrich Grabbes (Germanische Studien, 137). Berlin 1933, S. 185.

21 Kleine Chronik. Telegraph für Deutschland, Nr. 156, 18. September 1838, S. 1246-1248, hier S. 1248. Teilabdruck in: Bergmann: Glaubwürdigkeit (Anm. 20), S. 178-180.

22 Der Brief wurde veröffentlicht in: Heinrich Hubert Houben: Jungdeutscher Sturm und Drang. Ergebnisse und Studien. Leipzig 1911, S. 27. Zit. nach: Alfred Bergmann: Grabbe in Berichten seiner Zeitgenossen. Stuttgart 1968, S. 134.

23 Vgl. Gutzkow: Rückblicke auf mein Leben (Anm. 18), S. 30-32.

24 Karl Immermann: Grabbe. Erzählung, Charakteristik, Briefe. In: Taschenbuch dramatischer Originalien. Hrsg. von Dr. Franck [d. i. Gustav Ritter von Frank]. Leipzig 1838.

25 Karl Immermann: Tagebuch, Hamburg 9./10. Oktober 1838. Zit. nach: Gutzkow: Erinnerungen (Anm. 2), S. 101-105.

26 Karl Gutzkow: Karl Immermann in Hamburg. In: Telegraph für Deutschland, Nr. 153 und 154, September 1838. Wieder veröffentlicht in: Vermischte Schriften von Karl Gutzkow, Bd. 2. Leipzig 1842 und Gesammelte Werke von Karl Gutzkow. Jena 1875. Serie 1, Bd. 9, S. 288-298. Zit. nach: Grabbe in Berichten seiner Zeitgenossen (Anm. 22), S. 304.

27 Immermann: Tagebuch (Anm. 25), S. 103.

28 Gutzkow: Karl Immermann in Hamburg (Anm. 26), S. 304.

29 Immermann: Tagebuch (Anm. 25), S. 103.

30 Karl Ziegler: Zur Charakteristik Grabbes. „Die Posaune", Nr. 127, 12. Oktober 1840, S. 505. Zit. nach: Grabbe in Berichten seiner Zeitgenossen (Anm. 22), S. 304f.

31 [Karl Gutzkow]: Das Leben Christian Grabbe's. Unterhaltungen am häuslichen Herd, Bd. 2, Nr. 25, 24. März 1855, S. 400.

32 Gutzkow: Karl Immermann in Hamburg (Ges. Werke 1875) (Anm. 26), S. 293.

33 Immermann: Tagebuch (Anm. 25), S. 103.

34 Ebd.

35 Gutzkow: Karl Immermann in Hamburg (Anm. 32), S. 288 und 290.

36 Ebd., S. 293.

37 Heinrich von Kleist: Allerneuester Erziehungsplan. Werke und Briefe. Hrsg. von Siegfried Streller u.a. 4 Bde. Berlin, Weimar 1978, Bd. 3, S. 463.

38 Karl Gutzkow: Die Ritter vom Geiste. Hrsg. von Thomas Neumann. 3 Bde. Frankfurt a. M. 1998, Bd. 1, S. 535.

39 Bettina von Arnim: Goethes Briefwechsel mit einem Kinde. Werke und Briefe. Hrsg. von Gustav Konrad. 5 Bde. Frechen 1959, Bd. 2, S. 320.

40 Grabbe an Georg Ferdinand Kettembeil, 4. Mai 1827.

BURKHARD STENZEL

„… natürlich mit grundsätzlicher Zustimmung." Anton Kippenberg und die in Weimar geplante Grabbe-Gesamtausgabe für den Insel-Verlag

Der Insel-Verlag Leipzig erhielt am 27. April 1934 das Angebot zur Edition einer Gesamtausgabe der Werke und Briefe von Christian Dietrich Grabbe.[1] Diesen Vorschlag unterbreitete der in Weimar am Goethe- und Schiller-Archiv als Bibliothekar tätige Grabbe-Forscher Alfred Bergmann (1887-1975) dem Verlagschef Anton Kippenberg (1874-1950). Unerwartet geschah das jedoch keineswegs.

Anton Kippenberg.
Aus: Der Insel Verlag 1899 – 1999. Die Geschichte des Verlags.
Frankfurt a. M., Leipzig 1999, Abb. 58

Kippenberg und Bergmann kannten sich durch die Germanistik-Vorlesungen bei Albert Köster (1862-1924), seit 1899 Ordinarius für Neuere deutsche Sprache und Literatur an der Universität Leipzig. Auf Bitte von Kippenberg[2] hatte Bergmann im Jahr 1925 Grabbes Lustspiel *Scherz, Satire, Ironie und die tiefere Bedeutung* in der berühmten Insel-Bücherei herausgegeben und mit einem Nachwort versehen.[3] Hierin skizzierte Bergmann den Vormärz-Autor in „seiner ungebändigten Genialität"[4]. Diese Deutung war zeitgemäß, wie etwa der Kommentar zur vierbändigen Grabbe-Werkausgabe des Weimarer Erich Lichtenstein-Verlags aus dem Jahr 1923 belegt.[5] Das Motiv für das Verfassen einer Komödie sah Bergmann allerdings nicht allein in Grabbes „Ehrgeiz" begründet. Vielmehr ging es, so der Herausgeber des Insel-Bandes, Grabbe darum, jene „Tagesgötzen" der „Lächerlichkeit preiszugeben", die seinem „Aufstieg hemmend entgegenstanden"[6]. Gemeint waren die Intendanten einiger Bühnen, mit denen der junge und exaltierte Poet einschlägige Erfahrungen gemacht hatte, namentlich die in Berlin, Braunschweig, Dresden und Hannover.[7] Und Bergmann stimmte der am 1. Juni 1827 von Grabbe verfassten Selbstrezension zum Lustspiel zu. Das Stück sei eine „Komödie des Pessimismus"[8]. Er begründete dies:

> Grabbe selbst gibt uns einen Fingerzeig, wo die tiefere Bedeutung zu suchen sei. [...] Dem Dichter Rattengift, als dem Repräsentanten dieser Welt, tritt der Teufel gegenüber als ein überirdisches Wesen, als der Repräsentant des Universums. [...] Vor dem überlegenen Wissen des Teufels um die Dinge erweist sich aber diese menschliche Erkenntnis als durchaus erdgebunden und beschränkt. [...] Der Teufel hält also dem Dichter Rattengift die Nichtigkeit des menschlichen Verstandes und des menschlichen Lebens vor Augen, indem er ihn gleichsam für einen Augenblick über den engen Horizont der Kerkermauern hinaushebt, die das eine wie das andere umschließen, und ihn einen Blick tun lässt in die unermeßlichen Weiten des Alls und die Bezirke von Himmel und Hölle, in die die Menschen eingehen, wenn ihr irdisches Dasein ein Ende genommen hat; nur daß die Reise meist ganz woanders hinführt, als sie erwartet hatten.[9]

Das Lustspiel sei deshalb durch eine „schmerzlich-bittere Ironie" charakterisiert, so Bergmann. Angeregt von der Rezeption des Positivismus und Genie-Kults[10], resümierte der Herausgeber dieses Insel-Bandes:

> Denn diese Komödie entstammt nicht, wie manche andere, der Verständnislosigkeit, nicht dem Neid oder kleinlicher Nörgelsucht, sondern dem stolzen Gefühl der geistigen und künstlerischen Überlegenheit. [...] So wird sie zu einem Kampfe des Genies gegen den Dilettantismus, ein Kampf, der nie ausgefochten werden wird.[11]

Diese Lesart von Grabbes im Jahr 1822 entstandenen Lustspiel widersprach nicht dem ästhetischen Verständnis von Anton Kippenberg, einem ausgewie-

Alfred Bergmann (rechts) mit den Philologen Max Schaumburg (links) und
Max Hecker (Mitte) 1930 im Goethe- und Schiller-Archiv Weimar.
Goethe- und Schiller-Archiv 160/56

senen Kenner von Goethes Werk und Zeit. Im Gegenteil, der Chef des Insel-
Verlags vertraute Alfred Bergmanns philologischen Fähigkeiten. Er machte ihn
neben Fritz Adolf Hünich (1885-1964) zum Bearbeiter der zweiten Auflage
des Katalogs seiner Leipziger Goethe-Sammlung, der damals deutschlandweit
größten privaten Autografenzusammenstellung des Weimarer Klassikers. Nach
vierjähriger Arbeit erschien das viel beachtete Werk. Die Fachwelt lobte die
Mustergültigkeit der dreibändigen Ausgabe. Der österreichische Erzähler Stefan Zweig sah in diesem Goethe-Katalog „längst keine Sammlung mehr, sondern

ein Museum“, von dem zu hoffen sei, „daß es einstmals in seiner Ganzheit der Nation erhalten bleibe“[12]. Mit einem Wort, Kippenberg hatte in Bergmann einen „schnell und gründlich“[13] arbeitenden freien Mitarbeiter gefunden, der „hingebend[] und unermüdlich“[14] sei. Bergmanns akribischer und positivistisch orientierter Arbeitsstil war hier willkommen.

Gründe genug, dass sich Kippenberg für Bergmann in Weimar verwendete – insoweit der Vizepräsident der Goethe-Gesellschaft ihm von 1928 bis 1933 eine Anstellung als Bearbeiter einer *Carl August-Bibliographie* mit ermöglichte.[15] Anschließend wurde Bergmann Bibliothekar am Goethe- und Schiller-Archiv sowie Schriftführer der Goethe-Gesellschaft.[16] Zudem veröffentlichte Bergmann mehrere Aufsätze zu Goethes Umfeld und Werk.[17] Darüber hinaus gab er eine Bibliographie zu Goethes Wirkung zu dessen 100. Todestag im Jahr 1932 heraus.[18]

Angesichts dieser Umstände war der Wunsch Alfred Bergmanns im April 1934 nachvollziehbar, mit Anton Kippenberg über eine Grabbe-Gesamtausgabe im Insel-Verlag ins Gespräch zu kommen. Er schrieb über sein Vorhaben:

Sehr verehrter Herr Professor!

Sie werden sich vielleicht erinnern, daß Sie im Januar 1925, als ich meine Mitarbeit am ‚Katalog‘ bei Ihnen begann, große Lust zeigten, eine Grabbe-Ausgabe für den Insel-Verlag durch mich machen zu lassen. Die Welt sieht heute ein wenig anders als damals, alle Kulturverlage haben schwer zu kämpfen, und es ist kaum damit zu rechnen, daß die Situation jenes Januars sobald wiederkehre. Auf der anderen Seite können wir nicht gänzlich darauf verzichten, wesentliche Aufgaben in Angriff zu nehmen, und zu diesen Aufgaben scheint mir auch zu gehören, die Werke Grabbes endlich, endlich in einer gediegenen Form herauszugeben. Ich sehe hier ganz von meiner persönlichen Vorliebe für Persönlichkeit und Werk des Dichters ab. Ich habe aber jetzt ein Sammelreferat über Grabbeforschungen und Grabbeprobleme 1918-1934 für die ‚Germanisch-Romanische Monatsschrift‘[19] unter den Händen, und dabei habe ich mich wieder davon überzeugen lassen, wie stark Grabbe Gegenstand wissenschaftlicher Bemühungen geworden ist. Mehr als ein Dutzend Doktorarbeiten sind seit der Beendigung des Krieges über ihn gemacht worden, von sonstigen Schriften und den sehr interessanten Bühnenaufführungen abgesehen, und zu all diesen Arbeiten ist kürzlich das umfassende Werk des Hallischen Literarhistorikers Ferd. Jos. Schneider gekommen.[20] Alle diese Untersuchungen kranken aber daran, daß sie auf Gesamtausgaben angewiesen waren, die wissenschaftlich in keiner Weise genügen können. Nach einer wirklich zuverlässigen Gesamtausgabe besteht also ein außerordentlich dringendes Bedürfnis, und sie in Angriff zu nehmen wäre jetzt die geeignete Zeit, da der September 1936 herannaht, in dem Grabbes Todestag zum 100. Mal wiederkehrt. So hat mich denn auch Prof. Schneider in Halle aufgefordert, eine solche

Ausgabe zu schaffen, und wenn ich mich unter den deutschen Verlagen umsehe, so wüßte ich eigentlich keinen anderen als den Insel-Verlag, der sie unternehmen könnte. Selbstverständlich leugne ich nicht, daß ich an der Verwirklichung dieser Anregung auch ein starkes persönliches Interesse habe. Würde doch damit ein Plan Gestalt gewinnen, den ich seit einem Menschalter verfolge und vielfältige Vorarbeiten damit endlich die erhoffte Frucht tragen. Dazu kommt, daß ich in meiner Stellung am Goethe- und [Schiller-]Archiv eine größere wissenschaftliche Leistung schuldig zu sein glaube. Immer wieder finde ich betont, daß die Mitarbeiter des Archivs, dessen Bedeutung entsprechend, sich durch bedeutende gelehrte Leistungen ausgezeichnet hätten. Die Grabbe-Ausgabe, wie sie mir vorschwebt, das wäre die Leistung, die auch mir den Anspruch auf diesen Ruhmestitel verschaffen könnte.

Ich habe zwar jetzt die Gelegenheit, der unvollständigen und unvollkommenen Auswahl des Bibliographischen Instituts zwei Ergänzungsbände hinzuzufügen, die diese Ausgabe vervollständigen würde. Ich möchte aber, ehe ich zusage, den Versuch machen, ob ich nicht ein Ganzes zuwege bringe.

Sollte es Ihnen nicht möglich sein, mir auf diesen Vorschlag einen zusagenden Bescheid zu geben, so würde ich sehr viel Hoffnung auf die Herren Prof. Petersen und Ministerialrat Stier setzen, die mir vielleicht durch einen Zuschuß der Notgemeinschaft wenigstens die Herausgabe des gesamten Briefwechsels ermöglichen könnten.[21] Auch für jeden anderen Rat würde ich Ihnen sehr dankbar sein.

In Dankbarkeit und Verehrung
stets Ihr
Alfred Bergmann[22]

Kein Wunder, dass sich Bergmann im Einzelnen nicht über die Prinzipien einer historisch-kritischen Grabbe-Ausgabe äußerte. Denn wissenschaftliche Werkausgaben gehörten nicht zum Profil des Insel-Verlages.[23] Bemerkenswert war aber auch, dass der Insel-Büchersammler Bergmann[24] kein Wort über die mögliche Ausstattung einer Grabbe-Gesamtausgabe verlor. Gerade im Insel-Verlag lagen buchkünstlerisch exklusive wie populäre Ausgaben vor, beispielsweise zu Goethe – unter anderem *Goethes Sämtliche Werke in sechzehn Bänden* in der *Großherzog Wilhelm Ernst Ausgabe Deutscher Klassiker*[25] oder *Goethes Werke in sechs Bänden* (der „Volks-Goethe").[26] Allein vom „Volks-Goethe" wurde im Jahr 1925 das 85. Tausend gedruckt. Gustav Roethe, der Präsident der Goethe-Gesellschaft, übernahm diesmal die Bearbeitung der Ausgabe, die wiederum viele neue Leser erreichen sollte.[27]

Bergmann indessen argumentierte gegenüber Kippenberg ausschließlich aus Sicht desjenigen, der keine Analogien zu anderen Werk-Ausgaben, z.B. zum „Volks-Goethe", zulassen wollte und offensichtlich den Blick auf die Leserschaft als sekundär beurteilte. Was für Bergmann allein zählte, war die wissenschaftliche Gesamtedition von Grabbes Dichtungen und Schriften.

Anton Kippenberg erwiderte am 7. Mai 1934 aus Leipzig:

Lieber Herr Dr. Bergmann!

Ihren zweiten Brief vom 27. v. [ds.] Mts.[28], der sich mit der Frage einer Grabbe-Ausgabe beschäftigt, habe ich mit Interesse und natürlich mit grundsätzlicher Zustimmung gelesen. Ob es mir aber möglich sein wird, in heutiger Zeit ein so grosses und kostspieliges Unternehmen wie die Grabbe-Ausgabe zu beginnen, erscheint mir höchst fraglich. Wir wollen uns mündlich einmal darüber des weiteren unterhalten.

Mit den besten Grüssen bin ich
Ihr Anton Kippenberg[29]

Das Gespräch zwischen Bergmann und Kippenberg zum Plan einer Grabbe-Gesamtausgabe hat vermutlich im Sommer 1934 stattgefunden. Über Einzelheiten ist nichts bekannt. In dessen Nachgang teilte der Chef des Insel-Verlags am 9. August 1934 Bergmann lediglich mit: „[...] Was den Grabbe anlangt, so kann ich Ihre Frage leider nicht beantworten [...].“[30] Bergmann empfand diese Aussagen als Enttäuschung. Sein Vorhaben zur Edition einer Grabbe-Gesamtausgabe im Insel-Verlag war gescheitert. Zudem vermischte sich Bergmanns Gram mit dem Umstand einer starken Arbeitsbelastung im Goethe-und Schiller-Archiv sowie dem Ärger um die Scheidung von seiner Frau Maria Margarete Ernestine. Auch diese Sorgen zeigte er in einem Brief vom 17. November 1934 gegenüber Kippenberg an:

Zum Schlusse muß ich Sie bitten, schon um unnötige Korrektursendungen zu vermeiden, herzlich bitten, mit meiner Hilfe am ‚Jahrbuch‘ vor Weihnachten nicht mehr zu rechnen. Ich bin (die Darlegung der Gründe ersparen Sie mir bitte) ein körperlich und seelisch schwer leidendender Mann und wende meine allerletzten Kräfte an die Bewältigung des über Erwarten reichen Materials zur Geschichte der Goethe-Gesellschaft, deren Manuskript ich unbedingt bis Neujahr fertig haben muß. Ich sündige schon damit gegen das Verbot meines Arztes. Nebenher etwas zweites zu erledigen, dazu bin ich im Augenblick leider völlig unfähig. Neujahr, wenn Petersen mein Manuskript hat, stehe ich Ihnen zur Verfügung, um das ‚Jahrbuch‘ fertig zu machen. Im übrigen werde ich dann längere Zeit keine Feder mehr anrühren dürfen, wenn ich einigermaßen wieder der alte werden soll.

Mit herzlichen Grüßen
Ihr dankbar ergebener
Alfred Bergmann[31]

Verständnis zeigte Kippenberg für Bergmanns Lage. Er machte ihm Mut. Am 19. November 1934 meinte der Verlagschef:

> Lieber Herr Dr. Bergmann!
>
> Ich danke Ihnen für Ihren Brief vom 17. ds. Mts. um das wichtigste vorweg zu neh-men: ich weiss, in wie schwerer Lage Sie sind und dass Sie augenblicklich auch außer-ordentlich zu tun haben. So werde ich Sie mit dem Jahrbuch bis Ende des Jahres kei-neswegs bemühen. [...] Nun halten Sie recht den Kopf hoch und glauben auch einem *polytropos*, dass nach Regen immer wieder Sonnenschein kommt.
>
> Mit herzlichen Grüssen bin ich
> Ihr Anton Kippenberg[32]

Bergmann half der Zuspruch des *polytropos* nur eingeschränkt. Von Weimar weg, nach Leipzig hin als Kustos der Sammlung Kippenberg zog es ihn. „Denn zu allem anderen, was mich die Arbeit in Leipzig wünschen läßt", so meinte Berg-mann am 4. Dezember 1934, „kommt jetzt auch das Bedürfnis, für einige Zeit der völlig vergifteten Weimarer Atmosphäre entrückt zu sein."[33]

Der Bibliothekar am Goethe-und Schiller-Archiv sah sich seit 1933 dem Druck von nationalsozialistischen Organisationen in der Klassikerstadt ausge-setzt. So wurde er von Hans Wahl (1885-1949), dem Direktor des Goethe-und Schiller-Archivs und des Goethe-Nationalmuseums, aufgefordert, Mitglied des antisemitisch-pronationalsozialistischen „Kampfbunds für deutsche Kultur (KfdK)" zu werden. In dem Schreiben von Hans Wahl hieß es:

> Der Kampfbund für deutsche Kultur, dem ich als Mitbegründer seit dem Frühjahr 1928 angehöre, hat sich nach vorübergehendem Aussetzen in der Zeit der politischen Entscheidungen des letzten Jahres auch in Weimar neu gebildet. Als Fachschaftsleiter für Wissenschaft der Ortsgruppe Weimar habe ich die Aufgabe, 1. alle wissenschaft-lich tätigen Weimarer und 2. Angehörige der Vorstände wissenschaftlicher Gesell-schaften und Vereinigungen, deren Sitz Weimar[34] ist, bei denen entschieden deutsche Gesinnung und bewußter Abwehrwille gegenüber undeutscher Gesinnung vorausge-setzt werden darf, einzuladen, dem Kampfbund in Weimar als Mitglieder beizutreten. Ich wende mich deshalb auch an Sie unter Beifügung einer Beitrittserklärung, aus der weiteres ersichtlich ist, mit der Bitte, mir bis zum 30. Dezember 1933 Ihre Stellung-nahme zu meiner Einladung bekannt zu geben. [...]
>
> Der Fachschaftsleiter für Wissenschaft Wahl[35]

In seiner Eigenschaft als „Gaufachberater" für den Bereich „Geisteswissenschaften" der „NS-Kulturgemeinde" in Weimar gab Wahl seit dem 1. August 1934 seiner Forderung gegenüber den Mitarbeitern des Goethe-und Schiller-Archivs weiteren Nachdruck. Wie sich zeigte mit Erfolg. Denn Max Hecker (1870-1948), Philologe und stellvertretender Direktor des Archivs, wurde Mitglied der „NS-Kulturgemeinde" und dessen *Spielplanverantwortlicher* für Aufführungen im Deutschen Nationaltheater Weimar.[36] Damit geriet Bergmann in einen tiefen inneren Zwiespalt. Einerseits war er um Loyalität gegenüber Hans Wahl bemüht. Andererseits pflegte er seit Jahren enge Kontakte zu jüdischen Autografensammlern, Antiquariatsinhabern und Rechtsanwälten.[37] Mit dem nach London emigrierten jüdischen Schriftsteller Stefan Zweig korrespondierte Bergmann.[38] Der berühmte Insel-Autor hatte dem Grabbe-Forscher den Aufsatz *Meine Autographen-Sammlung* mit einer handschriftlichen Widmung zugeeignet.[39]

Zudem wurde Bergmann aber im Zuge der NS-Enteignungen von Vermögen und Kulturgütern jüdischer Bürgerinnen und Bürger von Hans Wahl mit Gutachtertätigkeiten betraut. So bekam der Grabbe-Forscher vom Direktor des Goethe-und Schiller-Archivs unter anderem die Anweisung, die 2.000 Bände umfassende Almanach-Sammlung des Leipziger Unternehmers Arthur Goldschmidt (1883-1951) zu begutachten. Bergmann hatte Verständnis für die verzweifelte Lage des jüdischen Sammlers und beurteilte dessen Almanache der Goethe-Zeit als „einzigartig".[40] Dass die Sammlung deutlich unter dem Angebotspreis von „50.000 RM" für lediglich „2.000 RM" vom Goethe- und Schiller Archiv erworben wurde[41], konnte Bergmann nicht verhindern.

Zwischenzeitlich fühlte sich Bergmann offenbar erleichtert. Am „Silvesterabend ein halb sieben Uhr" des Jahres 1934 hatte er nach mehrmonatiger Arbeit ein für Weimar wichtiges Werk fertiggestellt. Der Bibliothekar hatte das 196seitige Schreibmaschinen-Manuskript zur *Geschichte der Goethe-Gesellschaft* verfasst. Er legte es auf den Tisch „einer Hohen Direktion des Goethe-und Schiller-Archivs nieder" und meinte, er könne Kippenberg doch „nicht blamieren".[42]

Waren damit die Wogen des Ärgers bei Bergmann geglättet? Hatte er nunmehr die Gelegenheit, den Plan einer Grabbe-Gesamtausgabe wieder aufzugreifen? Mitnichten.

Sein Manuskript zur *Geschichte der Goethe-Gesellschaft* wurde von Julius Petersen und Anton Kippenberg als „unbrauchbare Arbeit"[43] rundweg abgelehnt. Der Grabbe-Forscher sah seine wissenschaftliche Leistung in Weimar diskreditiert. Dennoch blieb Bergmann bis zum 30. September 1937 als Bibliothekar am Goethe-und Schiller-Archiv und Schriftführer der Goethe-Gesellschaft tätig, ehe er bis zum 31. März 1938 im Archiv des Insel-Verlages Leipzig wirkte. Doch auch in dieser Zeit hielt Bergmann trotz des hohen Arbeitsaufkommens an seinem Vorhaben zur Edition einer Grabbe-Gesamtausgabe fest. Dabei verschlechterte sich das Verhältnis zu Anton Kippenberg dermaßen, dass es zu einem folgenreichen Streit kam. Kippenberg und Bergmann beendeten ihre Zusammenarbeit im März 1938. Auf dem Höhepunkt der Streitigkeiten um finanzielle Fragen verwies Bergmann noch einmal auf Kippenbergs vermeintliche Zusage aus dem Jahr 1925. Bergmann meinte:

> Ich darf wohl bemerken, daß Sie mir seinerzeit die Übernahme einer umfassenden Grabbe-Ausgabe in den Insel-Verlag ausdrücklich zugesagt und mir während unserer entscheidenden Besprechung in Weimar starke Hoffnungen gemacht haben, dieses Versprechen noch zu erfüllen, woran ich umso mehr glauben konnte, als es jetzt keine andere Grabbe-Ausgabe mehr gibt und ein Reichszuschuß dafür fraglos zu erhalten wäre. Lag darin schon nicht für mich die Verpflichtung, an Grabbe weiterzuarbeiten?[44]

In der Tat hatte Bergmann den Aussagen Kippenbergs vertraut. Und im Jahr 1937 war es – im Vergleich zur Zeit vor der nationalsozialistischen Machtübernahme in Deutschland – freilich „fraglos" einfacher, einen „Reichszuschuß" für eine Grabbe-Gesamtausgabe zu erhalten. Der Detmolder Dichter war als „völkischer Visionär" von Reichsdramaturg Rainer Schlösser und Hanns Johst, Präsident der Reichsschrifttumkammer, neben Friedrich Hölderlin und Heinrich von Kleist in den Rang des „Deutschen Klassikers" erhoben worden. Aber Kippenbergs Interesse an einer solchen, vom NS-Staat geförderten Ausgabe beschränkte sich auf Ankündigungen. Ernsthaft erwogen hat er die Verwirklichung dieser Grabbe-Gesamtausgabe unter Bergmanns Federführung nicht. Seine persönlichen Vorbehalte gegen das Werk des „betrunkenen Shakespeare" (Heine) und dessen Manie eines zur Schau getragenen Goethe-Kritikers waren stärker als das verlegerische und literaturgeschichtliche Interesse.

Erst am 1. April 1938 sollten Alfred Bergmanns Träume von der Entstehung einer Grabbe-Gesamtausgabe Gestalt annehmen. Seine Stelle als Bibliothekar und Leiter der Grabbe-Sammlung bei der Lippischen Landesbibliothek in Detmold gaben ihm dafür endlich die notwendigen institutionellen Voraussetzungen.

Jahr um Jahr wuchs in Detmold die Grabbe-Sammlung. Ab 1960 konnte der erste Band der historisch-kritischen Werk- und Briefausgabe von Alfred Bergmann erscheinen.[45] Und im Jahr 1973 wurde der letzte Band dieser Gesamtausgabe veröffentlicht. Anton Kippenberg erlebte diesen Erfolg für die wissenschaftliche Erforschung des bedeutenden Vormärzdramatikers nicht mehr. Er starb am 21. September 1950 in Luzern. Seine „grundsätzliche Zustimmung" zur Veröffentlichung der Werke Grabbes bewahrte der Insel-Verlag Anton Kippenberg Leipzig indessen über fast ein halbes Jahrhundert: Erst anlässlich des

175. Geburtstags von Grabbe erschien in der Insel-Bücherei *Napoleon oder die hundert Tage.*[46]

Zustimmungen von Verlegern erfordern schließlich Respekt und Geduld. Offenbar kam Alfred Bergmann zu dieser Einsicht nur sporadisch. Denn das Sammeln literarischer Zeugnisse Grabbes blieb eine Passion, bei der ihm die Geduld gelegentlich verloren ging. Mit Bergmanns Worten:

> [...] eines aber darf man nicht vergessen; daß einer, der sammelt, dies aus angeborener Leidenschaft tut; tut, weil er vom Abenteuer des Sammelns bis ins Innerste aufgewühlte werden will, weil er dies fortwährende Hin und Her zwischen *Furcht und Hoffnung, Erfolg und Enttäuschung, Ausdauer und Ungeduld* nicht mehr entbehren kann.[47]

In diesem Punkt waren sich Alfred Bergmann und Anton Kippenberg wohl ähnlicher, als sie es einräumen wollten.

Anmerkungen

1 Alfred Bergmann an Anton Kippenberg, Weimar, 27. April 1934. Goethe- und Schiller-Archiv Weimar (künftig: GSA) 50/310. Für die Verwendung des Bestands Insel-Verlag Leipzig (Chefkorrespondenz) danke ich Direktor Dr. Bernhard Fischer.

2 Vgl. Korrespondenz zwischen Fritz Adolf Hünich und Alfred Bergmann vom November/Dezember 1924. GSA 50/10, 2.

3 Christian Dietrich Grabbe: Scherz, Satire, Ironie und tiefere Bedeutung. Ein Lustspiel in drei Aufzügen, mit einem Nachwort von Alfred Bergmann. Leipzig 1925 (Insel-Bücherei, Nr. 162).

4 Ebd., S. 54.

5 Vgl. Christian Dietrich Grabbe: Gesammelte Werke. Hrsg. und mit einem Nachwort versehen von Paul Friedrich. 4 Bde. Weimar 1923, Bd. 4, Biographisches Nachwort, S. 357-437, S. 382f.

6 Ebd., S. 55.

7 Lothar Ehrlich: Christian Dietrich Grabbe. Leben – Werk – Wirkung. Berlin 1983, S. 13.

8 Grabbe: Scherz, Satire, Ironie und tiefere Bedeutung (Anm. 3), S. 56.

9 Ebd., S. 56f.

10 Vgl. Hans-Edwin Friedrich: Rezeptionsästhetik/Rezeptionstheorie. In: Methodengeschichte der Germanistik. Hrsg. von Jost Schneider. Berlin, New York 2009, S. 573-598.

11 Grabbe: Scherz, Satire, Ironie und tiefere Bedeutung (Anm. 3), S. 58.

12 Stefan Zweig: Bericht über ein Goethe-Museum. Der Katalog der Sammlung Kippenberg. In: Neue Freie Presse (Wien), 3. Februar 1929.

13 Anton Kippenberg an Alfred Bergmann, Leipzig, 19. Januar 1934. GSA 50/310.

14 Der Insel Verlag 1899-1999. Die Geschichte des Verlags. 1899-1964 von Heinz Sarkowski. Chronik 1965-1999 von Wolfgang Jeske. Eingeleitet von Siegfried Unseld. Frankfurt a. M., Leipzig 1999, S. 397.

15 Burkhard Stenzel: Ein folgenreicher Streit zwischen zwei Autographensammlern im Jahr 1937. Drei unveröffentlichte Briefe von Anton Kippenberg und Alfred Bergmann. In: Manuskripte. Hrsg. von der Freundesgesellschaft des Goethe- und Schiller Archivs Weimar 6 (2013), S. 39-54, hier S. 39.

16 Burkhard Stenzel: „Niemand kann zween Herren dienen." Zur Goethe- und Grabbeforschung Alfred Bergmanns in Weimar (1928-1937). Mit einem unveröffentlichten Brief von Stefan Zweig. In: Grabbe-Jahrbuch 30/31 (2011/12), S. 213-255.

17 Alfred Bergmann: Kleinere Mitteilungen. In: Jahrbuch der Sammlung Kippenberg 6 (1926), S. 295-317; Krankheit und Tod des Prinzen Constantin von Sachsen-Weimar. In: Zeitschrift des Vereins für Thüringische Geschichte und Altertumskunde, Neue Folge 31 (1934), S. 160-170; „Eduard Elsen" und Goethes „Faust". In: VIMARIENSA für Max Hecker, überreicht zum 60. Geburtstag. Weimar 1930, S. 56-65; Goethe-Erstausgaben im Originalzustand. Andeutungen und Anregungen. In: Philobiblon 5 (1932), H. 6, S. 209-216; Christian Wilhelm Steinauer. Eine Skizze seiner Persönlichkeit. In: Jahrbuch der Sammlung Kippenberg 10 (1935), S. 155-180; Ungedrucktes aus der Sammlung Kippenberg. Ebd., S. 222-245.

18 Alfred Bergmann: Das Welt-Echo des Goethe-Jahres. Weimar 1932.

19 Alfred Bergmann: Grabbeforschung und Grabbeprobleme 1918-1934. In: Germanisch-Romanische Monatsschrift 22 (1934), S. 343-357, S. 437-457.

20 Ferdinand Josef Schneider (1879-1954), seit 1921 Ordinarius für Neuere deutsche Literatur und Sprache an der Martin-Luther-Universität zu Halle/Saale, war Verfasser einer Grabbe-Monographie: Christian Dietrich Grabbe. Persönlichkeit und Werk. München 1934.

21 Bergmann hoffte vergeblich auf die Unterstützung von Julius Petersen (1878-1941), seit 1920 Lehrstuhlinhaber für Neuere deutsche Literaturgeschichte an der Berliner Universität, Präsident der Goethe-Gesellschaft (1926-1938) und seit 1934 Herausgeber der Zeitschrift *Euphorion*, und von Friedrich Stier, Ministerialbeamter im Thüringischen Volksbildungsministerium, hinsichtlich eines finanziellen Zuschusses für die Drucklegung einer Grabbe-Briefausgabe. Dies sollte über die *Notgemeinschaft der deutschen Wissenschaft* erfolgen, die 1920 gegründet, 1929 in *Deutsche Gemeinschaft zur Erhaltung und Förderung der Forschung* umbenannt und 1934 von den Nationalsozialisten „gleichgeschaltet" wurde. Vgl. Sören Flachowsky: Von der Notgemeinschaft zum Reichsforschungsrat im Kontext von Autarkie, Aufrüstung und Krieg. Stuttgart 2008.

22 Alfred Bergmann an Anton Kippenberg, Weimar, 27. April 1934. GSA 50/310.

23 Der Insel Verlag (Anm. 14), S. 75-78.

24 Insel-Verlag. Sammlung Alfred Bergmann, Detmold. Auktionskatalog. Hamburg 1982.

25 Goethes Sämtliche Werke in sechzehn Bänden, Bd. 1, Romane und Novellen. Hrsg. von Hans Gerhard Gräf. Leipzig 1905, mit gezeichneten Titeln von Eric Gill, Prägung der Titel in goldenen Versal-Antiqua-Lettern, Entwurf Douglas Cockerell, Dünndruckpapier, Mitarbeit von Harry Graf Kessler.

26 Goethes Werke in sechs Bänden. Im Auftrage der Goethe-Gesellschaft ausgewählt und hrsg. von Erich Schmidt. Leipzig 1909, hellbraune Pappbände, mit schwarzem Titel und Goldprägung des Insel-Verlags-Signets.

27 Vgl. Der Insel-Verlag (Anm. 14), S. 285.

28 Alfred Bergmann an Anton Kippenberg, Weimar, 27. April 1934. GSA 50/310. Hierin teilte Bergmann seine Recherche-Ergebnisse zu einem Zitat aus *Wilhelm Meisters Wanderjahren* mit und bat um ein „Honorar" in Höhe von „300 M" für die Herausgabe des 10. Bandes des Jahrbuchs der Sammlung Kippenberg. Mit diesem Geld wollte Bergmann die „schönsten Briefe" Grabbes erwerben, da er hierin die „Krönung" seiner Sammeltätigkeit sah.

29 Anton Kippenberg an Alfred Bergmann, Leipzig, 7. Mai 1934. GSA 50/310.

30 Anton Kippenberg an Alfred Bergmann, Leipzig, 9. August 1934. Ebd.

31 Alfred Bergmann an Anton Kippenberg, Weimar, 17. November 1934. Ebd.

32 Anton Kippenberg an Alfred Bergmann, Leipzig, 19. November 1934. Ebd.

33 Alfred Bergmann an Anton Kippenberg, Weimar, 4. Dezember 1934. Ebd.

34 Gemeint waren damit u.a. die „Vorstände" Max Oehler (Freundeskreis des Nietzsche-Archivs), Martin Donndorf (Goethe-Gesellschaft), Heinrich Lilienfein (Deutsche Schiller-Stiftung), Werner Deetjen (Shakespeare-Gesellschaft).

35 Für die Verwendung von Unterlagen aus dem Nachlass von Alfred Bergmann danke ich Dr. Joachim Eberhardt, Direktor der Lippischen Landesbibliothek Detmold (künftig: LLBD): Korrespondenz Alfred Bergmann. LLBD, Slg. 12, Nr. 380. Das Beitrittsformular lag dem Brief nicht bei. Es ist nicht bekannt, ob Bergmann die „Beitrittserklärung" bzw. „Stellungnahme" zum KfdK an Wahl übergeben hat.

36 Burkhard Stenzel: „Drum soll der Sänger mit dem Volke gehen". Der Schriftsteller Hans Joachim Malberg und die *NS-Kulturgemeinde* in Weimar (1934-1937). In: Hans Wahl im Kontext. Kultureliten im nationalsozialistischen Weimar. Hrsg. von Franziska Bomski, Rüdiger Haufe und W. Daniel Wilson. Publications of the English Goethe Society, Vol. LXXXIV No. 3, London, October 2015, S. 252-67.

37 Alfred Bergmann: Meine Grabbe-Sammlung. Erinnerungen und Bekenntnisse. Detmold 1942, S. 114. Hier werden Bezüge hergestellt u.a. zu Emil Hirsch, Erik Ernst Schwabach, Leopold Hirschberg und Leon Nathansohn.

38 Korrespondenz Alfred Bergmann und Stefan Zweig 1913-1937 (33 Briefe, 3 Karten von Friederike Zweig, 1 Brief von Lotte Altmann, Stefan Zweigs zweiter Frau). LLBD, Slg. 12, Nr. 46. Siehe Burkhard Stenzel: „...gerade gerne in Weimar". Stefan Zweig und die Klassikerstadt: verborgene Verbindungen – werkgeschichtliche Wirkungen. In: Weimar-Jena. Die große Stadt. Das Kulturhistorische Archiv 6 (2013), H. 2, S.100-113.

39 LLBD, Nachlass Alfred Bergmann, das Exemplar der Zeitschrift Philobiblon 3 (1930), H. 7 trägt auf S. 279 die handschriftliche Zueignung „ Dr[.] Alfred Bergmann herzlichst Stefan Zweig".

40 Bericht von Dr. Bergmann, 25. Oktober 1935. GSA 150/A 335.

41 An den Verwaltungsausschuss des Goethe- und Schiller-Archivs, 18. März 1936. Ebd., Brief 271/36.

42 Alfred Bergmann an Anton Kippenberg, Weimar, 2. Januar 1935. GSA 50/310.

43 Stenzel: „Niemand kann zween Herren dienen." (Anm. 15), S. 228.

44 Alfred Bergmann an Anton Kippenberg, Detmold, 25. Dezember 1937. GSA 50/10, 2.

45 Christian Dietrich Grabbe: Werke und Briefe. Historisch-kritische Gesamtausgabe in sechs Bänden. Hrsg. von der Akademie der Wissenschaften in Göttingen. Bearbeitet von Alfred Bergmann. Emsdetten 1960-1973.

46 Christian Dietrich Grabbe: Napoleon oder die hundert Tage. [Hrsg. und mit einem] Nachwort von Lothar Ehrlich. Leipzig 1976 (Insel-Bücherei, Nr. 582). Dieses Bändchen verstand sich auch als Startzeichen für eine dreibändige Edition der Sämtlichen Werke und Briefe Grabbes in den späten siebziger Jahren, auf der Grundlage der Ausgabe von Alfred Bergmann, herausgegeben von Lothar Ehrlich und Thomas Höhle. Das Projekt kam nicht zustande, es blieb bei einer einbändigen Briefausgabe, die im Herbst 1989 im Satz vorlag. Nachdem der wiedervereinigte Insel-Verlag sein Desinteresse an Grabbe bekundete hatte, erschien der Band 1995 im Aisthesis Verlag Bielefeld: Hrsg. von Lothar Ehrlich unter Mitarbeit von Viktor Liebrenz. Mit einem Nachwort von Lothar Ehrlich. Für die Anmerkungen wurde der Kommentar der historisch-kritischen Ausgabe „dankbar benutzt" (S. 487). Damit endete die Geschichte des Versuchs von Alfred Bergmann, Grabbe im Insel-Verlag zu publizieren.

47 Sammlung Alfred Bergmann (Anm. 24), S. 6.

Joachim Eberhardt

Freiligrath und Brockhaus (1). Briefe 1829-1864

Einleitung

Über Freiligraths Beziehung zum Brockhaus-Verlag und seinen Repräsentanten ist wenig bekannt. Fleischhacks Bibliographie von 1993 dokumentiert dies eindrucksvoll, denn „Brockhaus" hat dort im gemeinsamen Sach- und Personenregister keinen Eintrag.[1] Zwar bot Buchners Briefbiographie im zweiten Band einen langen Brief Freiligraths vom 9. Juli 1852 an den Verlag, doch taugt dieser weniger als Dokument einer Beziehung zwischen Verlag und Autor denn als Dokument seines Lebens.[2] Freiligrath formulierte darin die Ereignisse und Entwicklungen seiner Biographie, die er sich als Ergänzung zu seinem biographischen Eintrag im bekannten Konversationslexikon des Verlagshauses wünschte – eine Art von Brief, wie sie sicher viele Autoren an diesen Verlag geschrieben haben.

Außerdem hat Wilhelm Schoof 1964 in einem Aufsatz Friedrich von Bodenstedts vergebliches Bemühen dargestellt, Freiligrath als Übersetzer für eine Shakespeare-Ausgabe im Brockhaus-Verlag zu gewinnen.[3] Die Pläne zur Mitwirkung beschäftigten Freiligrath einige Zeit, und so finden sich Spuren davon in seinen Briefen an Dritte.[4]

Und schließlich sollte die Werkausgabe für den erkrankten Julius Mosen – Freiligrath sammelte eifrig Subskribenten – ursprünglich bei Brockhaus erscheinen, bevor sie dann 1863 bei Schmidt in Oldenburg veröffentlicht wurde; auch davon zeugen Briefe.

Nun sind 2014 bei der Frühjahrsauktion des Hauses Stargardt Autographen aus dem Archiv des Brockhaus-Verlages in den Handel gekommen. Ein Konvolut mit 14 (bis auf einen) unveröffentlichten Freiligrath-Briefen konnte die Lippische Landesbibliothek dank einiger Spenden erwerben[5]; zwei weitere interessante, ebenfalls unveröffentlichte Stücke kamen im Frühjahr 2015 hinzu. Sie erweitern das Bekannte um überraschende Facetten. Zwei davon mögen hervorgehoben sein. Erstens: Am 20. Juni 1829 schreibt der Vater des Dichters, Wilhelm Freiligrath, an Friedrich Brockhaus, ob sein Sohn nicht im Verlag ein Volontariat ableisten könne. Schreibproben liegen dem Brief bei. Die abschlägige Antwort ist als Abschrift ebenfalls Teil der erworbenen Dokumente.

Zweitens: Eine Serie von drei Briefen Freiligraths 1860-1862 gilt der Frage, ob Brockhaus Interesse daran habe, seine Gedichte in Verlag zu nehmen, da Freiligrath mit dem Cotta-Verlag zeitweilig unzufrieden war. Auch wenn daraus

bekanntermaßen nichts wurde, zeigen diese Briefe, dass Freiligraths Abwande-
rungsbemühungen deutlich weiter fortgeschritten waren als bisher bekannt.

Die folgenden Seiten bieten in einem ersten Teil Freiligraths Briefe an den
F. A. Brockhaus-Verlag und seine Repräsentanten bis Mai 1864, als Verlagslei-
ter Heinrich Brockhaus bei seiner Englandreise Freiligrath und seine Familie
in London besuchte. Die weiteren Briefe werden in der folgenden Ausgabe des
Jahrbuchs vorgestellt.

Editorische Notiz

Die hier folgenden Briefe[6] sind – bis auf einen – bisher unveröffentlicht. Ihre
Texte werden diplomatisch getreu wiedergegeben; der Zeilenfall wurde aus
Platzgründen nicht beibehalten; Freiligraths Verdopplungsstrich über dem
Buchstaben „m" aufgelöst.

Dem edierten Text folgt jeweils ein Kommentar. Folgende Zeichen und
Kennzeichnungen werden verwendet:

kursiv	Schriftwechsel in der Vorlage von Kurrentschrift zur lateinischen Schrift
[in eckigen Klammern]	Herausgeberzusätze
|	Seitenwechsel in der Vorlage
||	Blattwechsel in der Vorlage

Dokumente

1. Wilhelm Freiligrath an Heinrich Brockhaus, 20. Juni 1829

[von anderer Hand hinzugesetzt:]
<u>1829</u>
Soest, 20./25. Juni
Feiligrath [sic]
[von dritter Hand hinzugesetzt:]
B. 30./7.

Soest, in der Grafschaft Mark – 20. Juni – 1829.
Herrn *F. Brockhaus* in Leipzig.

Sie erinnern sich vielleicht kaum mehr einer Familie, der vor stark 7 Jahren die
unerwartete Freude in <u>Detmold</u> zu Theil wurde, durch Ihren geneigten Besuch

Wilhelm Freiligrath an Heinrich Brockhaus, 20. Juni 1829, 1. Seite,
Lippische Landesbibliothek Detmold, Sign. FrS 637, 16

Ihre verehrte Bekanntschaft zu machen. – In 7 Jahren ändert sich Manches, und
vorzüglich in der jungen Welt. – Mein ältester Sohn, damals noch Knabe, ist
jetzt ein kräftiger Jüngling, und gerade dieses jungen Mannes wegen wage ich es,

an Sie zu schreiben. – Seit 4 Jahren war er hier, bei meinem Schwager, dem Kauf-
mann Moritz Schwollmann, als Lehrling angestellt. Da aber mein Schwager und
ich glauben, daß ein Mensch, aus dem etwas Gutes werden soll, nicht immer
in einem und demselben Handlungshause bleiben darf: so wollte ich Sie hier-
durch höflichst ersuchen, ob Sie meinem Sohn in Ihren Geschäften auf einige
Zeit annehmen wollten, versteht sich, das erste Jahr als Volontär. – Er hat in
Detmold 7 Jahre das Gymnasium frequentirt, hat, ausser seiner Muttersprache,
Französisch, || Englisch, Italienisch, Latein und etwas Griechisch gelernt. Zum
Beweise dieser Aussage lege ich zwei, von ihm selbst ausgearbeitete Muster bei.
Sie ersehen aus denselben auch zugleich seine Handschrift. – Ueber seinen sittlichen und moralischen Character wage ich nicht, mich auszusprechen, wohl wis-
send, daß man in solchen Fällen immer voraussetzt, daß die meisten Aeltern ihre
Kinder loben. Doch kann ich Ihnen, auf Verlangen, ein vom Scholarrhat in Detmold ausgefertigtes Zeugniß über meinen Sohn zusenden, und Sie werden darin
finden, daß er immer brav war. – Sie würden mich sehr verpflichten, wenn Sie
gewogentlich mir recht bald über meine Anfrage Nachricht erteilen könnten. –
                                               Hochachtungsvoll
                                               Wilh. Freiligrath.

Kommentar

Überlieferung: Eigenhändige Handschrift, bisher unveröffentlicht.
Bestand: Lippische Landesbibliothek, FrS 637,16.
Zeugenbeschreibung: 1 Blatt, 2 mit schwarzer Tinte beschriebene Seiten. Längs
    und quer gefaltet, im Längsfalz leicht eingerissen. Größe der beschriebenen
    Seiten: 17,6 x 22 cm.

Obwohl der Brief an F[riedrich] Brockhaus adressiert ist, gilt er Heinrich Brockhaus, denn dieser war auf Geschäftsreise 1822 in Detmold gewesen und daher
mit der Familie Freiligrath bekannt. Seit dem Tode des Vaters und Verlagsgrün-
ders Friedrich Arnold Brockhaus 1823 teilten sich Friedrich und Heinrich mit
dem Buchhalter Bochmann die „Administration" des Verlages für die Erben bis
1829, bevor beide gemeinsam auf eigene Rechnung das Verlagsgeschäft führten.[7]
    Ferdinand Freiligrath war im Juli 1825 als Lehrling in Moritz Schwollmanns
Kolonialwarengeschäft in Soest eingetreten; sein Vater war ihm Ostern 1827 als
Buchhalter nachgefolgt.[8] Warum Wilhelm meinte, sich um eine neue Lehrstelle
für Ferdinand kümmern zu müssen, ist nicht bekannt.
    Dem Brief an Brockhaus lagen die angekündigten „zwei, von [Ferdinand Frei-
ligrath] selbst ausgearbeitete Muster" als Schreib- und Sprachproben bei: Die
eine ist eine fiktive Soll/Haben-Liste einer Firma „A. B. & Comp." in Wien über

eine Seite (FrS 637,16, Beil. 2), die zweite eine Doppelseite Abschrift / Übersetzung des Artikelanfangs „Leipzig" aus dem Brockhaus-Konversationslexikon 2. Aufl., Bd. 5, S. 608 (FrS 637,16, Beil. 1) in deutsch, englisch und französisch.

Zwei weitere Dokumente betten den Brief kontextuell ein. Eine handschriftliche Notiz von Verlagsseite erläutert auf einem Blatt (FrS 637,16, Beil. 3): „Heinrich B. erwähnt den Sohn in seinen Tagebüchern (Bd 4, S. 263-264)" und zitiert dann aus dem Eintrag vom 8. Juni 1864: „Übrigens sind Freiligrath und ich sehr alte Bekannte, indem ich bei der ersten Geschäftsreise, die ich machte, im Jahre 1822, in seinem älterlichen Hause (in Detmold) war, worauf er sich besann; später sollten wir ihn dann zum Buchhändler bilden, was sich aber nicht gestaltet hat."[9] Durch den Hinweis auf die Tagebücher, die als Privatdruck 1884-1887 erschienen, ergibt sich für die Niederschrift der Notiz ein Terminus post quem. – Warum Heinrich Brockhaus als 18jähriger nach Detmold kam, berichtet der erste Band seiner Tagebücher. Die „erste Geschäftsreise" galt im Auftrag des Vaters dem Pastor Pustkuchen in Lemgo, der im Winter 1821/22 eine Fortsetzung zu Goethes „Wilhelm Meister" veröffentlicht und das weitere Recht daran Friedrich Arnold Brockhaus angetragen hatte. Nach dem nicht mit Erfolg beschiedenen Gespräch reiste Heinrich „über Detmold, die Externsteine, Pyrmont nach Hannover, dann über Braunschweig nach Haus".[10] Die Reise währte vom 30. Januar bis zum 14. Februar. Aus welchem Grund sich eine Übernachtung bei Freiligraths anbot, ist nicht zu eruieren.

Das zweite Dokument ist eine maschinenschriftliche Abschrift der Antwort des Verlages, sie lautet: „Fab an Wilhelm Freiligrath, Soest. 30. Juni 1829. Ihren Sohn kann ich nicht in meinem Geschäft placieren, auch bin ich ja <u>Buchhändler</u>. Will er sich selbst aber dem Buchhandel widmen, so müßte er wenigstens 2 Jahre als Volontär arbeiten und ich weiß nicht, ob das Eine oder das Andere Ihnen convenirt." Die Abkürzung „Fab" dürfte für die Initialen des Verlagsnamens stehen.

2. FERDINAND FREILIGRATH AN F. A. BROCKHAUS, 9. JULI 1852

3, Sutton Place, Hackney,
London, 9. Juli 1852.

Hochgeehrter Herr [Heinrich Brockhaus],

Ich habe sehr um Entschuldigung zu bitten, daß ich mich erst durch Ihre freundliche Mahnung vom 3. d. M. bestimmen lasse, Ihrer Aufforderung vom 5. Juni zu entsprechen. Verschiedene Abhaltungen, deren Beseitigung nicht in meiner

Macht stand, tragen die Schuld des Verzugs. Ohne dieselben würde ich Ihrer Erlaubniß, zu dem mich betreffenden Artikel in der vorigen Auflage des Conversations-Lexikons Zusätze (u. eventuell Berichtigungen) für die neue liefern zu dürfen, schon eher aufs Dankbarste benutzt haben.

Der frühere Artikel führt mein Leben bis zum Jahre 1843/44, u. meldet Fakten u. Jahreszahlen mit aller mir nur wünschenswerthen Genauigkeit. Doch scheint er mir, namentlich in Bezug auf meine erste Entwicklung, fast zu sehr bloßer Umriß, und ich würde mich freuen, wenn die neue Bearbeitung Raum für ein paar Bemerkungen finden könnte, die, wie kurz u. flüchtig auch gegeben, dennoch gleich dazu dienen würden, das nackte Gerippe zu füllen u. zu bekleiden. Dazu gehört vor Allem, daß mein Vater – ein braver, in seinem Fache äußerst tüchtiger, von seinen Mitbürgern allgemein geliebter und geachteter Mann – die ersten dichterischen Versuche des Knaben (sie begannen mit dem achten Lebensjahre) freudig begrüßte; | daß er aber nicht nur etwaige Anlagen zu erkennen u. zu fördern verstand, sondern auch, durch Wort und Beispiel, dem Charakter die Richtung aufs Ernste u. Ehrenhafte zu geben wußte. Ferner: daß unter den Lehrern des Detmolder Gymnasiums hauptsächlich Falkmann (der bekannte Stylistiker) bleibenden Einfluß auf mich ausübte; daß neben ihm Archivrath Clostermeier, (Verfasser des Werkes „Wo Hermann den Varus schlug",) lebhaften u. thätigen Antheil an meinem Studiengange nahm; daß Chamisso u. Schwab es waren, die mich durch anregenden Briefwechsel mit meiner Amsterdamer Einsamkeit aussöhnten; daß ich von Barmen aus mit Immermann u. seinem Kreise enge Beziehungen unterhielt; daß ich, Barmen verlassend, zunächst ans Siebengebirge ging, dort meine jetzige Frau kennen lernte, (eine geborne Weimaranerin, deren Kinderspielen mit seinen Enkeln Goethe noch gelächelt,) den eingestürzten Rolandsbogen wieder aufbaute, u. mich dann erst nach Darmstadt u. später nach St. Goar wandte; daß endlich Alexander von Humboldt, ohne mein Zuthun durch den Kanzler von Müller dazu veranlaßt, mir den bekannten Jahrgehalt vom König von Preußen auswirkte.

Dies, geehrter Herr, wären etwa die Specialien, die der Artikel, soweit er mein Leben | bereits behandelt, nachtragen könnte. Für die spätere Zeit bin ich so frei, die nachstehenden Andeutungen zu geben.

Meine Sammlung politischer Gedichte „Ein Glaubensbekenntniß" erschien im Oktober 1844, nachdem ich meine preußische Pension bereits seit Beginn des nämlichen Jahres nicht mehr erhoben u. sie kurz vor Ausgabe des Buches, vermittelst eines Briefes an den Minister Eichhorn, förmlich in die Hände des Königs zurückgelegt hatte. Verfolgung voraussehend, ging ich nach Belgien, u. verließ Brüssel eben zeitig genug, um einer auf preußische Requisition angeordneten Verhaftung zu entgehen. Ich lebte darauf in der Schweiz, theils bei Rapperswyl am oberen Züricher See, theils in Zürich, besorgte dort eine neue

Ausgabe meiner Uebersetzung Victor Hugo'scher Poesien (Frankfurt, 1845), veröffentlichte einen Band Uebersetzungen „Englische Gedichte aus neuerer Zeit" (Stuttgart, 1846), ließ nach den Leipziger Augustereignissen 1845 ein Blatt „Leipzigs Todten" (Bellevue, 1845) fliegen, und trat schließlich mit einem Liederhefte „Ça ira" (Herisau, 1846) offen als Herold u. Prophet der Revolution auf. Das Wohl meiner wachsenden Familie erwägend, begab ich mich alsdann (Juli 1846) nach England, wo ich hoffen durfte (u. wo es mir gelang,) mich von den Zufälligkeiten einer bloß auf literarische Einnahmen basirten Existenz zu emancipiren u. mir, für | die Dauer meines Exils, eine sichere bürgerliche Stellung mit meinen merkantilischen Kenntnissen zu erobern. Das später im 2ten Hefte meiner „Neueren pol. u. soc. Gedichte" (Düsseldorf, 1851) abgedruckte Lied „Nach England" ist der Ausdruck meines damaligen Wollens und Thuns. Dieses Lied, dann das im weitesten Kreise bekannt gewordene Gedicht „Irland", Uebersetzungen der socialen Poesien von Thomas Hood u. Barry Cornwall („die Seufzerbrücke", „das Lied vom Hemde" u.a.) waren die dichterischen Resultate meines Londoner Aufenthalts um jene Zeit, denen bald wildere und leidenschaftlichere Klänge folgen sollten. Das Frühjahr 1848 rief mich nach Deutschland zurück, jedoch nur, um die von vornherein verpfuschte „Revolution" zu denunciren, nach bester Einsicht vor der täglich mehr hereinbrechenden Reaction zu warnen u. mich zuletzt durch den dreisten Trompetenstoß „die Todten an die Lebenden" ins Gefängniß zu bringen. Nach meiner Freisprechung von den Düsseldorfer Assisen am 3. Okt. 1848 lud mich Karl Marx in Köln zur Theilnahme an der von ihm gegründeten „Neuen Rheinischen Zeitung" ein. Ich folgte seinem Ruf, war den bewegten Herbst u. Winter über Mitredacteur des Blattes, u. hatte im Mai des folgenden Jahrs (1849) das „Abschiedswort der N. Rhein. Ztg" zu singen. Seit-|| dem lebte ich noch zwei Jahre abwechselnd in Köln und in Düsseldorf, gab unter dem Titel „Zwischen den Garben" (Stuttgart, 1849) eine Nachlese zu meinen älteren Gedichten heraus, vollendete eine schon zu Amsterdam begonnene Uebersetzung von Shakspeare's „Venus u. Adonis" (Düsseldorf, 1849), u. stellte meine „Neueren politischen u. socialen Gedichte" in zwei Heften (Düsseldorf, 1849 u. 1851) zusammen. In diesen u. ähnlichen Beschäftigungen wurde ich plötzlich (Sept. 1850) durch eine eben so gehässige als unberechtigte Verfolgung der preuß. Regierung unterbrochen. Man stellte meine längst (1827) erworbene preußische Staatsbürgerschaft in Frage; ich sollte – mit meiner Familie von vier kleinen Kindern; meine Frau eben in den Wochen – Düsseldorf u. den preuß. Staat unverzüglich verlassen. Ich fügte mich diesem Ansinnen natürlich nicht; ich ließ es im Gegentheil auf einen, nicht erwarteten, Widerstand der zähesten Art stoßen, u. hatte endlich, nach einem hartnäckigen Kampfe von acht Monaten, die Genugthuung, meine Gegner durch alle Instanzen gründlich geschlagen, mein bestrittenes preuß. Indigenat anerkannt und das Bürgerrecht der Stadt Düsseldorf mir verliehen zu haben. Uebrigens ließ ich diese Wendung nur eintreten, um – nun, wo ich bleiben <u>konnte</u>, freiwillig zu ziehen. Ich hatte den ganzen Streit | zuletzt nur des Princips, nicht des Gegenstandes willen geführt; ich sah voraus, daß mir die Früchte meines Siegs sehr bald durch neue Widrigkeiten würden verkümmert werden, u. trug in keiner Weise Verlangen, Zeit und Kraft und Stimmung fortwährend in so schnöden kleinen Kriegen drauf gehen zu lassen. So entschloß ich mich dann, mit der Durchsetzung meines Rechts zufrieden, abermals zur Auswanderung, und lebe (seit Mai v. J.) wieder in London. Meine aeußere Stellung ist, wie früher, die eines Correspondenten in einem achtbaren Handlungshause; die „Abendfeierstunde" gibt mich der Poesie und meinen Studien, u. manches im Laufe dieses Jahrs Begonnene reift seiner Vollendung allmälig entgegen; an der Revolution halte ich zuversichtlich fest, ohne es deswegen für nöthig zu finden; mich der Selbstüberhebungen, Marktschreiereien u. Händel der hiesigen deutschen Emigration mitschuldig zu machen; ein sehr glückliches Familienleben, daß ich mir in allen aeußern u. innern Stürmen zu begründen u. zu bewahren wußte, hält mich für Vieles mir sonst Verlorengegangene schadlos.

Mein Exil, darf ich hier übrigens nicht unerwähnt lassen, ist inzwischen aus einem freiwilligen sehr bald wieder ein unfreiwilliges geworden. | Nach den ersten Monaten meines Hierseins (im August 1851) hielt Preußen es plötzlich für gerathen, mich zweifach steckbrieflich verfolgen zu lassen: durch das Düsseldorfer Parket wegen der „Neueren pol. u. soc. Gedichte"; durch das Kölner wegen behaupteter Theilnahme an einem imaginairen Complott!

Hiermit, hochgeehrter Herr, ist mein Bericht zu Ende. Ich glaube nichts Wesentliches vergessen zu haben, u. drücke schließlich nur noch den Wunsch aus, daß meine Mittheilungen, offen u. vertrauensvoll wie ich sie gebe, so auch mit Wohlwollen benutzt werden mögen. Ich konnte natürlich nur Fakten beibringen: meine Poesie und mein Antheil an den politischen Bewegungen der letzten Jahre liegen am Tage, u. das Urtheil darüber steht bei Anderen, steht in letzter Instanz beim Volke. Mir selbst geziemt es hier nicht, das Wort darüber zu ergreifen.

Nur eine Bemerkung möchte ich mir erlauben: über die Fabel von meiner s. g. „Conversion" durch Hoffmann von Fallersleben, die zuerst von der reaktionairen Presse des Jahrs 1844 erfunden u. geschäftig verbreitet. Ich habe es bisher verschmäht, auch nur eine Sylbe dagegen zu schreiben; da der Mythus aber in jüngster Zeit sogar in Anthologien u. Literaturgeschichten Eingang gefunden hat, so glaube ich eine Gelegenheit, wie sie sich mir eben ungesucht bietet, nicht versäumen zu dürfen, um der möglichen Wieder-| holung eines groben Irrthums entgegenzuarbeiten. Ich bin weder bekehrt, noch bin ich vollends durch Hoffmann bekehrt worden. Eine <u>Entwicklung</u> ist keine <u>Bekehrung</u>; eine <u>Entwicklung</u> geht auch nicht in einer Nacht vor sich; zumal nicht bei mir. Wer mich näher kennt, wird wissen, daß ich gegen aeußere Einflüsse mich eher spröde verhalte; daß ich bei Allem, was ich angreife, langsam u. gründlich u. gewissenhaft zu Werke gehe. Was ich bin, bin ich durch mich selbst und <u>durch die Zeit</u> geworden. Ich habe gearbeitet, gedacht u. immer Kämpfe bestanden, <u>ehe</u> ich Hoffmann kennen lernte, und <u>nachdem</u> ich ihn kennen gelernt. Jene Nacht mit ihm ist vielleicht mit ein Sandkorn in der Wage meines Entschlusses gewesen, aber auch nichts weiter. Neues hat er mich damals nicht gelehrt; das „bis ich Alles wußte" in meinem vielfach gemißdeuteten Liede an ihn bezog sich rein auf seine, mir erst bei dieser Gelegenheit im Detail bekannt gewordenen, persönlichen Schicksale. Ich begreife eigentlich nicht, wie man sich nur wundern mag, daß ich ein Dichter der Revolution geworden bin; wie man meinen ganzen Gang, statt von Innen heraus, von Außen herein construiren mag. Meine erste Phase, die Wüsten- u. Löwenpoesie, war im Grunde auch nur revolutionair; es war die allerentschiedenste Opposition gegen die zahme Dichtung, wie gegen die zahme Societät. Nachdem ich mich einmal um die || Politik des Tages zu bekümmern angefangen, konnte ich aber nur den Weg einschlagen, den ich nun seit acht Jahren mit unerschütterlicher Consequenz, kein Opfer scheuend, keinen Lohn begehrend, die liberalen (jetzt meist zu Kreuz gekrochenen) Zurechtweiser u. Bespöttler meiner Uebergangszeit weit hinter mir lassend, gegangen bin. Ich wiederhole es: Resultate wie diese pflegen nicht aus den zufälligen Impulsen eines geselligen Abends hervorzugehen; bei einer Natur wie die meinige <u>können</u> sie es nicht. Es würde mich schmerzen, wenn die neue Auflage des Conv. Lex. die Sache anders auffasse, wenn sie, meiner ehrlichen Versicherung zuwider, einem reaktionairen Mährchen weiter Verbreitung geben wollte. – [bis hier bei Buchner und Heichen]

Ich benutze diesen Anlaß noch, geehrter Herr, Ihnen auch den Empfang Ihres Schreibens vom 4. Sept. v. J. anzuzeigen, aus dem ich mit Bedauern erfuhr, daß Sie nicht im Stande waren, auf meine Ihnen damals gemachten Anträge einzugehen. Dagegen habe ich von Ihrer gütigen Versicherung, daß Sie später – selbständige – Verlagsanerbieten freundlich berücksichtigen wollen, sofern Ihre Preßverhältnisse es sonst gestatten, gern u. dankbar Notiz genommen, und werde, sobald ich eine der eben unter Händen habenden Arbeiten vollendet, mit großer u. aufrichtiger | Freude zu einer längst von mir gewünschten Verbindung die Hand bieten.

Genehmigen Sie unterdessen die Versicherung meiner vollkommenen Hochachtung und Ergebenheit

FFreiligrath

P.S.

Verzeichniß meiner Schriften, sofern es auf ihre Nennung ankommt. Die nicht genannten sind theils von geringerer Erheblichkeit, theils später, ganz oder doch ihrem Kerne nach, in die eine oder andere der nachstehenden übergegangen.

Gedichte. Stuttgart, 1838. Zwölfte Auflage, 1851.
Rheinisches Jahrbuch. I & II. (Mit Simrock und Matzerath.) Köln, 1840 u. 1841.
Ein Glaubensbekenntniß. Zeitgedichte. Mainz, 1844. Zweite Ausgabe, 1848.
Lyrische Gedichte von Victor Hugo. Frankfurt, 1845.
Englische Gedichte aus neuerer Zeit. Stuttgart, 1846.
Ça ira. Sechs Gedichte. Herisau, 1846.
Neuere pol. u. soc. Gedichte. Erstes Heft. Düsseldorf,
1849. Ein zweiter Abdruck erschien noch im nämlichen Jahr. |
Zwischen den Garben. Eine Nachlese älterer Gedichte. Stuttgart, 1849.
Venus und Adonis von Shakespeare. Düsseldorf, 1849.
Neuere pol. u. soc. Gedichte. Zweites Heft. Düsseldorf, 1851.

Vielleicht kann ich auch noch erwähnen, daß eine Reihe meiner Gedichte von verschiedenen Uebersetzern (Engländern wie Amerikanern) ins Englische übersetzt worden ist. Auch (aber in kleinerer Anzahl) ins Französische u. Holländische.

FFth

Kommentar

Überlieferung: Eigenhändige Handschrift. Der Brief ist gekürzt bei Buchner (Anm. 2), Bd. 2, S. 260-264 und ihm folgend in den von Walter Heichen zusammengestellten biographischen Bemerkungen seiner Werkausgabe veröffentlicht.[11]
Bestand: Lippische Landesbibliothek, FrS 637,15.
Zeugenbeschreibung: 3 einfach gefaltete Blätter, 11 mit blasser brauner Tinte beschriebene Seiten. Die Seite 12 diente als Umschlag und enthält die Adressierung: „Germany via Ostend. / Herrn F. A. Brockhaus / Paid. Leipzig. / Saxony." Blatt 3 hat ein centgrosses Loch in der Mitte von Seite 11/12. Papiergröße der beschriebenen Seiten: 20,7 x 27 cm.

Dieser umfangreiche Brief mit biographischen Informationen ist zum großen Teil bei Buchner und in der Werkausgabe von Heichen abgedruckt. Freiligraths Angaben haben durchaus Eingang gefunden in die zehnte Auflage des

Brockhaus-Konversationslexikon; der sechste Band mit dem biographischen Eintrag erschien noch 1852.[12] So heißt es in dem Artikel beispielsweise, Freiligrath habe „die Sympathien der liberalen Partei" wiedergewonnen, „als er, *zum Theil* in Folge seines Verkehrs mit Hoffmann von Fallersleben, 1844 jenem Jahresgehalt entsagte" (meine Hervorhebung). Der Umfang des Artikels ist gegenüber der Fassung der neunten Auflage um etwa ⅓ gewachsen.[13]

Welche der „unter Händen habenden Arbeit" Freiligrath Brockhaus anbieten wollte, ist nicht zu ermitteln.

3. *Ferdinand Freiligrath an F. A. Brockhaus, 29. Mai 1853*

Herrn F. A. Brockhaus in Leipzig

London (3, Sutton Place, Hackney)
29. Mai 1853

Geehrter Herr [Heinrich Brockhaus],

Ihre gefällige Zuschrift vom 14. d. M., mit einer Zulage von Herrn Prof. Prutz, ist mir richtig zu Händen gekommen, dagegen habe ich bis jetzt vergeblich den mir damit angekündigten Nummern des „Deutschen Museums" entgegengesehen. Sollten dieselben unterwegs verloren gegangen oder auf der Gränze (der preußisch-belgischen) liegen geblieben sein? Oder haben Sie es doch noch vorgezogen, die Hefte durch Beischluss an eine hiesige Buchhandlung – und nicht unter Kreuzband durch die Post – zu befördern?

Beifolgender Brief, worin ich Hrn. Prof. Prutz meine Mitarbeiterschaft am „Deutschen Museum" zusichere, & mit Einsendung eines kleinen Beitrages den Anfang mache, empfehle ich Ihnen zur baldigen gefälligen Besorgung.

[Notiz am Rand, mit anderer Hand, kleiner:] exp[edirt] 2. Juni 53.[Ende Notiz] Das „Deutsche Museum" bitte ich Sie, mir regelmäßig durch Vermittlung der Herrn Williams & Norgate zuschicken zu wollen – u. zwar von Anfang dieses Jahres an, wenn die fraglichen drei ersten Hefte mir wirklich nicht mehr zukommen möchten. Sonst vom vierten Hefte an. Alles bis jetzt Erschienene zusammen in Einem Packet, &. das Spätere sodann in <u>monatlichen</u> Packeten. Den Betrag wollen Sie seiner Zeit an den mir zu machenden Honorarzahlungen kürzen, u. mich demnächst auch mit Ihren Bedingungen für (poetische u. prosaische) Beiträge zum „Deutschen Museum" bekannt machen.

Hochachtungsvoll u. ergebenst

FFreiligrath

Kommentar

Überlieferung: Eigenhändige Handschrift.
Bestand: Lippische Landesbibliothek, FrS 637,1.
Zeugenbeschreibung: Ein Blatt, einmal gefaltet, Brieftext auf Seite 1. Auf Seite 4
    Adresse: „via Ostende. Herrn F.A. Brockhaus Leipzig" und Absendervermerk
    von Freiligraths Hand: „1853 | London, 29. Mai / 2. Juni | Freiligrath". Darun-
    ter von anderer Hand: „Das Ex. d. D.[eutschen] M.[useums] wird F. regelmä-
    ßig von uns erhallen [sic], der übrige Inhalt des Briefs – bes. wegen Honorar
    – beantworten Sie noch gleich f. uns u. schicken uns dann d. Brief zurück."
Papiergröße der beschriebenen Seiten: 21,5 x 27 cm.

Das „Deutsche Museum", herausgegeben von Robert Prutz und Karl Fren-
zel, war eine bei F. A. Brockhaus 1851 bis 1867 erscheinende Zeitschrift. Sie
erschien ab 1851 in jährlich 24 Heften, ab 1853 wöchentlich, und kostete im
Bezug jährlich 12 Reichstaler. Seinem Untertitel nach widmete es sich „Literatur, Kunst und [dem] öffentliche[n] Leben". Freiligraths „Neuere politische und
soziale Gedichte" wurden hier besprochen (1852). Der erste Beitrag aus Freiligraths Feder findet sich im Heft Nr. 27 vom 1. Juli 1853: „Ein Volkslied von
den Shetland Inseln. Mitgetheilt von Ferdinand Freiligrath"; es handelt sich um
„Der große Seehund von Sule Skerrie". Der nächste Beitrag erschien erst 1858
(„Nach Johanna Kinkel's Begräbniß", S. 883 in Tlbd. 2) – von einer regelmäßi-
gen Mitarbeit kann also keine Rede sein.[14] Im Katalog der Freiligrath-Bibliothek
ist Prutz' Deutsches Museum nicht nachgewiesen.[15]
    Der Postweg nach England führt „via Ostende", wie Freiligraths Adressierung
belegt. „Unter Kreuzband" ist eine Bezeichnung für Drucksachen, die tariflich
billiger als Briefe befördert wurden. Williams & Norgate war ein in London und
Edinburgh ansässiger Verlag, der eine Niederlassung in Covent Garden hatte.[16]
    Der Brief an Prutz ist nicht bekannt.

4. Ferdinand Freiligrath an F. A. Brockhaus, 16. April 1860

16. April 1860

Hochgeehrter Herr [Heinrich Brockhaus],

Ihre gütigen Zuschrift vom 9. Febr. d. J. habe ich zur Zeit erhalten, u. mir deren
Inhalt allseitig aufs Beste u. Dankbarste bemerkt.
    Gleich nach dem Empfange derselben habe ich vor allen Dingen, im Sinne
Ihrer deßfallsigen Andeutungen, an die Cotta'sche Buchhandlung geschrieben,

daß ich mit Vergnügen bereit sei, meine Verbindung mit ihr aufzulösen. Sie möge mir zu dem Ende unverzüglich eine neue Aufstellung der augenblicklichen Vorräthe geben, u. zugleich den Preis nennen, um den sie dieselben an mich (resp. an meinen künftigen Verleger) abtreten wolle. Ihren Namen habe ich noch nicht genannt. Herr Trübner, dem ich meinen Brief vor seinem Abgange mittheilte, erklärte sich ganz damit einverstanden.

Nun hat mir aber Cotta bis heute, nach vollen zwei Monaten, jenen Brief noch nicht | beantwortet, u. das ist vornämlich auch der Grund, warum ich Ihnen bisher nicht geschrieben habe. Ich hoffte von Tag zu Tag auf Nachricht von Stuttgart, – doch scheint mir jetzt, als ob dieselben ohne eine Erinnerung von meiner Seite nicht eintreffen solle. An dieser wird es nicht fehlen, u. sobald ich weiß woran ich bin, erfahren Sie sofort das Weitere.

Inzwischen wurde mir kürzlich durch einen dortigen Freund (Herr *Fried. Volckmar*, dem Hr. Trübner im Allgemeinen von meinen Differenzen mit Cotta gesprochen hatte) die Mitteilung, daß meine „Gedichte" bereits seit 4 bis 5 Monaten im Buchhandel fehlen! Wahrscheinlich wird diese Mittheilung jedoch dahin zu modifizieren sein, daß die eine oder andere der drei verschiedenen Ausgaben meiner „Gedichte" (Miniaturausgabe, wohlfeile Octavausgabe u. theure Octavausgabe) sich vergriffen hat. Auch dies, verbunden mit dem Umstande, daß Cotta mich weder vor dem Beigehen der Auflage benachrichtigt noch zu einer neuen Auflage Anstalt gemacht hätte, wird ein für uns wichtiges *factum* sein. Sie würden mich außerordentlich verbinden, wenn Sie freundlich dazu | beitragen wollten, daß ich Gewißheit über diesen Punkt erhalte. Auch an die Güte des Herrn *Volckmar* habe ich mich um weitere Auskünfte gewandt, (ohne dabei natürlich die zwischen Ihnen u. mir im Gange befindlichen Unterhandlungen zu erwähnen.)

Ihrem Wunsche gemäß komme ich jetzt auf die mir von Cotta bewilligten Honorare.

Ich erhielt:

für jede Auflage der „Gedichte", Miniaturausgabe, Auflage 1250, ein Honorar von ^{24}F. 1250.

für jede Aufl. der „Gedichte", theure Octavausgabe, Aufll. 1250, ein Honorar von ^{24}F. 1200.

für jede Aufl. der „Gedichte", wohlfeile Octavausgabe, Aufl. 2000, ein Honorar von ^{24}F. 800.

für die „Gedichte aus dem Englischen", Auflage 1200, ein Honorar von ^{24}F. 1200.

für „Zwischen den Garben", Auflage 2000, ein Honorar von ^{24}F. 700.

für Longfellow's „Hiawatha", Auflage 1200, ein Honorar von £ 50,-.

u. außerdem von jedem Buch (resp. jeder neuen Auflage) 25 Freiexemplare.
Die Honorare zahlbar bei Ablieferung des Manuskripts, beziehungs- | weise
bei'm Erscheinen jeder neuen Auflage.

Prüfen Sie nun gef. die vorstehenden Angaben, u. theilen mir Ihre Ansichten
darüber mit. Cotta, das kann nicht bezweifelt werden, hat die mir gezahlten
Honorare mit seinem Interesse nicht im Widerspruch gefunden, u. ich gebe
mich drum gern der Hoffnung hin, daß auch Sie geneigt sein würden, unserm
künftigen Verhältnisse ähnliche Bedingungen zu Grunde zu legen. –

Eh' ich schließe, erwähne ich jetzt noch <u>mit aller Offenheit</u> eines Verhältnisses,
worüber Sie, wie Hr. Trübner mir ganz vor Kurzem sagte, Auskünfte von mir
zu erhalten wünschten. <u>Im November vor. Jahres</u> besuchte mich Hr. Bernhard
Tauchnitz aus Leipzig, u. theilte mir mit, daß er seine, bis dahin allergrößten-
theils nur aus den Prosaschriftstellern zusammengesetzte *„Collection of British
Authors"* von nun an auch durch die Poeten zu vervollständigen die Absicht habe.
Er trug mir gleichzeitig die Auswahl, das Arrangement, die Bevorwortung, – mit
einem Wort, die Redaction dieses Theils seiner Sammlung an, u. wenn ich mich
schon bereit erklärte auf seine Wünsche einzugehen, || so dachte ich dabei auch
sicher nicht im Entferntesten an die Möglichkeit, daß Ihnen, verehrter Herr,
ein Untereinkommen dieser Art unangenehm sein könne. Mit meinen Ihnen
gemachten Anträgen collidirte dasselbe in keiner Weise, u. daß Sie selbst eine
ähnliche Auswahl beabsichtigten, <u>ist mir erst in den letzten acht Tagen bekannt
geworden</u>! Dies, der stricktesten Wahrheit gemäß, der Hergang der Sache! Sie
werden einsehen, daß, wenn ich Ihnen Anstoß gegeben habe, es ohne mein Wissen u. Wollen geschehen ist, u. ich hege zu Ihrer Billigkeit das feste Vertrauen, daß
Sie dem immerhin unangenehmen Zwischenfall auf unsre im Werden begriffenen
sonstigen Bezüge keinen störenden Einfluß gestatten werden.

In bekannter ausgezeichneter Hochachtung

ganz ergebenst
FFreiligrath

Herrn F. A. Brockhaus
in Leipzig

Kommentar

Überlieferung: Eigenhändige Handschrift.
Bestand: Lippische Landesbibliothek, FrS 637,2.
Zeugenbeschreibung: 1 Doppelblatt, 1 Blatt, 5 beschriebene Seiten. Das Einzel-
   blatt ist durch Entzweireißen eines Doppelblattes hergestellt. Briefbögen mit
   Adressvordruck der „General Bank of Switzerland. / (Crédit International

Mobilier et Foncier) / London Agency / 2. Royal Exchange Buildings." auf
der 1. und 5. beschriebenen Seite.
Auf der Rückseite des Einzelblattes (S. 6) zwei Vermerke des Verlages:
„1860 / London 16./18. April / Freiligrath", darunter mit anderer Tinte:
„B.[eantwortet] 20/4".
Papiergröße der beschriebenen Seiten: 21,5 x 26,5 cm.

Dieser Brief ist der erste an Brockhaus, der in Sachen Verlagswechsel überliefert ist. Freiligraths Schreiben an die J. G. Cottasche Verlagsbuchhandlung, auf
das er im Brief bezugnimmt, stammt vom 20. Februar 1860. Es ist im Literatur-
archiv in Marbach erhalten und im wesentlichen Teil von Maria M. Wagner
in ihrem Aufsatz über „Amerikanische Nachdrucke" abgedruckt.[17] Zwischen
dem Dichter und seinem Verlag war Mißstimmung eingetreten, weil Freiligrath
einem amerikanischen Verleger das Verlagsrecht für eine Gesamtausgabe seiner
Werke in den USA gewährt hatte, während Cotta meinte, einen unbeschränk-
ten und ausschließlichen Vertrag mit Freiligrath zu haben. Freiligrath empfand
das Auftreten des Cotta-Verlags als „zu feindlich und beleidigend, als daß ich
nicht mit Vergnügen auf Ihre Wünsche rücksichtlich einer Auflösung unsrer bisherigen Beziehungen eingehen sollte". Er hatte daher den Cotta-Verlag gebeten,
„ein Verzeichnis der Vorräthe" an seinen noch unverkauften Schriften zu übermitteln und eine Pauschalsumme zum Abkauf derselben zu nennen. Da er bis
zum Schreiben an Brockhaus keine Antwort erhalten hatte, erneuerte er seine
Aufforderung an die J. G. Cottasche Verlagsbuchhandlung – wie an Brockhaus
angekündigt – wenig später mit Brief vom 20. April 1860.[18]
  Interessanterweise ist unter dem Konvolut der erworbenen Dokumente
auch eine Kalkulation des Brockhaus-Verlages über den Druck der „Gedichte"
erhalten. Der Verlag kalkuliert die Druckkosten für eine Wohlfeile Ausgabe
mit 1250er und 2000er Auflage („Calculation No. 122", 22. Mai 1860, FrS
637,16 Beil. 5). Für die reinen Herstellungskosten kalkuliert ein zweites Blatt
die 2000er Auflage weiter am 23. Mai, zu gleichen Bedingungen wie Cotta
(FrS 637,2-3 Beil.). Auflage von 2000 Stück, Honorar für Freiligrath von 800
Gulden, das entspricht 457,5 Reichstalern. Der Druck würde 411,25 Reichstaler kosten, die Inserate zur Werbung 16 Reichstaler. Damit beliefen sich die
Verlagskosten in der Summe auf 885 Reichstaler. Bei einem Verkaufspreis von
einem Reichstaler würde der Verlag 22,5 Neue Groschen machen. 1180 Exemplare müssten zur Deckung der Herstellungskosten (und des Honorars) abgesetzt
werden; beim Verkauf der gesamten Auflage von 2000 Exemplaren würde der
Verlag 615 Reichstaler erlösen. Da sich Freiligraths Gedichte kontinuierlich ver-
kauften, dürfte diese Kalkulation das Interesse des Brockhaus-Verlages an einer
geschäftlichen Beziehung zu Freiligrath verstärkt haben.

Der im Brief genannte Friedrich Volckmar könnte der Leipziger Zwischen-buchhändler Ludolf Franz Friedrich Volckmar (1799-1876) sein, den Heinrich Brockhaus nicht nur als Leipziger Unternehmer kannte, sondern der in den 1820er Jahren bei F. A. Brockhaus gearbeitet hatte. Christian Berhard Tauchnitz hatte 1837 den Bernhard Tauchnitz Verlag gegründet und seit 1841 begonnen, preiswerte Ausgaben englischer und amerikanischer Schriftsteller zu veröffentli-chen, eben jene „Collection of British [and American] Authors". Zu einer Mit-arbeit Freiligraths an einer solchen Anthologie ist es nicht gekommen.

Kalkulation des Verlags F.A. Brockhaus vom 22. Mai 1860 für die Druckkosten
einer Ausgabe von Freiligraths „Gedichten",
Lippische Landesbibliothek Detmold, Sign. FrS 637, 16, Beilage 5

5. FERDINAND FREILIGRATH AN F. A. BROCKHAUS, 5. JULI 1860

5. Juli 1860
[Zeile von anderer Hand:] B. 17/VII.

Hochgeehrter Herr,

Endlich ist bestimmte Nachricht von der Cotta'schen Buchhandlung eingetroffen, u. behändige ich Ihnen inliegend Abschrift des Verzeichnisses der Vorräthe, wie auch der wesentlichen Stellen des Begleitbriefes der Handlung.

Herr Dr. Brockhaus, dessen persönliche Bekanntschaft ich in der letzten Woche mit lebhaftem Vergnügen zu machen so glücklich war, werde ich die Originale der Cotta'schen Mitteilungen vorlegen sobald er im Laufe der nächsten Woche von seinem Ausflug in die County nach London zurück gekehrt sein wird. Nach mündlicher Besprechung mit ihm und nachdem ich inzwischen auch von Ihnen wieder gehört haben werde, werde ich aber nun gleich an Cotta antworten.

Es scheint mir (und Herr Trübner bestärkt mich in dieser Ansicht), daß Cotta's Forderung (sämtliche Vorräthe zum Netto-Preise) unbillig ist. Der Käufer hat dem Sortimentshandel ja ebenfalls zum NettoPreise zu liefern, wird demnach wenn | er selbst den NettoPreis bewilligt, keinen Nutzen bei'm Verkauf, sondern im Gegentheil nur einen nach dem raschen oder langsamen Vertrieb mehr oder weniger bedeutenden Zinsverlust haben.

Es wird nun sehr wichtig sein, dass meine Antwort das zu stellende Gesuch um eine nothwendige Preisermäßigung mit schlagenden und von allseitiger Kenntniß und Erwägung der Verhältnisse getragenen Gründen unterstützt.

Und damit dies in eingehender, geschäftsmäßiger Weise geschehe, möchte ich Sie ergebenst bitten, den betreffenden Passus gütigst selbst formulieren und mir ihre Fassung zur Benützung für meine Antwort baldmöglichst zukommen lassen zu wollen.

Was Cotta von „Verlagsrecht" spricht, sind Redensarten, die aller und jeder Begründung entbehren. Er hat meine sämmtlichen bei ihm erschienenen Sachen auflagenweise honoriert, u. eine Erwerbung des Verlagsrechts auf eine Reihe von Jahren hinaus hat niemals stattgefunden. Noch in dem, eben von mir liegenden Antwort über meine jüngste *Publication*, den Hiawatha von Longfellow, lautet die der letzte Paragraph wörtlich: „Für nöthig werdende weitere Auflagen behalten sich die Contrahenten eine Einigung vor." Das heisst doch selbstverständlich: kommt | die neue Einigung aus diesen oder jenen Gründen nicht zu stande lässt der Autor weitere Auflagen drucken, wo u. durch wen er will. Auf dem Punkte, wo wir jetzt stehen, ist der Gegenstand nicht mehr von Erheblichkeit; die Hartnäckigkeit jedoch, womit Cotta sich in das Wort „Verlagsrecht" förmlich verbeißt, und seine Großmuth „als wir ja Verlagsrecht selbst nicht in Anschlag bringen") ist bewundernswürdig.

Die noch in Amerika lagernden Exemplare der billigen 8vo Ausgabe (mehr als ich gedacht hätte) werden sich, denke ich, doch wohl am besten in Amerika selbst absetzen lassen. Ein Zurückkommenlassen würde nur Kosten machen. Vielleicht fände sich dort # [Einfügemarke, am Seitenende:]# in New York[Ende Einfügung] ein Abnehmer für das Ganze. Sagen Sie mir güthigst, was Sie zu thun beabsichtigen. Bleiben die Exemplare in Amerika, so werden wir gleich nachdem mit Cotta alles geordnet, zu einer neuen Auflage dieser jetzt bereits seit 9 Monaten im deutschen Buchhandel fehlenden Ausgabe schreiten müssen.

Auch die Miniaturausgabe, sehen Sie aus dem Verzeichnis, ist so gut wie vergriffen, und wird eine neue Auflage vor Weihnachten nöthig werden.

Gern sähe ich, daß beide in Ihrem Verlag erscheinenden neuen Auflagen (die 19te & 20te) sich | im Aeußeren irgendwie von den bei Cotta herausgeben unterschieden. Hr. Trübner meinte, mein Porträt u. Holzschnitt würde die wohlfeile 8vo Ausgabe vorteilhaft von der Cotta'schen wohlfeilen Ausgabe auszeichnen, u. für die Miniaturausgabe ließen Sie vielleicht ein neues Titelkupfer stechen. Die Platte des bisherigen Titelkupfers ist natürlich Cotta's Eigentum und würden Sie dieselbe wenn sie das alte Kupfer beizubehalten wünschten besonders zu erwerben haben. Das Bildnis (von Sonderland zu Düsseldorf gezeichnet) ist aber übel gelungen, u. ein hübscheres neues würde die neue Ausgabe gewiss besser empfehlen. Ich erwähne diese Dinge heute nur beiläufig und in aller Kürze, u. bitte auch darüber um ihre gütige Meinungsäußerung. Eventuell schicke ich Ihnen mit Vergnügen eine Photographie für den Holzschnitt. Ueber das Titelkupfer würden wir uns noch zu berathen haben. Ich würde die darzustellende Situation aus einem der Gedichte vorzuschlagen mir erlauben, u. Sie würden die Güte haben, einen tüchtigen Zeichner (Ludwig Richter?) zu bestimmen.

Soviel, in großer Eile, für heute!

In aufrichtiger Hochachtung

Ihr ganz ergebener
FFreiligrath

Herrn F. A. Brockhaus
Leipzig.

[Folgender Absatz quer am linken Rand der Seite:]
NB Von Ihnen hat Cotta bis jetzt noch mit keiner Sylbe erfahren, u. wird es einstweilen auch wohl noch besser sein, alß alle Verhandlungen durch mich, u. wie für mich, geführt werden. ||

Auszug aus einem Briefe der J. G. Cotta'schen Buchhandlung in Stuttgart an F. Freiligrath in London, d. d. 28. Juni 1860.

„Nachdem uns von Herrn W Radde in Newyork endlich mitgetheilt worden, daß von ihren Gedichten, Amerikanische Ausgabe, noch 845 Ex. auf jenseitigem Lager vorhanden sind, u. nach Beendigung der Leipziger Messe auch eine genauere Uebersicht der sonstigen Vorräthe möglich ist, ermangeln wir nicht, auf die Erledigung Ihres Schreibens vom 8. Januar zurückzukommen.

Wir erklären jetzt, daß wir bereit sind, das Verlagsrecht auf ihre sämmtlichen bei uns erschienenen Werke gegen Uebernahme und Bezahlung der vorhandenen Exemplare zum Nettopreise Ihnen zurückzugeben.

Laut angeschlossenem Verzeichnisse
beläuft sich die Summe auf: FL. 5057,14
ferner $ 169   422,30
                                                FL. 5479,44

Hieraus werden sich, durch die erst in einer sechs Wochen sicher festzustellenden Disponenden, einige – | keinenfalls beträchtliche – Änderungen ergeben, die wir nachtragen werden. Was verbleibt, ist der feste Kaufpreis, von dem um so weniger etwas abgehen kann, als wir ja das Verlagsrecht selbst nicht in Anschlag bringen."

<u>Kopie</u>
Vorräthe der Freiligrathschen Schriften,
[...] Disponenden

					Buchhändlers Netto-Preis	
72	Gedichte <u>Miniaturausgabe</u>	à Fl. 3	netto		Fl.	216, –
6	" wohlfeile 8ᵛᵒ Ausgabe	" 1,19	"		"	7,54
637	" 18ᵗᵉ Aufl. 8ᵛᵒ	" 2,42	"		"	1719,54
793	Zwischen den Garben	" 1,10	"		"	925,10
572	Gedichte aus dem Englischen	" 2,24	"		"	1372,48
556	Longfellow Hiawatha	" 1,28	"		"	815,28
					Fl.	5057,14
Auf dem Lager des.[selben] W. Radde, Newyork 845 Gedichte wohlf. 8ᵛᵒ Ausgabe à 20 cᵗˢ netto $ 169						422,30
					Fl.	5479,44

Kommentar

Überlieferung: Eigenhändige Handschrift.
Bestand: Lippische Landesbibliothek, FrS 637,3.
Zeugenbeschreibung: 1 Doppelblatt (4 beschriebene Seiten). Beilage: 1 Blatt (2
beschriebene Seiten). Briefbögen mit Adressvordruck der „General Bank of
Switzerland. / (Crédit International Mobilier et Foncier) / London Agency /
2. Royal Exchange Buildings." Papier durchscheinend.
Papiergröße der beschriebenen Seiten: 21,5 x 26,5 cm.

Freiligrath hat das Schreiben Cottas, aus dem er zitiert, erst am 13. November
beantwortet. Er versucht darin, wie angekündigt, der Forderung nach Übernahme
der Bestände zum Nettopreis eine Absage zu erteilen. Überraschenderweise
endet das Schreiben, in dem Freiligrath sich darüber beschwert, dass der „Verleger Schillers und Goethes in seinen geschäftlichen Auseinandersetzungen mit
mir, Ausdrücke gebrauch[t ...], wie sie bisher höchstens das Vorrecht preußischer
Polizisten gewesen sind", mit einem versöhnlichen Gedanken: „bestände eine
Aussicht, alles alten Haders gründlich zu vergessen, und den Ton gegenseitiger
Achtung und gegenseitigen Vertrauens, wie er vormals unter uns bestanden, für
die Dauer wiederzufinden: so würde ich selbst jetzt noch zu einer Wiederanknüp-
fung unserer Bezüge, auf der Basis neuer Verträge, gerne die Hand bieten".[19] Maria
M. Wagner beurteilt dies als einen „Kniefall" vor Cotta. Cotta bietet, ohne allerdings von seiner Forderung nach voller Bezahlung des Nettopreises abzurücken,
ebenfalls eine Wiederaufnahme der Geschäftsbeziehung an. In einem Schreiben
vom 24. Dezember 1860, ebenfalls bei Wagner zitiert, drängt er zur Eile: „Da Ihre
Gedichte mit Ausnahme der in New York lagernden vergriffen sind wird möglichste Beschleunigung gerathen sein".[20] Auch wenn sich diese briefliche Äußerung
nur auf Freiligraths erster selbständiger Veröffentlichung eigener Werke, den Band
„Gedichte" von 1838, beziehen sollte, so bedeutet das dennoch, dass immerhin
715 in der Freiligraths Brief an Brockhaus beigegebenen Tabelle aufgelisteten Exemplare der unterschiedlichen Ausgaben inzwischen verkauft waren.[21]
    Wilhelm Radde (1800-1884) war ein deutscher Buchhändler und Verle-
ger, der 1832 nach New York kam und seit 1854 als Agent Cottas in Amerika
agierte; er hatte 1858 Cotta dazu bewogen, Klassikerausgaben für den amerikanischen Markt zu produzieren.[22]
    Der eingangs im Brief genannte „Dr. Brockhaus" wird Heinrich Eduard
Brockhaus sein, Sohn des Heinrich Brockhaus, der 1850 in Berlin zum Dr. phil.
promoviert wurde.[23] Seit 1854 beteiligte Heinrich ihn an der Verlagsführung.
Eduard dürfte Freiligrath ebenso beraten haben wie Nikolaus Trübner (1817-
1884), ein deutscher Buchhändler und Verleger, der seit 1851 in London seinen

eigenen Verlag führte und mit dem Freiligrath seit Beginn seiner Londoner Zeit bekannt war.[24]

Die erste Ausgabe der „Gedichte" mit einem Porträt Freiligraths ist die 4. vermehrte Ausgabe von 1841, die einen von Johann Heinrich Schramm gezeichneten, von C. A. Schwerdgeburth gestochenen Stahlstich enthielt, der auch einzeln vertrieben wurde. Die erste Miniaturausgabe erschien als 5. Auflage 1843 mit besagtem „Titelkupfer". Die „wohlfeile Ausgabe", zuerst als 14. Auflage 1855 erschienen, enthielt keinen Bilderschmuck; darum würde sich eine mit Porträt versehene Ausgabe positiv davon abheben. Möglicherweise hat Freiligrath den Wunsch nach höherwertiger Ausstattung später gegen Cotta geäußert, denn die 6. Auflage der wohlfeilen Ausgabe erschien 1864 mit einem bildgeschmückten Verlagseinband (zum Gedicht „Mohrenfürst"). – Eine Porträtphotographie Freiligraths, die zwischen 1850 und 1860 entstand, ist mir nicht bekannt, wiewohl das Stahlstichporträt aus dem Verlag Baumgartner „nach einer Photographie" auf die Existenz eines solchen deutet.

6. FREILIGRATH AN F. A. BROCKHAUS, 23. AUGUST 1862

23. August 1862
Herrn F. A. Brockhaus
in Leipzig

Auf Veranlassung des Herrn *Dr. Robert* Prutz in Stettin übermache ich Ihnen beiliegend:
Thlr 69, 22½ Sgr. *Sicht* auf *Knauth & Co.,*
dort,
deren Sie sich zu Gunsten des Hrn. Prutz bedienen, u. ihm die gleichfalls hierbeiliegende Rechnung, quittirt, mit meinen besten Grüßen übersenden, mir aber hierher berichten wollen, daß dieser Gegenstand nunmehr geordnet ist.

Ich benutze diese Gelegenheit, Ihnen auch direct noch mein Bedauern über das Nichtzustandekommen der zwischen uns angebahnt gewesenen Verlagsübernahme meiner poetischen Schriften auszusprechen. Ich habe früher bereits Ihrem Herrn Rudolf Brockhaus, zur weiteren Mittheilung an Sie, mündlich angedeutet, daß das Festhalten | Cotta's an seinen Ihnen bekannten Bedingungen mir einen Wechsel unmöglich machte, – u. seitdem sind bereits wieder zwei neue Auflagen meiner „Gedichte" bei ihm erschienen. Haben Sie aber nochmals recht freundlichen Dank für Ihr damaliges geneigtes Entgegenkommen.

Hochachtungsvoll ergeben

FFreiligrath

Kommentar

Überlieferung: Eigenhändige Handschrift.
Bestand: Lippische Landesbibliothek, FrS 637,4.
Zeugenbeschreibung: 1 Doppelblatt (2 beschriebene Seiten). Adresse auf Seite
4: „Germany via Ostend / Herrn F. A. Brockhaus / Verlagshandlung / Leipzig."
Auf der gleichen Seite, von anderer Hand: „1862. / London, 23./25. Aug. /
Freiligrath. / B. 2/IX 62".
Briefbogen mit Adressvordruck der „General Bank of Switzerland. / (Crédit
International Mobilier et Foncier) / London Agency / 2. Royal Exchange
Buildings." Papier durchscheinend.
Papiergröße der beschriebenen Seiten: 21 x 26,5 cm.

Freiligrath hatte die bei F.A. Brockhaus erscheinende und von Robert Prutz her-
ausgegebene Zeitschrift „Deutsches Museum" seit 1853 abonniert (siehe Brief
Nr. 3 oben).
    Worauf sich „Sicht auf Knauth & Co." bezieht, konnte nicht ermittelt wer-
den. Knauth ist ein Name, der in Freiligraths Briefen in geschäftlichem Zusammenhang an einer Stelle vorkommt: als Teilhaber einer amerikanischen Firma
(siehe Brief vom 31. Januar 1860, Briefrepertorium Nr. 3078). Damit scheint
diese Erwähnung jedoch nichts zu tun zu haben.
    Der Brief markiert den Abschluss des Themas Verlagswechselbemühungen
in Freiligraths Briefen an Brockhaus. Heinrich Rudolf Brockhaus (1838-1898),
den jüngeren Bruder von Heinrich Eduard, hatte Freiligrath möglicherweise im
Herbst 1860 kennengelernt, als jener nach London kam, um beim Buchhändler und Verleger Nikolaus Trübner Erfahrungen zu sammeln.[25] Cotta hatte, was
den verlangten Nettopreis für die abzunehmenden Bestände anging, nicht nach-
gegeben und damit Freiligrath einen Wechsel finanziell unmöglich gemacht.
Zugleich hatte er für Neuauflagen der „Gedichte" gesorgt; die 19. Auflage
erschien als „wohlfeile Ausgabe" 1861, die 20. als „Miniatur-Ausgabe" 1862.

7. *Ferdinand Freiligrath an Heinrich Brockhaus, 19. Mai 1864*

19. Mai 1864
Hochgeehrter Herr,
    Sie würden mich außerordentlich erfreuen, wenn Sie nächsten Sonntag
(22. Mai) einfach zu Thee u. Abendbrod im Kreise meiner Familie vorlieb
nehmen wollten. Hoffentlich haben Sie nicht bereits anderweitig über Ihren
Sonntag verfügt. Unsre Theestunde ist 6 Uhr, doch werden wir Sie mit großem

Vergnügen schon vorher eintreffen | sehen. Seien Sie recht freundlich u. angelegentlich darum gebeten.

Meine Privatadresse ist: 11, *Portland Place, Lower Clapton, N. E.* Wollten Sie die Güte haben, mich mit einer Zeile freundlicher Rückäusserung zu beehren, so bitte ich, dieselbe an meine Wohnung, wie oben, nicht an mein Office, adressieren zu wollen.

In bekannter Hochachtung

Ihr

ergebenster

F. Freiligrath

Herrn

Heinrich Brockhaus.

Kommentar

Überlieferung: Eigenhändige Handschrift.

Bestand: Lippische Landesbibliothek, FrS 637,5.

Zeugenbeschreibung: 1 Doppelblatt, 2 beschriebene Seiten. Briefbogen mit Adressvordruck der „General Bank of Switzerland. (Crédit International Mobilier et Foncier), London Agency, 2. Royal Exchange Buildings." auf der 1. Seite. Papiergröße der beschriebenen Seite: 13,5 x 21,5 cm.

Heinrich Brockhaus war im April bis Juli 1864 nach England gereist; sein Tagebuch berichtet davon. Für den 22. Mai ist allerdings kein Treffen mit Freiligrath vermerkt, dafür aber am 8. Juni. Der Eintrag dazu lautet vollständig:[26] „Ich hole Freiligrath in seiner Office in der City ab, und fuhr mit ihm nach seinem Hause. Ein äußerst angenehm verlebter Nachmittag und Abend, den ich in gutem Andenken behalten werde. Freiligrath in seiner gemüthlichen, behäbigen Weise sagt mir sehr zu. Aeußerlich erscheint er wahrlich nicht als Dichter, und doch ist er es im vollsten Sinne des Worts. Wir sprachen viel vom Orient, und ich sagte ihm, daß nach dem orientalischen Colorit vieler seiner Gedichte schwer zu glauben sei, daß er nicht im Orient gewesen. Wie es scheint, lebt Freiligrath ein sehr glückliches Familienleben; seine Frau ist lebendig, an allem theilnehmend. Bei vortrefflichem Rauenthaler haben wir den Abend verlebt, und Freiligrath brachte mich dann zu der Omnibusstation; in zwei Absätzen kam ich um 12 Uhr nach Hause. Uebrigens sind Freiligrath und ich sehr alte Bekannte, indem ich bei der ersten Geschäftsreise, die ich machte, im Jahre 1822, in seinem älterlichen Hause war, worauf er sich besann; später sollten wir ihn dann zum Buchhändler bilden, was sich aber nicht gestaltet hat."

Anmerkungen

1   Ernst Fleischhack: Bibliographie Ferdinand Freiligrath 1829-1990. Bielefeld 1993, S. 532.

2   Wilhelm Buchner: Ferdinand Freiligrath. Ein Dichterleben in Briefen. Lahr 1882, Bd. 2, S. 260-264.

3   Wilhelm Schoof: Zur Geschichte der Shakespeare-Übersetzungen vor hundert Jahren. Nach unveröffentlichten Briefen im Goethe-Schiller-Archiv in Weimar. In: Schweizer Rundschau 63 (1964), H. 11, S. 662-666.

4   Dafür ebenfalls der früheste Beleg bei Buchner: Ferdinand Freiligrath (Anm. 2), Bd. 2, S. 372-374.

5   Dank gilt der Sparkasse Paderborn-Detmold, der Stadt Detmold, der Grabbe-Gesellschaft e.V. und der Gesellschaft der Freunde und Förderer der Lippischen Landesbibliothek e.V.

6   Ich danke Detlev Hellfaier für Hilfe bei der Entzifferung einiger Stellen. Von Claudia Dahl stammt die Ersttranskription des Briefes vom 9. Juli 1852.

7   Siehe dazu die Verlagsgeschichte von Heinrich Eduard Brockhaus: Die Firma F. A. Brockhaus von der Begründung bis zum hundertjährigen Jubiläum 1805-1905. Leipzig 1905, S. 47ff. Diese Verlagsgeschichte wurde als Reprint im ersten Band der zweibändigen Festschrift zum 200jährigen Bestehen des Verlages (Mannheim 2005) neu aufgelegt.

8   Buchner: Ferdinand Freiligrath (Anm. 2), Bd. 1, S. 41.

9   Heinrich Brockhaus: Aus den Tagebüchern von Heinrich Brockhaus: in 5 Th.; als Handschrift gedruckt. 4. Theil. Leipzig 1885, S. 263f.

10 Brockhaus, Heinrich: Aus den Tagebüchern von Heinrich Brockhaus: in 5 Th.; als Handschrift gedruckt. 1. Theil. Leipzig 1884, S. 26.

11 Ferdinand Freiligraths Werke in fünf Büchern. Hrsg. von Walter Heichen. Berlin1907. Buch 1: Das Leben des Dichters in Briefen und Tagebuchblättern, zusammengestellt von Walter Heichen, S. 148-152.

12 Allgemeine deutsche Real-Encyklopädie für die gebildeten Stände. Conversations-Lexikon. 10. Aufl. 15 Bde. Leipzig 1851-1855, hier Bd. 6, S. 343.

13 Allgemeine deutsche Real-Encyklopädie für die gebildeten Stände. Conversations-Lexikon. 9. Aufl. 15 Bde. Leipzig 1843-1848, hier Bd. 5, S. 571.

14 Freiligraths Beiträge sind aufzufinden über die Digitalisierung des Münchener Digitalisierungszentrums, die halbbandweise Volltextsuche erlaubt <http://opacplus. bsb-muenchen.de/title/217526-5>, oder über die Erfassung der Beiträge des Deutschen Museums im Wikisource-Projekt, siehe <https://de.wikisource.org/wiki/ Deutsches_Museum_(Prutz)>.

15 Die Bibliothek Ferdinand Freiligraths. Hrsg. von Karl Alexander Hellfaier (Nachrichten aus der Lippischen Landesbibliothek, 8). Detmold 1976.

16 Wikipedia: Artikel „Williams & Norgate": https://de.wikipedia.org/wiki/ Williams_%26_Norgate.

17 Maria M. Wagner: Amerikanische Nachdrucke und das Copyright der Freiligrath-Gesamtwerke. In: Yearbook of German-American Studies 19 (1984), S. 97-120, hier S. 107f.

18 Offenbar ist ein Antwortschreiben des Verlags verlorengegangen. Seinem Brief an die Cottasche Verlagsbuchhandlung vom 20. Februar ließ Freiligrath am gleichen Tag ein Schreiben an Johann Georg Cotta persönlich folgen, welches ebenfalls im Cotta-Archiv in Marbach erhalten ist. Dort ist vermerkt, dass eine erste Antwort am 24. Februar, eine zweite vermutlich am 28. Mai 1860 erfolgte.*

19 Zitiert nach Wagner: Amerikanische Nachdrucke (Anm. 17), S. 111.

20 Ebd., S. 112.

21 Fl = Gulden (= 60 Kreuzer).

22 Friedrich Kapp: Der deutsch-amerikanische Buchhandel. In: Deutsche Rundschau 14 (1878), S. 42-70, hier S. 48f.

23 Brockhaus: Die Firma F. A. Brockhaus (Anm. 7), S. 168. Heinrich Brockhaus wurde 1858 von der Universität Jena die Ehrendoktorwürde verliehen; ebd., S. 57.

24 Vgl. Joachim Eberhardt: Über die Quelle des Freiligrath-Epithetons „Trompeter der Revolution". In: Grabbe-Jahrbuch 30/31 (2011/2012), S. 207-212, hier S. 209.

25 Brockhaus: Die Firma F. A. Brockhaus (Anm. 7), S. 173: „Anfang Januar 1860 ging [Rudolf] nach Wien, [....] und reiste im Herbst nach London, wo er ein Jahr lang bei Nicolaus Trübner arbeitete".

26 Brockhaus: Aus den Tagebüchern (Anm. 9), S. 263f.

* Dank an Frau Birgit Slenzka (DLA Marbach) für die Auskunft.

PETER SCHÜTZE

Jahresbericht 2014/15

Vor allem zwei Ereignisse waren für die Grabbe-Gesellschaft im verflossenen Jahr von besonderer Bedeutung: die Wiederbelebung des Christian-Dietrich-Grabbe-Preises und die Aufführung von *Herzog Theodor von Gothland* im Landestheater Detmold. Beide Begebenheiten werden eingehend in diesem Jahrbuch gewürdigt. So mag hier eine kurze Rückschau genügen.

Der Grabbe-Preis wurde 1994 zum ersten Mal von der Stadt Detmold, die ihn finanzierte, und der Grabbe-Gesellschaft in Verbindung mit dem Landesverband Lippe vergeben; erster Preisträger war Igor Kroitzsch. Alle zwei/drei Jahre sollte nun ein dramatisches Werk deutscher Sprache, das „eine künstlerisch innovative Leistung darstellt", ausgezeichnet werden. Diese Forderung entsprach den Zeichen, die Detmolds berühmter Sohn einst für die moderne Dramatik gesetzt hatte. Dem Vorsatz, junge Autoren fürs Theater zu motivieren, den Begabtesten eine Brücke zu weiterem Erfolg zu schlagen, blieben die Juroren des Preises treu. Die Namen der folgenden Preisträger – Ralf N. Höhfeld, Johann Jakob Wurster, Anna Langhoff und Johannes Schrettle – bezeugen das. Nach der fünften Vergabe 2004 jedoch zog sich die Stadt aus finanziellen Gründen zurück; im Kulturausschuss wurde auch die Meinung laut, dass ein Nachwuchspreis nicht spektakulär genug für unsere Residenz sei. Ohne finanzielle Hilfe aber war die Grabbe-Gesellschaft nicht mehr in der Lage, an dem Preis festzuhalten. Erst die Bereitschaft des Landestheaters, die nötigen Gelder aufzubringen bzw. zu akquirieren und das ausgelobte Stück aufzuführen, schuf im Jahr 2014 die Voraussetzung für eine neuerliche Ausschreibung des Grabbe-Preises. 69 Stücke wurden anonym eingereicht.

Die Juroren Harald Müller (Verlags- und Redaktionsleiter der Zeitschrift *Theater der Zeit*), der Dramatiker Martin Heckmanns, Dr. Christian Katzschmann (Chefdramaturg des Landestheaters Detmold) und Professor Lothar Ehrlich (als Vertreter der Grabbe-Gesellschaft) entschieden sich für das Stück *In einem dichten Birkenwald, Nebel*. Die in Halle geborene und in Berlin lebende Schriftstellerin Henriette Dushe konnte den Preis am 16. Januar 2015 in der Studiobühne des Theaters im Grabbe-Haus entgegennehmen; die Schauspieldirektorin Tatjana Rese, die Lothar Ehrlichs Überlegungen zum Grabbe-Preis interessiert aufgenommen und mit ihm zusammen seine Erneuerung initiiert hatte, begrüßte die Gäste, Grußworte hielten der Intendant das Landestheaters, Kay Metzger, und der Präsident der Grabbe-Gesellschaft, Dr. Peter Schütze; in seiner exzellenten Laudatio erläuterte Dr. Katzschmann die Wesenszüge der prämiierten

„Bühnenelegie"; Henriette Dushe dankte mit einer so klugen wie sympathischen Erwiderung. Lesungen aus ihrem Werk und Klarinetten-Stücke von Debussy und Piazzolla rundeten die in jeder Weise gelungene Festveranstaltung ab.

Am Abend desselben Tages fand dann die Premiere der von Tatjana Rese inszenierten Tragödie *Herzog Theodor von Gothland* statt. Sie hinterließ einen starken, für manchen Zuschauer wohl auch verstörenden Eindruck. Eingebunden war diese Aufführung in einen Spielplan, dem das Theater die Überschrift „Schlachten – Feste – Katastrophen" gegeben hatte. Die Erinnerung an den Ausbruch des Ersten Weltkriegs, der im Februar 2015 eine eigene Aktionswoche gewidmet war, gab wohl den Anlass, sich dem Kriegsthema überhaupt mit allerlei Theatermitteln zu nähern. – Auf Anregung von Christian Weyert wurde der *Gothland*-Zyklus des Zeitzer Holzschneiders Johannes Lebek (1901-1985) im Theaterfoyer ausgestellt. So hatte das Publikum Gelegenheit, während der Laufzeit der *Gothland*-Inszenierung diese höchst eindrucksvollen Blätter zu betrachten, die sonst im Archiv der Landesbibliothek lagern.

Doch zurück zu einer kleinen Chronik der Ereignisse seit Herbst 2014:

Vom 5. bis 7. September 2014 fand in Greifswald das Jahrestreffen unseres Dachverbandes, der Arbeitsgemeinschaft Literarischer Gesellschaften (ALG) statt, die der Verf. als Vertreter der Grabbe-Gesellschaft besuchte. Im Wesentlichen ging es dort um die Aufbewahrung und Präsentation – auch die Internet-Konservierung literarischer (Gesamt-)Werke und Handschrift-Sammlungen, um öffentliche Förderung und Vermittlung von Literatur – wobei interkulturelle Zentren und ‚Poetry Slams' eine zusehends größere Rolle spielten, um die Aufnahme neuer Vereine und die Vergabe von Zuschüssen. Der Antrag des Forum Vormärz Forschung und der Grabbe-Gesellschaft für die Grabbe/Büchner-Tagung im Herbst 2015 fand keine Berücksichtigung – das wurde damit begründet, dass die ALG grundsätzlich keine wissenschaftlichen Konferenzen mehr fördern könne.

Nach den Gedenkminuten am Grab des Dichters am 12. September 2014 lud die Grabbe-Gesellschaft zusammen mit der Hille-Gesellschaft zu einem Themenabend mit zwei Vorträgen ein. Zum Thema *Shakespeare und Ernst Ortlepp: Veränderung oder Anarchie durch Literatur* sollte zunächst Kai Agthe (Naumburg/Zeitz) sprechen, der jedoch absagen musste. Für ihn sprang Peter Schütze ein, der ein Resümee seiner Untersuchungen zu den deutschen Shakespeare-Übersetzungen, vor allem der Ortleppschen, gab und sich im Weiteren auf Ortlepps poetisches Nachtstück *Fieschi* (1835) bezog, das von Fürst Metternich seinerzeit indiziert wurde. Weil dies Gedicht, ein innerer Monolog des anarchistischen Attentäters Joseph Fieschi kurz vor seiner Hinrichtung, dem Auditorium nicht bekannt war, stellte der Referent es in einer Lesung mit Kommentaren vor, wobei er auch auf Ähnlichkeiten mit Grabbes *Gothland* aufmerksam machte.

Anschließend sprach Prof. Detlev Kopp über *Bildung von, bei und durch Grabbe*: Grabbes eigene Bildung stehe außer Frage, *bei* ihm – in seinem Werk – sei zwar sehr viel Wissen verarbeitet, die Verbreitung eines Bildungszieles aber stehe ihm fern. Kopp exemplifizierte das an der Gestalt des *Schulmeisters* in Grabbes Lustspiel. Grabbe werde hinter dieser Figur als Skeptiker sichtbar, der den von allzu gravierenden Mängeln geplagten Menschen keine Kraft zur Weltverbesserung zutraut. Und Bildung *durch* Grabbe? Diesem nicht integrierbaren ‚Extremisten' musste der Eintritt in den Bildungskanon verwehrt bleiben; die nationalsozialistische Heldenverehrung Grabbes stellte der Referent als Perversion, als entstellendes Missverständnis dar. Leider sei Grabbe heutzutage in Schulen und in der Öffentlichkeit viel zu wenig bekannt – leider, denn er führe vor Augen, „dass alle Versuche, Macht auf Dauer zu stellen, scheitern müssen." Grabbe verunsichere, statt zu belehren oder Hoffnungen zu wecken, es gehe von seinen Provokationen stattdessen eine „produktive Unruhe" aus, die allein schon für eine bleibende Wertschätzung dieses Dichters spreche.

Bildung, Kinder- und Schulerziehung waren auch am folgenden Tag bei der Hille-Gesellschaft in Erwitzen Thema – rund um Peter Hilles poetische Pädagogik. Peter Schütze leitete die Tagung mit einem historischen Abriss über *Theater als Lehranstalt („Die Schaubühne als eine moralische Anstalt betrachtet")* ein. Die seit einigen Jahren von der Grabbe-Gesellschaft gemeinsam mit der Hille-Gesellschaft veranstalteten Literatur-Wochenenden im September haben sich stets als produktiv herausgestellt und zu interessanten synergetischen Effekten geführt, die die Berührung ‚unserer' Dichter mit sich bringt. Stets wurde der Blick auf ein erweitertes historisches, poetisches und wissenschaftliches Umfeld gelenkt. Ein Niederschlag dieser konstruktiven Zusammenarbeit 2014/15 ist die von Hans Hermann Jansen und Peter Schütze geleitete Hörspielaufnahme von Peter Hilles Bildungstragödie *Des Platonikers Sohn* mit Schauspielern und Schülern aus Detmold.

Erwähnung finden muss in unseren Annalen auch der Festakt zum 400jährigen Bestehen der Lippischen Landesbibliothek. Er fand, in Anwesenheit der Ministerpräsidentin des Landes Nordrhein-Westfalen, Hannelore Kraft, am 23. Oktober 2014 im Detmolder Sommertheater statt. Seit Anbeginn ist die Grabbe-Gesellschaft eng, in Arbeit und Freundschaft, mit der Bibliothek verbunden. Unsere Jubiläumsgrüße gelten vor allem dem in den Ruhestand getretenen ehemaligen Direktor Detlev Hellfaier M.A und seinem Nachfolger, Dr. Joachim Eberhardt, mit dem uns längst eine intensive Zusammenarbeit verbindet und dem wir alles Glück persönlich und im Amte wünschen.

Pünktlich zum traditionellen Grabbe-Punsch konnten Lothar Ehrlich und Detlev Kopp das *Grabbe-Jahrbuch 2014* auf den Tisch legen. Der ‚Punsch' wurde am 14. Dezember 2014 in der Gaststätte *Braugasse 2* veranstaltet. Abermals spendierte das freundliche Wirtsehepaar Kornelia und Friedhelm Ratmeier der Grabbe-Gesellschaft und ihren Gästen den Würzwein und den glühenden Apfeltrunk mit allerlei Gebäck. Und wir bedanken uns herzlich für ihre Zuwendung!

Wie schon am Nachmittag bei einem Pressegespräch im Grabbe-Haus sprach Lothar Ehrlich über den Inhalt des neuen Bandes, bezog sich im Besonderen auf die Pariser *Hannibal*-Inszenierung von Bernard Sobel und verkündete die Entscheidung der Jury für den Grabbe-Preis. Darum und um die bevorstehende *Gothland*-Premiere kreisten hernach die Gespräche.

Die lebhafte Einführungsmatinee mit der Regisseurin Tatjana Rese, mit dem Dramaturgen Christian Katzschmann und Schauspielern – am 11. Januar 2015 in der Lippischen Landesbibliothek – stand am Anfang einer ganzen Serie von Veranstaltungen. Am 15. Januar sprach Lothar Ehrlich im Lippischen Landesmuseum Detmold über Grabbes *Hermannsschlacht – ein nationalsozialistisches Führerdrama?* Das in der Ankündigung des Museums zunächst verloren gegangene Fragezeichen gab Anlass zu Irritationen – aus der Frage wurde eine Antwort, allerdings nicht diejenige, die Lothar Ehrlich zu geben wünschte. In seinem Vortrag stellte er die völkische und nationalsozialistische Verfälschung von Grabbes letztem Geschichtsdrama dar. Vor allem in der Literaturwissenschaft und auf dem Theater war das Stück ein bevorzugter Gegenstand der ideologischen und kulturellen Propaganda des „Dritten Reichs".

Tags darauf, am 16. Januar 2015 folgten dann, wie schon berichtet, die Preisverleihung und die *Gothland*-Premiere. Das Landestheater bezog die Diskussion um Stück und Inszenierung auch weiterhin mit Gesprächen und Vorträgen in seinen Kalender ein, veranstaltete ein Themenwochenende, an dem wiederum Lothar Ehrlich, diesmal über *Grabbe zwischen Wahn und Realität* sprach und auf sehr verständliche, populäre Weise über das Leben, die Denk- und Schreibweise des Dichters und seine unerhörte Modernität unterrichtete: am 15. Februar 2015 auf der Bühne des Kinder- und Jugendtheaters Kaschlupp. Und in der Erlöserkirche wurde am 22. Februar ein Gespräch zwischen Kirche und Theater zum Thema *Vis-à-vis zu Herzog Theodor von Gothland* abgehalten.

Viel Grabbe also, dessen Werk auch Gegenstand der wissenschaftlichen Tagung im September 2015 ist: *Innovation des Dramas im Vormärz: Grabbe und Büchner*. Leider lässt sich dieses „viel" nicht sagen von Georg Weerth und Ferdinand Freiligrath, dessen Erforschung sich vor allem unser Mitglied Manfred Walz mit unermüdlichem Fleiß zur Aufgabe gemacht hat. In regelmäßiger Folge kommen seine Freiligrath-Memorials im Grabbe-Haus an.

Bei Freiligrath wie Weerth herrscht Nachholbedarf, auch wenn oder gerade weil das öffentliche und wissenschaftliche Interesse an diesen Dichtern mehr und mehr zu erlahmen scheint. Und was unsere Theaterfahrten und Kulturreisen angeht: Es wurde in den vergangenen Jahren immer schwerer, unser älter gewordenes Grabbe-Ensemble in Bewegung zu versetzen. So scheint es das Sinn-vollste zu sein, für die Zukunft wieder intensiver mit dem Lippischen Heimat-bund Detmold in Verkehr zu kommen und gemeinsame Ziele anzupeilen.

Verabschieden für immer mussten wir uns von Elisabeth Steichele. Wir erin-nern uns gern an sie, die kaum eine Veranstaltung der Grabbe-Gesellschaft aus-gelassen hat und sich besonders auch für Ferdinand Freiligrath interessierte. Ein Vierteljahrhundert war Elisabeth Steichele als Architektin und Stadtplanerin bei der Stadt Detmold tätig; vor allem dem Erhalt der historischen Denkmäler in Detmolds Innenstadt galt ihr Augenmerk. Nach schwerer Krankheit ist sie am 20. September 2014 im Alter von 82 Jahren gestorben.

Erinnert sei auch an den Theaterkritiker und Dramaturgen Martin Linzer, der am 13. Dezember 2014 starb. Der ehemalige Chefredakteur von *Theater der Zeit* hat als Juror und Juryvorsitzender bis 2004 maßgeblich zu den Entscheidungen für die Vergabe des Grabbe-Preises beigetragen. Er war für uns der Doyen der Jury: ein Kenner hohen Ranges, der über Jahrzehnte von der DDR aus die Ent-wicklung des deutschen Dramas und Theaters beobachtet und beschrieben hat.

Dirk Haferkamp: *Das nachklassische Drama im Lichte Schopenhauers. Eine Interpretationsreihe. Schiller: Die Jungfrau von Orleans, Hebbel: Judith, Grabbe: Hannibal, Büchner: Dantons Tod.* Frankfurt a. M.: Peter Lang, 2014.

Die Dissertation beabsichtigt nicht, Wirkungen der Philosophie Arthur Schopenhauers, vor allem der Schriften *Die Welt als Wille und Vorstellung* (1819) und *Über den Willen in der Natur* (1836), auf die genannten Dramen von Hebbel (entst. 1839/40), Grabbe (1834/35) und Büchner (1835) nachzuweisen. Das wäre ohnehin nicht möglich, da bei ihnen – vom späten Hebbel abgesehen – eine Lektüre seiner Werke nicht überliefert und wohl auch ausgeschlossen ist, was der Autor eingangs selbst einräumt. (S. 13f.) Haferkamp geht es stattdessen darum, „Analogien zwischen Drama und Philosophie aufzuzeigen, die sich in gleichgearteten Mustern der Einbildungskraft offenbaren und damit auf eine Gleichheit tragischen Weltverständnisses verweisen." (S. 13) Das gleichzeitige Auftreten von Ideen Schopenhauers in der dramatischen Kunst des Biedermeier bzw. Vormärz sei ein bemerkenswertes Moment, da die umfassende Rezeption seiner Philosophie tatsächlich erst nach 1848 einsetzte.

Die Analysen der nachklassischen Dramen im Horizont einer Überwindung der philosophischen und ästhetischen Idee einer „transzendierenden Apotheose" (S. 247) des klassischen Schiller und „im Lichte" der „Willensmetaphysik" Schopenhauers, die den „Willenshintergrund der Dramen bildet", greifen die in der Forschung gelegentlich bereits angedeuteten „Analogien" auf [1], die „erstmals in einer konsequent vom Schopenhauerschen Denken ausgehenden Interpretation vereinigt und fortgeführt" werden. (S. 23) Damit ist die Untersuchungsmethode Haferkamps klar formuliert. Er fokussiert sein Verständnis der ausgewählten Dramen auf die – sicher nicht zu bestreitende – „Affinität" der Helden Judith, Holofernes, Hannibal und Danton zur „Willensmetaphysik" Schopenhauers und trennt sie damit von anderen konstituierenden Gestaltungselementen der Trauerspiele ab, die – jedenfalls bei Grabbe und Büchner – zugleich und vor allem kritisch-realistische Geschichtsdramen sind.

In einer Besprechung im Grabbe-Jahrbuch sei es erlaubt, die von Dirk Haferkamp angewandte Analogie-Methode exemplarisch am Beispiel der *Hannibal*-Interpretation im Hinblick auf Gewinn und Verlust bei den erzielten Ergebnissen zu überprüfen. Im Zentrum seiner Werkanalysen steht die Untersuchung des ontologischen Phänomens des „blinden Willens" (S. 17 u.ö.) bzw. des „blinden Handelns" (S. 24 u.ö.) als Ausdruck des den Helden bestimmenden „physisch-sinnlichen Trieb[s]" (S. 24), der zur „Schuld" führe. „Naturwille" und „Schuld" seien dabei Eigenschaften schon des menschlichen Wesens („Esse") und nicht erst seines Handelns („Operari"). (S. 16)

Diese Konstruktion schließt aus, dass es in Hannibals geschichtlichem Handeln Motive und Argumente gibt, die konzeptionell (divergierende Interessen des Staates und Vaterlandes Karthago etc.) und performativ (Verlauf des Feldzuges gegen Rom etc.) zu fundieren und in die dramatische Handlung einzuführen wären. Haferkamp kommt zu Beginn seiner Interpretation in Auseinandersetzung mit der Grabbe-Forschung auf diesen Kernpunkt des inneren und äußeren dramatischen Konflikts zu sprechen. Während Manfred Schneider 1973 die These vertrat, Hannibals Handeln sei „nirgendwo militärisch oder politisch motiviert", ging Hans-Werner Nieschmidt 1982 davon aus, dass den Helden zwar ein ausgeprägt „heroisches Selbstverständnis" auszeichne, er zugleich jedoch einen „geschichtliche[n] Auftrag" verfolge.[2] Dem hält Haferkamp entgegen: „Das Drama zeigt aber, das die Gründe für den Angriffskrieg allein in Hannibal selbst zu suchen sind." (S. 150) Und er bekräftigt seine Auffassung, indem er – wie oft – unmittelbar mehrere Wortzitate Schopenhauers anschließt, der „das Heldische aus biologischer Sicht betrachtet" habe. (S. 151)

Hannibals „biologischer", „natürlicher", „blinder Wille zur Tat" (S. 148) wird im Gang der Interpretation, die sich streckenweise mehr an die Fabelerzählung der zentralen Figur als des Geschichtsdramas im Ganzen hält, modifiziert – allerdings nicht so sehr durch außerhalb des Helden liegende objektive geschichtliche Faktoren, sondern durch ontologisch fundierte subjektive. Insofern dürfte in sich widersprüchlich sein, wenn der Autor formuliert, dass „Hannibal glaubt, für Karthago zu kämpfen, in Wirklichkeit aber allein für seinen Willen in den Kampf zieht [...]." (S. 173)

Auch wenn in der Interpretation die verschiedenen geschichtlichen (sozialen, politischen, kommerziellen) Kräfte dramaturgisch nicht interaktiv so deutlich hervortreten, wie von Grabbe als widerspruchsvolle Konfrontationen von Individuum und Masse intendiert, werden doch die „ambivalenten" Gestaltungszüge des Helden und damit die Existenz von Tragik und Schuld in der Geschichte erfahrbar. Im Unterschied zu Hebbels *Judith*, in der „Immanenz" und „Leid" dominierten, erlange *Hannibal* durch Grabbes „tragikomischen Blick" auf Figur und Geschichte (zumal am Ende) eine neue geistige und ästhetische Qualität in der Interpretationsreihe, die am Ende zur „Resignation" von Büchners Danton führe. (S. 149)

In der Analyse des *Hannibal* finden sich viele genaue Beobachtungen zur geschichtlichen Verfasstheit und zur Auseinandersetzung der Figuren, zu den Strukturen der dramatischen Handlung, auch gerade der Schlachtenszenen. Dabei zeigt sich, dass Haferkamp den Text im Einzelnen differenziert interpretiert. Das betrifft vor allem die Abschnitte „Nichtheroische Strukturen (S. 172-176), „Ambivalenz-Struktur" (S. 176-189) und zur „Ohnmacht des Handelns" (S. 190-204). Den Rezensenten irritierte indessen immer wieder aufs Neue die direkte Montage von Schopenhauer-Zitaten in den Analysetext, der dadurch einerseits zwar eine Evidenz im Sinne der Philosophie Schopenhauers erlangt, aber andererseits die vieldeutigen historischen Implikationen und Konstellationen von Grabbes Geschichtsdrama vernachlässigt.

Die an der Universität Duisburg-Essen 2013 vorgelegte Dissertation vermittelt, bei allen formulierten Bedenken, eine interessante und plausible Lesart von Hebbels *Judith*, Grabbes *Hannibal* und Büchners *Dantons Tod* „im Lichte Schopenhauers".[3]

Lothar Ehrlich

Anmerkungen

1 Auf die „Verwandtschaft" der „Zeitgenossen" Schopenhauer und Grabbe (vor allem im *Gothland* und *Hannibal*) hat schon Otto Nieten hingewiesen. Vgl. Grabbe und Schopenhauer. In: Grabbe und die Romantik. Wissenschaftliche Beilage zum Jahresbericht des Duisburger Gymnasiums 1911. Erweitert in: Das Grabbe-Buch. Hrsg. von Paul Friedrich und Fritz Ebers. Detmold 1923, S. 29-34, hier S. 29. – Auf „Analogien" in den Werken Schopenhauers und Grabbes ist auch in der neueren Literaturwissenschaft gelegentlich aufmerksam gemacht worden. Vgl. Günter Heintz: Arthur Schopenhauer. Die Welt als Wille und Vorstellung (Buch 3): eine Poetik der Restaurationsepoche? Eine Grundriß-Skizze. In: Schopenhauer-Jahrbuch 65 (1984), S. 136-156. Ob allerdings gerade *Marius und Sulla* „strukturell mit Schopenhauers Gedanken identisch ist und insofern seine Philosophie konsequent ausdrückt" (S. 141), weil Grabbe nicht *Geschichte*, sondern den *Geist der Geschichte* darzustellen beabsichtigte, dürfte in dieser Eindeutigkeit überzogen sein, weil dessen dramatisch komplex und widersprüchlich gestalteter *Geist der Geschichte* sicher nicht der essentielle des Philosophen ist. – Carl Wiemer formuliert sogar, im *Gothland* „promoviert Grabbe gleichsam zu einem Urheber der Schopenhauerschen Philosophie". C. W.: Der Paria als Unmensch. Grabbe – Genealogie des Anti-Humanitarismus. Bielefeld 1997, S. 38. Hier geht es speziell um die Triebhaftigkeit in der Erotik (Schopenhauers *Metaphysik der Geschlechtsliebe* in *Die Welt als Wille und Vorstellung*).

2 Vgl. Manfred Schneider: Destruktion und utopische Gemeinschaft. Zur Thematik und Dramaturgie des Heroischen im Werk Christian Dietrich Grabbes. Frankfurt a. M. 1973, S. 314; Hans-Werner Nieschmidt: „Fechte der Satan, wo Kaufleute rechnen!" Zur dramatischen Exposition in Grabbes *Hannibal* und ihrer Neufassung in Brechts *Hannibal*-Fragment. In: Grabbe-Jahrbuch 1 (1982), S. 25-41, hier S. 32 und 39, Anm. 9.

3 Haferkamps Doktorvater Herbert Kaiser hatte schon Anfang der 1980er Jahre Grabbes Werke gleichsam „im Lichte Schopenhauers" gedeutet. Vgl. Herbert Kaiser: Hundert Tage Napoleon oder das goldene Zeitalter der Willensherrschaft. Zu Grabbes *Napoleon oder die hundert Tage*. In: Geschichte als Schauspiel. Deutsche

Geschichtsdramen. Interpretationen. Hrsg. von Walter Hinck. Frankfurt a.M.
1981, S. 197-209. Dazu kritisch Detlev Kopp: Die Grabbe-Forschung 1970 – 1985.
In: Grabbes Gegenentwürfe. Neue Deutungen seiner Dramen. Zum 150. Todesjahr
Christian Dietrich Grabbes. Hrsg. von Winfried Freund. München 1986, S. 119-136,
hier S. 132f. – Demgegenüber konzentriert sich seine *Gothland-* Interpretation werkimmanent zwar auf die Kategorien „Kraft, Natur und Willen", von Schopenhauer
ist jedoch nicht die Rede. Vgl. „Und ein geschminkter Tiger ist der Menschen!" Zur
Bedeutung von Kraft, Natur und Willen in Grabbes *Herzog Theodor von Gothland.*
In: Grabbe-Jahrbuch 2 (1983), S. 9-28. – Später entfaltete Kaiser seine auf Schopenhauer und andere Philosophen (Fichte, Hegel, sogar Schelling und Max Stirner)
abhebende Forschungsintention, die eine „weitgehend unbewußte, insofern objektive Zeitgenossenschaft" Grabbes herausarbeitet, auf einer Tagung in Detmold: Zur
Bedeutung des Willens im Drama Grabbes. In: Grabbe und die Dramatiker seiner
Zeit. Beiträge zum II. Internationalen Grabbe-Symposium 1989. Hrsg. von Detlev
Kopp und Michael Vogt. Tübingen 1990, S. 217-231, hier S. 220f. Vgl. zuletzt auch:
Friedrich Hebbel. Schmerz und Form. Perspektiven und seine Idee des Tragischen.
Frankfurt a.M. 2006. – Dirk Haferkamp bezieht sich methodisch ausdrücklich auf
Kaisers während der Tagung erörterten „Strukturbegriff [des] Willens" (S. 217),
„von dem die Arbeit grundlegend bestimmt ist" (S. 24). Durch diese Anknüpfung
wird eine Verbindung hergestellt zwischen der Tagung der Grabbe-Gesellschaft von
1989, der Dissertation von 2013 und dem Jahrbuch von 2015. Vgl. Dirk Haferkamp:
Hannibal – Tragikomödie des Willens.

Sientje Maes: *Souveränität – Feindschaft – Masse. Theatralik und Rhetorik des
Politischen in den Dramen Christian Dietrich Grabbes.* Bielefeld: Aisthesis, 2014.

Wird der Grabbe-Freund gebeten, als Rezensent tätig zu werden, tut sich
zwangsläufig ein Spalt in ihm auf eingedenk des Schimpfes, den der Dichter in
Scherz, Satire, Ironie und tiefere Bedeutung auf die Zunft herniedergehen lässt.
Nun bildet aber Spaltung das Thema der zu besprechenden Abhandlung. *Souveränität – Feindschaft – Masse* ist die überarbeitete Fassung der Dissertation
von Sientje Maes, die 2013 an der Universität Leuven abgeschlossen wurde
und 2014 im Aisthesis Verlag mit einem Umfang von 240 Seiten erschien. Die
Untersuchung gilt dem in der Grabbe-Forschung oft thematisierten Fehlen jeglichen idealistischen Unterbodens. Die harte Materialität und die animalische
Seite des Menschen, die Grabbes Stücke überdeutlich präsentieren, haben Dichter und Werk mehrfach den Ruf des hoffnungslosen Pessimismus und Nihilismus eingehandelt.

   Die Verfasserin unternimmt eine werkchronologische Lektüre und Interpretation des *Gothland, Napoleon, Hannibal* sowie der *Hermannsschlacht.*
Angelpunkt der Deutung bildet Walter Benjamins *Ursprung des deutschen*

Trauerspiels von 1928. Ausgehend von Benjamins These, dass es sich beim barocken Trauerspiel um ein Theater der Krise handele, konstatiert Maes, eine gleichartige Krise hätte auch zu Grabbes Zeit vorgelegen und seine Dramen seien ihr ästhetischer Ausdruck. Benjamin zufolge reflektiert das barocke Trauerspiel das durch den Protestantismus herbeigeführte Auseinanderfallen von menschlicher Handlung und Sinn. In der zerstörten Beziehung zwischen Physis und Bedeutung betraue es den Verlust der Transzendenz. Grabbes Dramen inszenieren entsprechend „melancholische Geschichten über den Verlust des Tragischen, d.h. der transzendenten, sinnstiftenden Dimension". (S. 17) Von dieser Annahme leiten sich die problematisch gewordenen Aspekte der Souveränität, der Bedeutung von Feindschaft und der dem Souverän gegenüberstehenden Masse ab.

Der Souverän unterliege dem „auf das nackte, irdische Leben Zurückgeworfen-Sein" (S. 15) und ringe um Legitimation und Kontinuität seiner Macht und Wirksamkeit. Die Interpretationen legen nahe, dass die Feindschaftsbeziehungen ebenso ihre tragisch-transzendente Bedeutung verlieren, wie auch das Verhältnis des großen Subjektes zu den Kleinen, der Masse, die bei Grabbe der Immanenz vollkommen verhaftet sei bzw. diese Weltverfallenheit repräsentiere. Analog zu Volker Klotz Unterscheidung von geschlossener und offener Dramenform, ohne auf diese zu rekurrieren, charakterisiert die Autorin die Dramen Grabbes durch Herausstellung des scharfen Kontrastes zur Tragödie des geschlossenen, idealistischen Weltbildes.

Etwas über den Briefwechsel zwischen Schiller und Goethe eröffnet die Untersuchung, um Grabbes „melancholischen Blick" auf seine Zeit und Zeitgenossen durch Selbstaussagen herauszuarbeiten. Mittels des Bildes von der Welt als ausgelesenem Buch wird die Restauration durch Grabbes Augen als „sinnentleerte, einer blutlosen Mediatisierung ergebene Übergangszeit" (S. 9) bestimmt. Ein im Laufe der Untersuchung oft aufgegriffener topos ist die „Unverfügbarkeit" der Geschichte. Die deutsche Gesellschaft der nachnapoleonischen Epoche habe bloß in medial vermittelter Form, z.B. im Panorama oder Guckkasten, auf sie zugreifen können. Das lebendige Heroische aber sei unwiederbringlich verloren. Die Autorin stellt sich damit, bewusst oder unbewusst, in die geschichts- und kulturphilosophische Tradition von Hegel bis Lukács und Benjamin, den Ausgang aus dem geschlossenen metaphysischen Kreis in ein Zeitalter der Prosa und des Sich-Selbst-Problematisch-Werdens. Die deutschen Klassiker hätten aus Grabbes Perspektive die moderne Erfahrung der Immanenz bzw. Kontingenz geleugnet und dieser in ihrer Ästhetik eine vergebliche Re-Idealisierung entgegengesetzt. Die Theatralität und Ambivalenz in Grabbes Dramen dagegen gehe aus dem Sinn- und Transzendenzverlust hervor und sei explizit „als Kritik an der jede Kontingenz verneinenden Klassik" (S. 35) zu verstehen.

Die Verbindung zur Transzendenz ist abhanden gekommen. Ein Theater, das dieser Wirklichkeitserfahrung gerecht werden will, kann keine echte Tragik mehr inszenieren. „Das Dramatische tritt bei Grabbe hinter das Theatrale zurück." (S. 16) So erlebe der Zuschauer ein irritierendes Übermaß an Theatralik und Rhetorik, die eben deshalb hohl und leer wirken, da sie nicht mehr an Höheres angebunden seien. Der Held des modernen Theaters kann nicht mehr im Kampf gegen die Schicksalsmacht oder für einen transzendent verbürgten Glauben untergehend sein Wesen gewinnen. Maes stellt sich explizit gegen jene Kritiker und Ideologen, die die Ambivalenzen und Widersprüche in Grabbes Werk noch im 20. Jahrhundert ignoriert oder eingeebnet haben. Ihre Arbeit fokussiert jene Ambivalenzen des Grabbeschen Œuvres. Sie sollen dessen Verwandtschaft mit dem barocken Trauerspiel sowie gleichzeitig Grabbes Modernität in der „Spannung zwischen Sinnentleerung und theatralem Exzess" (S. 36) offenlegen.

Grabbes Dramen greifen „in Reaktion auf die zeitgenössische sozio-politische Krise, auf die Dramaturgie eines älteren Krisenmodells, nämlich des Barocks" (S. 196) zurück. Ob Grabbe dies bewusst getan habe oder als künstlerisches Medium des Zeitgeistes zu begreifen sei, bleibt offen. Reizvoll hingegen in ihrer Kompaktheit ist die Schlussfolgerung, Grabbes Auffassung von der Kontingenz der Welt bestimme die Heterogenität sowie die nicht-teleologische Entwicklung seines Werkes bzw. seiner Werke. Darin spiegelt sich die Aussage von Volker Klotz, Dramen der offenen Form würden keinen genetisch sich entwickelnden und vollendenden Handlungsstrang vorführen, sondern die Szenen als Schlaglichter das Thema umreißen, ohne die inhärente Notwendigkeit einer bestimmten chronologischen Abfolge.

An den „Helden" der jeweiligen Stücke zeigt die Autorin deren Umgang mit Immanenz und Kontingenz. Wenn von „theatralem Exzess" die Rede ist, muss als erstes *Gothland* gemeint sein. Theodor von Gothland zeichnet sich durch seine Unfähigkeit aus, sich der Kontingenzerfahrung zu stellen, die ihn schlagartig mit der Kunde vom Tod seines Bruders ereilt. Die Weigerung, Bedeutungslosigkeit anzuerkennen, steht am Anfang aller blutigen Gräueltaten, aller scheinbar irrationalen, nicht nachvollziehbaren Handlungsweisen Gothlands. Der in der Grabbe-Forschung oft behandelte Monolog, in dem Gothland sich von einer Ent- zur negativ besetzten Re-Idealisierung der Welt hindurchwindet, bildet die Konsequenz seines Leugnungsverhaltens.

In seiner exzessiven Weltlichkeit musste das Drama die Kritik Tiecks auf sich ziehen. Eine so exaltierte Präsentation harter Materialität ohne transzendenten Fluchtpunkt konnte dem Romantiker nur zuwider sein. Maes weist auf die Inkommensurabilität beider Weltanschauungen hin – Grabbes Ironie sei keine romantische, keine Verknüpfung des In- und Über-der-Welt-Seins. Die

Enthüllung Berdoas über Gothlands Bereitschaft und Wunsch, sich täuschen zu lassen, ist Indiz für die tiefe Gespaltenheit des Protagonisten. Die Verfasserin zielt aber auf auf ein metaphysisches, kein psychologisches Problem ab. Das „Spektakel der Feindschaft und der Vergeltung" (S. 77) diene Gothland als letzter Anker in dieser Welt. Im Verlauf des Dramas zeige sich bereits die kreisförmige Struktur von Gothlands Handlungsmechanismen: das Streben nach mehr Macht, die Initiierung immer neuer Kämpfe, die stationär erneuerte Rachsucht usw. Würde er nicht sterben, wäre sein Streben auf eine endlose Wiederholung des Rächens und Schlachtens gerichtet; eine stets auf neue ablaufende Spieluhr, gleich dem Beckettschen *Endspiel*.

In dieser Endlosigkeit des *Gothland* deutet sich die Problematik der sinnentleerten Weltgeschichte insgesamt an. Geschichte sei zum einen unverfügbar geworden, zum anderen könnten präsentische Ereignisse später nicht in ein Gewebe der Sinnverwirklichung, z.B. im Sinne eines Fortschrittsnarrativs, eingeordnet werden. Maes diskutiert am *Napoleon*, ob historische Prozesse als zirkulär aufzufassen seien. Einerseits bildeten die gezeigten bzw. berichteten Bewegungen der Geschichte nicht-lineare Verschiebungen. Geschichte, da durch die Kräfte des Zufalls bestimmt, nehme keine erfassbare Struktur an. Andererseits scheint sie doch in einem endlosen Kreisen befangen. Gothland zeige nur eine mögliche Folge des kontingenzbestimmten Fortlaufes der Zeit. Er geriet durch die Erkenntnis und die innere Leugnung der Sinnlosigkeit in seine Handlungsschleifen. Wie Gothland, so sei auch Napoleon eine innere Abwehr der Erkenntnis der Sinnlosigkeit seines Tuns zu eigen. Nach seiner Niederlage deutet er die Geschichte als Glücksspiel und legt ihr damit eine göttliche Kraft bei. Das Dramenende wiederum gebe einen melancholischen Ausblick auf die Zukunft, die wiederum nur ein karussellhaftes Abspulen von Restaurationen, Revolutionen und Kriegen mit sich bringen werde. Ob Geschichtsverläufe nun zirkulär oder in rein zufälligen Sequenzen erfolgen, bleibt letztlich unentschieden.

Auf die Problematik des Souveräns geht die Verfasserin anhand des Napoleon-Dramas intensiv ein. Das Inszenieren von Macht gewinne seit diesem Stück stark an Bedeutung in Grabbes Schaffen. Die Bourbonen als Angehörige des ancien régimes wie auch ihr Gegenspieler Napoleon bedienen sich dieses Mittels – und bei beiden gerate es zum lächerlichen, sich selbst entlarvenden Schauspiel. In der Figur Napoleons begegne dem Leser ein sich selbst inszenierender Komödienspieler. Das dekadente Adelsgeschlecht der Bourbonen besitze noch eine Verbindung zur Transzendenz. Ihre Macht ist durch diesen Pfeiler noch legitimiert. Im Gespür der Masse ist das Göttliche, das Von-Gotttes-Gnaden, ein natürlicher Teil ihres Wesens. Maes argumentiert, dass Napoleon das ancien régime um dessen inhärente Transzendenz-Beziehung beneide. Als aus der Revolution hervorgegangener Herrscher könne er sich aber nicht auf die alten

Feudaltraditionen zurückberufen. Die Versuche, seine Souveränität durch sich selbst zu legitimieren und ihr Dauerhaftigkeit zu verleihen, sind zum Scheitern verurteilt. In einer Zeit bzw. Umgebung der Sinnlosigkeit, Kontingenz, Immanenz, bleiben seine Inszenierungen bloße Theatralität und Rhetorik. An Napoleon und den von ihm genutzten Kommunikationsmedien zeige Grabbe, dass Macht durch Rhetorik statt durch Heldentaten erlangt und ausgeübt werde. In der Szene auf dem Marsfeld entlarvt sich seine Souveränität als theatrale Konstruktion im Aufbau des Amphitheaters sowie durch Jouves begleitende zynische Kommentare. Die Mise-en-abyme-Konstellation auf dem Marsfeld gilt als Verwirklichung von Walter Benjamins These bezüglich der Mitausstellung der Geste des Ausstellens. Das Trauerspiel reflektiere sich als Spiel.

In einer überzeugenden Argumentation zeigt die Autorin, dass *Napoleon* die Unverfügbarkeit der Historie in ihrer Eigenschaft als Vehikel heroischer Taten und Personen in vielen Facetten vorstellt. Sie macht darauf aufmerksam, dass die den verschiedenen Gesellschafts- und Nationalitätssphären zugehörigen Menschen einen stets vergangenheitsverhafteten Blick besitzen und den Sinn der Gegenwart im Vergangenen, Entschwundenen suchen. Die preußischen Soldaten beschwören zwar eine idealistische Vorstellung der Schlacht als Utopie, doch bleibe ihnen, wie Grabbe in den Nahaufnahmen des Schlachtengeschehens zeige, das gesuchte Wesen, das Heroische, verwehrt.

Das fragmentiert aufbereitete Jahrmarkttreiben, die gesamte polyperspektivische Struktur des *Napoleon* relativiert jegliche ideologischen Diskurse, indem sie diese gleichwertig neben- bzw. gegeneinander stellt. Daraus leitet die Verfasserin ab, die Historie folge keiner Idee, und nur das Kontingente bleibe zurück. Kurzum: Geschichte sei in der nachnapoleonischen Ära nur als ihr eigenes mediales Abbild zu haben, als das ausgelesene Buch, das Grabbe in *Etwas über den Briefwechsel zwischen Schiller und Goethe* seinen Zeitgenossen vorhalte. Der historische Napoleon markiert für Grabbe das Ende der heroischen Zeit, ist aber noch Teil derselben. Der Protagonist der *Hundert Tage* dagegen ist a priori Opfer des Sinnverlustes und versucht diesen mit allen Mitteln zu kompensieren.

Über Grabbe selbst vermerkt Maes, er habe sich nach der Julirevolution vom Glauben an einen Umsturz abgekehrt und belegt dies mit dem Brief an Kettembeil vom 20. Juli 1831. Die Äußerungen über das „Revolutionsrasen" und die Forderung, „sich selbst zu reformieren", finden sich allerdings nur in diesem einen Brief. Zusammen mit dem attestierten Hang Grabbes zur Selbstinszenierung ergibt dies eine eher schwache Beweiskraft für die These von einer Veränderung in Grabbes politischen Ansichten.

Das Auseinanderfallen von Physis und Bedeutung betreffe mit Blick auf das Dramatische besonders auch das Sterben. Es besitze keinen Bezug zur Jenseitigkeit mehr, es vollendet nicht ein Heldenleben sinnstiftend von seinem Ende her.

Der Aspekt des Todes zeigt die Unmöglichkeit von echter Tragik auf dem Theater. In diesem Sinne wird der vielzitierte Ausspruch des sterbenden Hannibal
interpretiert: „Ja, aus der Welt werden wir nicht fallen". Aus der Immanenz gibt
es kein Entrinnen. Diese Stelle radikalisiere außerdem die Perspektivlosigkeit der
Enden von *Gothland* und *Napoleon*, in denen sich ein zur öden Wiederholung
neigender, bedeutungsloser Fortlauf der Geschichte andeutet. Im Jahrmarkt- und
Schlachtenpanorama des *Napoleon* reflektiere Grabbe über die Mediatisierung
der Historie, ihre Darreichung in toten Bildern. In der Schlacht bei Zama (*Hannibal*) nehme Grabbe das Thema auf, indem er das tobende Kampfgeschehen
durch Teichoskopie der Unmittelbarkeit beraubt. Das uralte dramaturgische
Mittel wird so zu einer Variante des Guckkastens. Grabbe entreiße gewissermaßen dieses Werkzeug der Tragödie, um es dem Repertoire seines Krisentheaters
anzueignen.

Im *Hannibal* zersplittert das Souveränitätsproblem aufgrund der Vielzahl
von Souveränen auf römischer wie karthagischer Seite. Hannibal selbst stehe als
anachronistisches Ausnahmesubjekt Karthagos Herrschern sowie der Krämer-
mentalität beider Konfliktparteien hilflos gegenüber. Die Verfasserin stellt seine
Funktion als Objekt heraus, an dem sich Säkularisierung und Sinnverlust sichtbar vollziehen. Den Gegensatz zur Authentizität und Vitalität Hannibals bildet
der dekadente König Prusias. Er ist das Paradebeispiel des theatralen Souveräns,
der jedoch aus der Theatralität und Künstlichkeit erfolgreich den autoritativen
Rahmen seiner Herrschaft gestrickt hat.

In der Darstellung des Volkes von Karthago wie auch der Sklaven von Kapua
spiegele sich Grabbes Antipathie dem biedermeierlichen Bürgertum gegenüber
sowie dessen Pöbelfurcht vor der Unterschicht. Die Wirkungslosigkeit der
Masse im deutschen Biedermeier sei in den Sklaven repräsentiert, die ihre Freiheit erkämpfen und sich unmittelbar danach wieder in Unfreiheit begeben. Sie
offenbaren „Grabbes Verachtung aber auch Angst vor der Masse, die in seinen
Dramen oft als (selbst-)destruktive Ungestalt präsentiert wird." (S. 172)

Gewappnet durch die Auseinandersetzung mit *Gothland*, *Napoleon* und *Hannibal*, begibt sich die Untersuchung schließlich auf das Winfeld. Das *Die Hermannsschlacht* betreffende Kapitel dürfte die meisten Widersprüche provozieren.
Zu keinem anderen Stück erfolgen derart viele und entschiedene Wertungen.
Maes urteilt dabei nicht über den Verfasser oder die Güte des Textes, sondern vor
allem über die charakterliche Beschaffenheit Hermanns. *Die Hermannsschlacht*
sei eine theatrale Farce, die, wie *Napoleon*, die eigene Theatralität reflektiere und
dadurch zur Parodie des Geschichtsdramas werde. *Die Hermannsschlacht* nehme
vollständig den Charakter von Parodie und Lächerlichkeit an.

Grabbe wende sich mit dem personifizierten deutschen Gründungsmythos
Hermann gegen den Nationalismus-Diskurs seiner Zeit. So bestehe in der

Theatralität des Politischen der thematische Kern des Stückes, das in seinen komischen Verzerrungen die Unmöglichkeit eines wirksamen mythischen Narrativs entdecke. Entsprechend des eingeschlagenen Interpretationsweges stellt *Die Hermannsschlacht* eine neue Variation der Kontingenz- bzw. Immanenzproblematik vor.

Der Brief an seinen Detmolder Freund Petri vom 9./10. März 1835 ist Beleg dafür, dass Grabbe der *Hermannsschlacht* die nationalistischen Burschenschaften als „närrische Folie" unterlegt habe. Man beachte, dass bei der Interpretation des Geschichtsdramas zumeist der Briefwechsel mit seiner Frau Louise im Vordergrund steht. Maes löst ihr Verständnis gänzlich von der biografischen Situation des Verfassers. Die letzten Monate in Grabbes Leben, während der er durch körperliches und seelisches Leiden belastet die Schlacht im Teutoburger Wald verfasste, sind sehr oft zwecks inhaltlicher Interpretation mit dem Stück verschweißt worden. Auch die Literarisierungen Grabbes als Figur nehmen sich gerne seinen letzten Lebensabschnitt vor, etwa Wilhelm Kunzes *Der Tod des Dietrich Grabbe* (1924), Ludwig Bätes *Der trunkene Tod* (1947) oder Thomas Valentins *Grabbes letzter Sommer* (1980). Aus dieser Perspektive kann der energischen Exegese eine erfrischende Unbeschwertheit abgewonnen werden.

Zunächst bemüht sich die Verfasserin, strukturelle Parallelen zwischen Grabbes *Cid*-Libretto und der *Hermannsschlacht* aufzuzeigen. Ihr Substrat der *Cid*-Interpretation besagt, ohne Transzendenz besäße das dramatisierte Macht- und Liebesspiel keinen kausalen Zusammenhang mehr und müsse zu einer Aneinanderreihung banaler Szenen zerfallen. Lächerlichkeit und Parodie verbleiben als die einzigen Möglichkeiten der ästhetischen Darstellung. Dem *Cid* attestiert Maes eine starke meta-theatrale Ebene, von der aus Grabbe auf seine eigene Dramaturgie reflektiere. Es deutet sich an, inwiefern der eingeschlagene Deutungsweg in einer rigorosen, potenziell zu engen Perspektive auf den Gegenstand der *Hermannsschlacht* zu münden droht. Großen Raum nimmt ein interessanter, kontrastiver Vergleich zwischen dem Grabbeschen und dem Kleistschen Hermann ein. Auch Kleists *Hermannsschlacht* behandle die Performativität von Sprache und die Theatralität des politischen Machtspiels. Sein Hermann beherrsche die rhetorischen Strategien des Propagandakrieges, sei in seinem Wesen aber „amoralisch" und nutze die Instrumente für seine „Terrorherrschaft". (S. 192)

Grabbes Hermann hingegen „schwelgt [...] in endlosem [...] gekünstelten Gerede" (S. 193), ist „ein Plauderer, ein handlungsunfähiger Theaterheld" (S. 192), „Phrasendrescher" (S. 212), „unglaubwürdiger Schauspieler" (S. 213), eine „schwache Autorität" (S. 213), „Schwächling" (S. 215), „Adept seiner Frau und seines Volkes, statt deren Anführer" (S. 215), er sitzt mit seinem „endlosen Gerede [...] zwischen den Stühlen". (S. 211) Der von der Verfasserin nachdrücklich verfochtenen Schwachheit und Wirkungslosigkeit des Protagonisten ließen sich einige textimmanente Argumente entgegenhalten. Andererseits ist auf diese Weise der Leser herausgefordert, seine eigene Haltung dem deutschen Nationalhelden gegenüber wie auch seine Grabbe-Lesart zu prüfen. Das historische Nationalismus-Phänomen, besonders von Preußen ausgehend, lässt sich in Parallele zu den rhetorischen und gebärdenreichen Legitimationsstrategien von Grabbes Theatersouveränen setzen. Dabei erweist sich das Anlegen kulturphilosophischer Transzendenz-Immanenz-Theorien an realhistorische Sachverhalte als ebenso faszinierend wie problematisch. Aufgrund der zugrunde gelegten metaphysischen Krisenstimmung zu Grabbes Zeiten müsse Hermanns „Deutschland!“-Konzept ebenso bedeutungsleer sein wie der Deutsche Bund nach 1815.

Die Lächerlichkeit soll das Stück entscheidend prägen, anderseits wird ihm aber jegliche Markierung von Parodie oder Ironie abgesprochen. Im Widerspruch dazu heißt es jedoch an anderer Stelle, die Begegnung zwischen Hermann und Thusnelda „weist [...] auf eine ironische Lektüre [...] hin“, und die *Hermannsschlacht* trage insgesamt „possenähnliche Merkmale“ (S. 194), da sie die eigene Theatralität inszeniere. Auch in der ambivalenten Beziehung zwischen Hermann und den Germanen sieht Maes den „theatralen Exzess und ironische Exaltiertheit“. (S. 220) Es handle sich um „eine gespielte Scheineinheit“. (S. 221) Die Germanen als das notwendige Gegenstück zum Souverän präsentiere Grabbe durch „bis ins Ironische gesteigerte übertriebene Naivität und theatral vorgeführte Brüderlichkeit.“ (Ebd.) Die Autorin tritt hiermit, bewusst oder unbewusst, überkommen sozialutopistischen Deutungen der 1970er Jahre entgegen. Aus dieser Perspektive ist die *Hermannsschlacht* die radikale Spitze des Scheiterns an der Bedeutungslosigkeit der Immanenz. Damit ist eine utopische Aufgehobenheit in einer mythisch verklärten Natur- und Gesellschaftsutopie a priori undenkbar und nicht auf dem Theater zu inszenieren. Sie müsste zur Lächerlichkeit geraten, und eben das führe Grabbe vor – so wäre im Sinne dieser Untersuchung zu argumentieren.

Die geschlossene Welt der griechischen Tragödie existiert nicht mehr, und auch das Christentum könne in Grabbes Kosmos das Verlorene der Welt nicht wiedergeben. Dies zeige sich im Erscheinen der Christusgestalt am Ende der *Hermannsschlacht*. Die Ankündigung von Christus Wirken betone wiederum „in ihrer ironischen Steigerung, nur die Leere einer geschlossenen, immanenten und sinn-entraubten Welt“. (S. 224) Vermittelt wird es per Botenbericht zweiter Hand durch den sterbenden Kaiser Augustus. Dieser nennt sich selbst einen abtretenden Schauspieler, was der vertretenen Theatralitätsthese zuspielt. Der Zusammenfall von Augustus Selbstentlarvung mit Christi Erscheinen in einem Sprechakt macht das Ende zu einer „absurden Schlussszene“, in welcher der Erlöser „vom Theaterhimmel“ falle (S. 181). Diese Deutung trifft, so könnte man zuspitzen, entweder exakt Grabbes Intention oder steht ihr vollkommen entgegen: Etwa zeitgleich mit Beendigung seiner Arbeit an der *Hermanns-schlacht* schreibt Grabbe am 17. Juli 1836 an Petri, er habe „den letzten Acten im Schlusse (zu Rom) noch einen Haarbeutel oder Windfahne angehängt, welche nicht ohne Erfolg rauscht." (VI, 347)

Die innere Logik der Untersuchung verlangt nicht nach näherer Beschäftigung mit Grabbes Person und Biographie. Das Ausbleiben solcher Betrachtungen ist daher nicht per se als Mangel zu sehen. Allerdings stellt sie die These auf, Grabbe habe sich der historischen, musealen Stoffe als Medium bedient, um Bezüge zu seinem eigenen sozialhistorischen Kontext herzustellen. In der Kritik seiner Gegenwart und Zeitgenossen liege die Bedeutung des „wahren Geistes der Geschichte", den Grabbe aus den historischen Begebenheiten „hervorziehen" wollte. Die Grabbe-Forschung hat sich auch diesen poetologischen Äußerungen Grabbes, die sich in den Anmerkungen zu *Marius und Sulla*, dem *Shakspearo-Manie*-Aufsatz sowie im Brief an Friedrich Steinmann vom 16. Dezember 1829 über die Entstehung des *Barbarossa* finden, oft und gerne zugewandt. Dieser Ansatz unterstellt aber eine Haltung Grabbes der Restauration und ihres Bürgertums gegenüber, die nur spärlich belegt wird und den Charakter einer unbewiesenen Prämisse nicht zu überwinden vermag. Kam die Deutung der vier Dramen hinsichtlich der Trauerspiel- und Souveränitätsthesen ohne Grabbe aus, zeigt sich in diesem Punkt nun dessen weitestgehende Aussparung als problematisch.

Sintje Maes zufolge entsprächen Gothlands Unentschlossenheit, seine Weigerung, die Transzendenz aufzugeben, einer zeittypischen Haltung am Anfang des 19. Jahrhunderts. In jener Säkularisierungsphase habe man noch nicht von Gott lassen wollen. Mit dem biedermeierlichen Bürgertum soll Grabbe die Pöbelfurcht geteilt haben. Besagtes Bürgertum sei ihm aber gleichermaßen zuwider gewesen, da es beispielsweise die Verwandlung von Gegenständen und menschlichen Beziehungen in reinen Warencharakter perpetuiert habe. Diesem Wirtschaftsbürgertum halte Grabbe in den karthagischen Kaufleuten einen Spiegel vor. Durch Konkurrenz, Egoismus und Opportunismus ist die „Mutter" Karthago zu Stein erstarrt. Die Dünkel, Machtkämpfe und Inszenierungen der herrschenden Dreimänner tragen von Seiten der Politik ihr Übriges zu diesem Entweichen der Lebendigkeit bei. Das Metternichsche System verkörpere der Despot von Kapua – der Tyrann, der sich als Beschützer der Freiheit verkleide und seine Bürger, analog zum Biedermeier, ins Häusliche, Private drängt. Grabbe verachte „das Besitz- und Bildungsbürgertum [...] wie den jungdeutschen Liberalismus oder den Konservativismus der Burschenschaften" (S. 22) Er stelle sich „in Opposition zur ganzen Gesellschaft". (Ebd.)

Blickt man nach der Lektüre der Untersuchung zurück auf ihren Titel, scheint die Behandlung der Feindschaft gegenüber Souveränität und Masse vergleichsweise marginal ausgefallen zu sein. Sie erfährt keine den anderen Titelaspekten ebenbürtige Aufmerksamkeit. Durch die Gespaltenheit des Souveräns, der Unmöglichkeit einer eschatologischen Perspektive, verlören Feindschaftsbeziehungen „ihren Sinn und ihre erhabene Dimension" (S. 31), Politik und Krieg seien bloß „leeres Spektakel". (Ebd.) Dennoch leiden und sterben Menschen durch Feindschaften und Kriege. Die Beurteilung als leeres Spektakel begibt sich in Gefahr, seinen Gegenstand im enthobenen Raum einer reinen l'art pour l'art-Ästhetik zu begutachten. Dies ist im Rahmen einer akademischen Forschungsarbeit legitim, doch entgehen dadurch Chancen, die Literatur an das Leben zu binden.

Die Interpretation von Grabbes Werken durch Walter Benjamin könnte als anachronistisch angesehen werden. Die Verfasserin nimmt keine weiteren Begründungen für ihren Ansatz vor als die ihrer Ansicht nach augenfällige Passgenauigkeit von Benjamins Trauerspieltheorie mit Grabbes historischen Dramen. Dem Leser bleibt es überlassen, Parallelen herzustellen, aber in dieser an den Leser gestellten Herausforderung liegt wiederum ein inspirierender wie provokanter Reiz. Denkbar wäre, die von Maes geschaffene Folie der Massen-, Souveränitäts- und Feindschaftsthematik an die Inszenierungen historischer oder gegenwärtiger Souveräne anzulegen – brachiale Versuche, Herrschaft durch Transzendenzbezüge zu legitimieren und in selbstgeschaffenen Traditionen eine eigene Kontinuität zu stiften, machen Grabbes *Napoleon* äußerst anschlussfähig.

Die Arbeit ist wenig voraussetzungsreich. Eine Kenntnis Grabbes und seiner Werke wie auch Benjamins Trauerspieltheorie ist zwar hilfreich zur Orientierung, aber nicht zwingend notwendig, um der Argumentation zu folgen. An einigen Stellen werden zwar Stimmen der Grabbe-Forschung eingeführt, doch nimmt sich die Arbeit verhältnismäßig solitär aus. Hinweise auf die Anknüpfung an bereits etablierte Motiv- und Themenfelder und eine kritische Auseinandersetzung mit bestimmten Positionen hätten der Darstellung größere Plastizität und Historizität verliehen. Letztendlich, das Zusammenbringen von Grabbe und Benjamin funktioniert. Die Deutung der Dramentexte hinsichtlich des Auseinanderfallens von Physis und Bedeutung wirkt schlüssig und bietet eine interessante holistische Sicht auf Grabbes Schaffen. Nur lässt sich der Eindruck einer stellenweisen Überinterpretation, besonders der *Hermannsschlacht,* nicht völlig zerstreuen.

Robert Weber

Claudia Dahl

Grabbe-Bibliographie 2014
mit Nachträgen

Alle Links wurden geprüft am 10.7.2015.

Zur Bibliographie
1. **Grabbe-Bibliographie 2012** : mit Nachträgen / Claudia Dahl. – In: Grabbe-Jahrbuch. – Bielefeld. – 32.2013 (2014), S. [191]-196. – URL: http://www.llb-detmold.de/sammlungen/literaturarchiv/grabbe-archiv/grabbe-bibliographie/2012.html

Zu Leben und Werk
2. **Plachta, Bodo:** Dichterhäuser in Deutschland, Österreich und der Schweiz. – Stuttgart : Reclam, 2011
    -Rez.: Jansen, Hans Hermann. – In: Grabbe-Jahrbuch. – Bielefeld. – 32.2013 (2014), S. 187-188.
3. **Bab, Julius:** Die Berliner Bohème / Julius Bab. Mit einem Nachw. hrsg. von Michael M. Schardt. – 2., aktualisierte Aufl. – Hamburg : Igel-Verl., 2014. – 105 S. : Ill. – (Literaturwissenschaft). – ISBN 978-3-86815-592-1. – S. 18-21: Die Bohème der Romantiker (Grabbe und Heine).
4. **Ehrlich, Lothar:** „Der böse Blick des Dramatikers" : Heiner Müller und Grabbe. – In: Grabbe-Jahrbuch. – Bielefeld. – 32.2013 (2014), S. [7]-26.
5. **Gödden, Walter:** Ein betrunkener Shakespeare – Christian Dietrich Grabbe schrieb Briefe auf des Messers Schneide und liebte auch dort das Inszenieren. – In: Gödden, Walter: Querbeet. Bd. 4: 63 neue literarische Erkundungen in Westfalen. – Münster : Aisthesis-Verl., 2014. – (Bücher der Nylandstiftung Köln : Reihe Dokumente ; 11). – ISBN 978-3-8498-1061-0. – S. 52-78.
6. **Köhler, Kai:** „Da fiel was Großes" : Sterben bei Grabbe. – In: Grabbe-Jahrbuch. – Bielefeld. – 32.2013 (2014), S. [61]-79.
7. **Maes, Sientje:** Souveränität – Feindschaft – Masse : Theatralik und Rhetorik des Politischen in den Dramen Christian Dietrich Grabbes. – Bielefeld : Aisthesis-Verl., 2014. – (Moderne-Studien ; 15). – ISBN 978-3-8498-1001-6. – Teilw. zugl.: Leuven, Univ., Habil.-Schr., 2013.
8. **Rothmann, Kurt:** Kleine Geschichte der deutschen Literatur. – 20., durchges. u. erw. Aufl. – Stuttgart : Reclam, 2014. – 603 S. – (Reclams

Universal-Bibliothek ; 17685). – ISBN 978-3-15-017685-6. – Darin S. 185-187 zu Grabbe.

9. **Schaffrick, Matthias:** Von der gottlosen Welt zum christlichen Wunderknaben : Zerfall des Politischen und Rückkehr der Religion bei Christian Dietrich Grabbe (mit einem Exkurs zum Christus-Fragment). – In: Grabbe-Jahrbuch. – Bielefeld. – 32.2013 (2014), S. [96]-112.

Zu einzelnen Werken

10. **Kaul, Camilla G.:** Friedrich Barbarossa im Kyffhäuser : Bilder eines nationalen Mythos im 19. Jahrhundert / von Camilla G. Kaul. – Köln [u.a.] : Böhlau, 2007. – (Atlas – Bonner Beiträge zur Kunstgeschichte ; N.F., 4). – ISBN 978-3-412-16906-0. – 1. Textband. – 914 S. – Zugl.: Bonn, Univ., Diss., 2005. – Erschienen: Bd. 1 - 2. – Grabbe: mehrere Erwähnungen zu seinen Hohenstaufen-Dramen und zum Gedicht Friedrich der Rotbart, s. Reg. im Textband.

11. **Le Berre, Aline:** Le corps grotesque dans Napoléon ou les cent-jours de Grabbe. – In: Grotesque et spatialité dans les arts du spectacle et de l'image en Europe (XVIe - XXIe siècles) / Le Berre Aline ... (éd.). – Bern [u.a.] : Lang, 2012. – S. [133]-148.

12. **Maes, Sientje:** Theatraler Exzess und ‚gespielte‘ Sinnlosigkeit : *Der Cid* als Zeit- und Gattungskritik. – In: Grabbe-Jahrbuch. – Bielefeld. – 32.2013 (2014), S. [80]-95.

13. **Roselli, Antonio:** „Nichts steht auf Erden fest" : ‚Ende *der* Welt‘ und ‚Ende *einer* Welt‘ in Grabbes *Herzog Theodor von Gothland, Napoleon oder die hundert Tage* und *Hannibal*. – In: Grabbe-Jahrbuch. – Bielefeld. – 32.2013 (2014), S. [27]-60.

Zur Wirkungsgeschichte

14. **Hüpping, Stefan:** Rainer Schlösser : (1899 - 1945) ; der „Reichsdramaturg" / Stefan Hüpping. – Bielefeld : Aisthesis-Verl., 2012. – ISBN 978-3-89528-952-1. – Zugl.: Osnabrück, Univ., Diss., 2011. – [Grabbe: mehrere Erwähnungen, s. Reg.]
   -*Rez.*: Ehrlich, Lothar. – In: Grabbe-Jahrbuch. – Bielefeld. – 32.2013 (2014), S. 184-187.

15. **Schütze, Peter:** Detmold : Geschichten und Anekdoten ; also um vier am Donopbrunnen. – 1. Aufl. – Gudensberg-Gleichen : Wartberg-Verl., 2013. – 79 S. : Ill. – ISBN 978-3-8313-2420-0. – S. 16-18 zu Grabbe, S. 64-69 zu Alfred Bergmann.

16. **Füllner, Bernd:** „Durch den Staub der Bücher bin ich gekrochen und bin nicht erstickt –" : Das Grabbe-Portal als „digitale Archiv-Edition". – Ill.

- In: Grabbe-Jahrbuch. – Bielefeld. – 32.2013 (2014), S. [129]-142. – URL: http://www.llb-detmold.de/wir-ueber-uns/aus-unserer-arbeit/texte/2013-9.html

17. **Gödden, Walter:** Kriegsbekenntnisse westfälischer Autorinnen und Autoren – Die Zeitschrift *Heimat und Reich* war das Zentralorgan der westfälischen Dichtung im Dritten Reich. – In: Gödden, Walter: Querbeet. Bd. 4: 63 neue literarische Erkundungen in Westfalen. – Münster : Aisthesis-Verl., 2014. – (Bücher der Nylandstiftung Köln : Reihe Dokumente ; 11). – ISBN 978-3-8498-1061-0. – S. 405-421. – Grabbe erwähnt.

18. **Grabbe-Preis für Dushe** : Verleihung am 16. Januar im Landestheater / (la). – Ill. – In: Lippe aktuell. – Detmold. – 20.12.2014.

19. **Hellfaier, Detlev:** Die Lippische Landesbibliothek Detmold. – 1. Aufl. – Detmold : Lippischer Heimatbund, 2014. – 32 S. : zahlr. Ill., Kt. – (Lippische Kulturlandschaften ; 27). – ISBN 978-3-941726-38-3. – S. 22-24 zum Grabbe-Archiv.

20. **Luetgebrune, Barbara:** Grabbe-Preis wieder ins Leben gerufen : Neuer Theatertext wird ausgezeichnet / (blu). – In: Lippische Landes-Zeitung. – Detmold. – 27.02.2014.

21. **Rühle, Günther:** Theater in Deutschland 1945-1966 : seine Ereignisse – seine Menschen. – Frankfurt am Main : Fischer, 2014. – 1519 S. – ISBN 978-3-10-001461-0. – Grabbe: mehrere Erwähnungen, s. Reg.

22. **Schütze, Peter:** Jahresbericht 2012. – In: Grabbe-Jahrbuch. – Bielefeld. – 32.2013 (2014), S. [171]-175.

23. **1614 - 2014** : 400 Jahre Lippische Landesbibliothek / hrsg. von Joachim Eberhardt und Detlev Hellfaier. – Detmold : Lippische Landesbibliothek, 2014. – 188 S. : zahlr. Ill. – (Auswahl- und Ausstellungskataloge der Lippischen Landesbibliothek Detmold ; 38). – ISBN 978-3-9806297-6-8. – S. 146-155: Alfred Bergmann und das Grabbe-Archiv.

Zu Bühnenaufführungen

Don Juan und Faust / Leopoldshöhe / Theater Niederbarkhausen (2013)

24. **Programmheft.** – Krause, Fritz Udo: Don Juan Donna Anna Faust : Schauspiel in XII Plateaus, eingerichtet für das Theater Niederbarkhausen in Leopoldshöhe / Fritz U. Krause. – Bielefeld, 2013. – 40 S. : Ill. – Premiere: 18. Dezember 2013.

25. **Krause, Fritz Udo:** Eine Poetik der Weiterverarbeitung : Don Juan Donna Anna Faust ; Schauspiel von, nach und ohne Christian Dietrich Grabbe in XII Plateaus / Fritz U. Krause. – Norderstedt : Books on Demand, 2014. – 250 S. : Ill. – ISBN 978-3-7347-3771-8. – Mit Inszenierungstext (S. 10-119).

26. **Prignitz, Karin:** Großes Theater im Stellmacherhäuschen : Fritz Udo Krause bringt hochkarätiges Schauspiel aufs Gut Niederbarkhausen. – In: Lippische Landes-Zeitung. – Detmold. – 10.01.2014.

Herzog Theodor von Gothland / Bochum / Rottstr 5 Theater (2014)

27. **Programmheft.** – Herzog Theodor von Gothland [nach Christian Dietrich Grabbe] / eine Zsarb. des Rottstr 5 Theaters mit Studierenden des Fachs Schauspielregie der Folkwang Universität der Künste. – Bochum, [2014]. – [4] Bl. – Premiere: 14. März 2014.

28. **Kühlem, Max Florian:** Tim Hebborn inszenierte in der Reihe „Blutige Anfänger". – Ill. – In: Ruhr-Nachrichten. – Dortmund. – 16.03.2014. – URL: http://www.ruhrnachrichten.de/staedte/bochum/Rottstr5-Theater-Tim-Hebborn-inszenierte-in-der-Reihe-Blutige-Anfaenger;art932,2307054

29. **Thelen, Tom:** Wie ein Mensch zum Massenmörder wird. – In: WAZ. – Essen. – 11.03.2014. – URL: http://www.derwesten.de/staedte/bochum/wie-ein-mensch-zum-massenmoerder-wird-aimp-id9103812.html

30. **Vesper, Petra:** Rottstr5: Ein Riesenbrocken auf der kleinen Bühne [Elektronische Ressource] : Herzog Theodor von Gothland feiert Premiere im Theater Rottstr5. – In: Lokalkompass.de. – Lünen. – 13.03.2014. – URL: http://www.lokalkompass.de/bochum/kultur/rottstr5-ein-riesenbrocken-auf-der-kleinen-buehne-d411309.html

Scherz, Satire, Ironie und tiefere Bedeutung / Leipzig / Cammerspiele (2014)

31. **Programmheft.** – Christian Dietrich Grabbe: Scherz, Satire, Ironie und tiefere Bedeutung : ein Lustspiel in drei Aufzügen / [Cammerspiele [in der Kulturfabrik Leipzig]. Fotos: Hannes Fuhrmann]. – [Leipzig], 2014. – [4] Bl. : Ill. – Premiere: 22. Oktober 2014.

Scherz, Satire, Ironie und tiefere Bedeutung / München / FestSpielHaus (2014)

32. **Programmheft.** – Himmel & Hölle : eine Seifenoperette ; [frei nach C.D. Grabbes „Scherz, Satire, Ironie und tiefere Bedeutung"] / Theaterwerkstatt FestSpielHaus. – München, 2014. – [4] Bl. : Ill. – Premiere: 27. Juni 2014.

Freiligrath-Bibliographie 2014
mit Nachträgen

Alle Links wurden geprüft am 10.7.2015.

Textausgaben
1. **Freiligrath, Ferdinand:** Ferdinand Freiligrath [Werke, Ausz.] [Elektronische Ressource]. – Cassel : Balde, 1852. – 116 S. : Portr. – (Moderne Klassiker ; 6). – Digitalisierung: München : Bayerische Staatsbibliothek, [o.J.]. – URL: http://www.mdz-nbn-resolving.de/urn/resolver.pl?urn=urn:nbn:de:bvb:12-bsb11014771-7
2. **Ders.:** Ferdinand Freiligrath's gesammelte Dichtungen [Elektronische Ressource]. – Stuttgart : Göschen. – Bd. 1-6. 1870. – Digitalisierung [ohne Bd. 3]: München : Bayerische Staatsbibliothek, [o.J.]. – Bd. 1: URL: http://www.mdz-nbn-resolving.de/urn/resolver.pl?urn=urn:nbn:de:bvb:12-bsb11016205-6. – Bd. 2: URL: http://www.mdz-nbn-resolving.de/urn/resolver.pl?urn=urn:nbn:de:bvb:12-bsb11016206-1. – Bd. 4: URL: http://www.mdz-nbn-resolving.de/urn/resolver.pl?urn=urn:nbn:de:bvb:12-bsb11016207-7. – Bd. 5: http://www.mdz-nbn-resolving.de/urn/resolver.pl?urn=urn:nbn:de:bvb:12-bsb11016208-2. – Bd. 6: URL: http://www.mdz-nbn-resolving.de/urn/resolver.pl?urn=urn:nbn:de:bvb:12-bsb11016209-2

Zur Bibliographie
3. **Freiligrath-Bibliographie 2012** : mit Nachträgen / Claudia Dahl. – In: Grabbe-Jahrbuch. – Bielefeld. – 32.2013 (2014), S. 197-201. – URL: http://www.llb-detmold.de/sammlungen/literaturarchiv/freiligrath-sammlung/bibliographie/2012.html

Zu Leben und Werk
4. **Kaul, Camilla G.:** Friedrich Barbarossa im Kyffhäuser : Bilder eines nationalen Mythos im 19. Jahrhundert. – Köln [u.a.] : Böhlau, 2007. – (Atlas – Bonner Beiträge zur Kunstgeschichte ; N.F., 4). – ISBN 978-3-412-16906-0. – 1. Textband. – 914 S. – Zugl.: Bonn, Univ., Diss., 2005. – Erschienen: Bd. 1 - 2. – Freiligrath: wenige Erwähnungen, bes. zu Freiligraths „Barbarossas erstes Erwachen", s. Reg. im Textband.
5. **Plachta, Bodo:** Dichterhäuser in Deutschland, Österreich und der Schweiz. – Stuttgart : Reclam, 2011

-Rez.: Jansen, Hans Hermann. – In: Grabbe-Jahrbuch. – Bielefeld. – 32.2013 (2014), S. 187-188.

6. **Karriere(n) eines Lyrikers: Ferdinand Freiligrath** / Michael Vogt (Hg.). – Bielefeld : Aisthesis-Verl., 2012. – (Vormärz-Studien ; 25)
   -Rez.: Hutzelmann, Konrad. – In: Grabbe-Jahrbuch. – Bielefeld. – 32.2013 (2014), S. 176-182.

7. **111 magische Orte im rheinischen Westerwald** : ein Führer zu Magie, Mythen und Museen / von Hermann-Joseph Löhr. Mit Fotos von Heinz Werner Lamberz. – Asbach : Verl. Media World. – 1. 2013. – Ill. – ISBN 978-3-9813291-6-2. – S. 143-148: 34. Ferdinand Freiligrath – Dichter und Revolutionär 1810-1876.

8. **Jürgensen, Christoph:** „Das bin ich schuldig" – Überlegungen zu Berthold Auerbachs Reden auf Dichter. – In: Berthold Auerbach : ein Autor im Kontext des 19. Jahrhunderts / Christof Hamann ... (Hg.). – Trier : Verlag: WVT, Wiss. Verl. Trier, 2013. – ISBN 978-3-86821-476-5. – (Schriftenreihe Literaturwissenschaft ; 88). – S. 55-57: We're only in it for the money? *Rede auf Ferdinand Freiligrath* (1867).

9. **Krausnick, Michail:** Es war einmal : als das Wünschen noch geholfen hat ; Poesie & Politik im 19. Jahrhundert. – Norderstedt : Books on Demand, 2013. – 118 S. : Ill. – (Reihe Rhein-Neckar-Brücke ; 11). – ISBN 978-3-7322-5377-7. – S. 47-70: Trotz alledem : zwischen Liebestraum und Revolution ; Ferdinand Freiligrath (1810 -1876) zum 200. Geburtstag.

10. **Rink, Elisabeth:** Populäres Proletariat? : Die Verarbeitung eines Themas bei Georg Weerth und Ferdinand Freiligrath. – In: Sieben Säulen DaF : Aspekte einer transnationalen Germanistik / hrsg. von Diana Kühndel ... . – Heidelberg : Synchron, 2013. – ISBN 978-3-939381-55-6. – S. [95]-113. – S. 108ff. zu Freiligraths Gedichtsammlung *Ça ira*.

11. **Selle, Anne Rosemary:** The parritch and the partridge : the reception of Robert Burns in Germany ; a history. – 2., rev. and augm. ed. – Frankfurt am Main : Lang-Ed., 2013. – 481 S. – (Scottish studies international ; 38). – ISBN 978-3-631-64176-7. – Zu Freiligrath: S. 61-66 und passim.

12. **Zensur im Vormärz** : Pressefreiheit und Informationskontrolle in Europa / Gabriele B. Clemens (Hg.). – Ostfildern : Thorbecke, 2013. – 267 S. : Ill., Kt. – (Schriften der Siebenpfeiffer-Stiftung ; 9). – ISBN 978-3-7995-4909-7. – S. 190-191 zu Freiligrath in: Franz, Norbert u. Josiane Weber: Zensurpolitik des Deutschen Bundes im Dienste monarchischer Machtpolitik: Die Kontrolle von Literatur und Presse im Großherzogtum Luxemburg (1815-1848)
    -Rez.: Stein, Peter. – In: Heine-Jahrbuch / Heinrich-Heine-Institut der Landeshauptstadt Düsseldorf. – Düsseldorf. – 53 (2014), S. 254-257.

13. **Hahn, Hans-Joachim:** Gibt Geld Geltung?. – In: Geld und Ökonomie im Vormärz / hrsg. von Jutta Nickel. – Bielefeld : Aisthesis-Verl., 2014. – (Jahrbuch / FVF, Forum Vormärz Forschung ; 19.2013). – ISBN 978-3-8498-1026-9. – S. [113]-133. – S. 118 zu Freiligraths „Die irische Witwe", „Irland" und zu „Eine Proletarierfamilie in England" (nach Ebenezer Elliott).

14. **Luetgebrune, Barbara:** Agitierende Gedichte für eine Welt, die „von Taten dröhnt" : für die Landesbibliothek ist 19. Jahrhundert ohne Dichter Ferdinand Freiligrath undenkbar / (blu). – Ill. – (LZ-Serie: „400 Jahre, 400 Bücher" (5)). – In: Lippische Landes-Zeitung. – Detmold. – 9./10.08.2014. – Siehe auch: Eberhardt, Joachim: Agitierende Gedichte für eine Welt, die „von Taten dröhnt" URL: http://www.llb-detmold.de/wir-ueber-uns/aus-unserer-arbeit/texte/2014-4/5-freiligrath.html

15. **Walz, Manfred:** Ferdinand Freiligrath und der Autographensammler Carl Künzel. – Ill. – In: Grabbe-Jahrbuch. - Bielefeld. - 32.2013 (2014), S. [143]-157.

16. **Ders.:** Ferdinand Freiligraths Beziehungen nach Stuttgart und sein erstes Auftreten dort im Herbst 1840. – Stuttgart, 2014. – 17 Bl. : Ill.

Zur Wirkungsgeschichte

17. **„Im Herzen trag' ich Welten"** : Ferdinand Freiligrath ; zum 200. Geburtstag des „Trompeter der Revolution" von 1848/49 ; eine Ausstellung der Lippischen Landesbibliothek Detmold und des Heinrich-Heine-Instituts Düsseldorf / Bernd Füllner ... . – Bielefeld : Aisthesis-Verl., 2012. – 1 DVD-Video
-*Rez.*: Meier, Frank. – In: Grabbe-Jahrbuch. – Bielefeld. – 32.2013 (2014), S. 183-184.

18. **Velte, Olaf:** Ein paar Dichter. – Frankfurt am Main : Dielmann, 2013
-*Rez.*: Schütze, Peter. – In: Grabbe-Jahrbuch. – Bielefeld. – 32.2013 (2014), S. 188-190.

19. **Ausstellung in Oberwinter: 100 Jahre Freiligrath-Denkmal** : Erinnerung an den Dichter Ferdinand Freiligrath, den Retter des Rolandsbogens / sm. – In: Remagener Nachrichten. – Höhr-Grenzhausen. – 2014,26.

20. **Freiligrath Memorial 1877** / hrsg. von Manfred Walz. – Stuttgart, 2014. – 58 Bl. : Ill.

21. **Ginzler, Hildegard:** „O Gott, verschwunden ist der Bogen" : Ausstellung „100 Jahre Freiligrath-Denkmal". – Ill. – In: General-Anzeiger. – Bonn. – 21.06.2014. – URL: http://www.general-anzeiger-bonn.de/region/kreis-ahrweiler/remagen/O-Gott-verschwunden-ist-der-Bogen-article1381126.html

22. **100 Jahre Freiligrath-Denkmal** : 1914 - 2014 / [Hrsg.: Vereinigung Rathaus Oberwinter und Archiv e.V. Konzeption und Text: Hans Atzler ...]. – Remagen-Oberwinter, 2014. – 44 S. : zahlr. Ill. – (Schriftenreihe des Rathausvereins ; 2).

23. **Luetgebrune, Barbara:** Wenn Freiligrath zur Feder greift : Landesbibliothek ersteigt Autographen – Dokumente ab sofort in Kabinettausstellung zu sehen. – Ill. – In: Lippische Landes-Zeitung. – Detmold. – 17.04.2014.

24. **1614 - 2014** : 400 Jahre Lippische Landesbibliothek / hrsg. von Joachim Eberhardt und Detlev Hellfaier. – Detmold : Lippische Landesbibliothek, 2014. – 188 S. : zahlr. Ill. – (Auswahl- und Ausstellungskataloge der Lippischen Landesbibliothek Detmold ; 38). – ISBN 978-3-9806297-6-8. – S. [112]-[119]: Freiligrath und die Anfänge des Literaturarchivs.

25. **Wetzlar, Andreas:** Kein Rolandsbogen ohne Freiligrath : Wahrzeichen der Rheinromantik inspirierte Künstler und begeisterte Politiker – Noch heute Besuchermagnet. – Ill. – In: Rhein-Zeitung, Ausg. A. – Koblenz. – 16.06.2014.

Weerth-Bibliographie 2014
mit Nachträgen

Der Link wurde geprüft am 10.7.2015.

Textausgaben
1. **Weerth, Georg:** Das Domfest von 1848 / Georg Weerth. Hrsg. und mit einem Nachw. vers. von Bernd Füllner. – Bielefeld : Aisthesis-Verl., 2014. – 92 S. : Ill. – (Vormärz-Archiv ; 1). – ISBN 978-3-8498-1045-0.

Zur Bibliographie
2. **Weerth-Bibliographie 2012** : mit Nachträgen / Claudia Dahl. – In: Grabbe-Jahrbuch. – Bielefeld. – 32.2013 (2014), S. 201-202. – URL: http://www.llb-detmold.de/sammlungen/literaturarchiv/weerth-archiv/bibliographie/2012.html

Zu Leben und Werk
3. **Plachta, Bodo:** Dichterhäuser in Deutschland, Österreich und der Schweiz. – Stuttgart : Reclam, 2011
    -*Rez.*: Jansen, Hans Hermann. – In: Grabbe-Jahrbuch. – Bielefeld. – 32.2013 (2014), S. 187-188.

4. **Meier, Frank:** Lipper unterwegs : Reisende zwischen 1800 und 1918. – Holzminden : Mitzkat, 2013. – 144 S. : zahlr. Ill. – ISBN 978-3-940751-62-1. – S. [24]-35: Ein Schaf zum Tiger machen : Georg Weerth im Londoner Zoo und im Elend einer Industriestadt.

5. **Hahn, Hans-Joachim:** Gibt Geld Geltung?. – In: Geld und Ökonomie im Vormärz / hrsg. von Jutta Nickel. – Bielefeld : Aisthesis-Verl., 2014. – (Jahrbuch / FVF, Forum Vormärz Forschung ; 19.2013). – ISBN 978-3-8498-1026-9. – S. [113]-133. – S. 117-118 zu Weerths Gedichten: Die Industrie, Lieder aus Lancashire, Die hundert Männer von Haswell, Der alte Wirt in Lancashire, Mary.

Zu einzelnen Werken
Fragment eines Romans

6. **Krüger, Elisabeth:** Fremdbestimmte Identität? : Das Bild der Arbeit bei Georg Weerth und Emile Zola. – In: Arbeit neu denken = Repenser le travail / Felix Heidenreich ... (Hrsg.). – Berlin : Lit, 2009. – (Kultur und Technik ; 15). – ISBN 978-3-643-10452-6. – S. 62-87. – S. 70ff. auch zu Weerths Fragment eines Romans.

7. **Rink, Elisabeth:** Populäres Proletariat? : Die Verarbeitung eines Themas bei Georg Weerth und Ferdinand Freiligrath. – In: Sieben Säulen DaF : Aspekte einer transnationalen Germanistik / hrsg. von Diana Kühndel ... . – Heidelberg : Synchron, 2013. – ISBN 978-3-939381-55-6. – S. [95]-113. – S. 102ff. zu Georg Weerths Romanfragment.

8. **Dies.:** „Arbeit" und „Proletariat" im deutschen und französischen Roman vor 1848. – Essen : Klartext, 2014. – 379 S. – (Schriften des Fritz-Hüser-Instituts für Literatur und Kultur der Arbeiterwelt ; 27). – ISBN 978-3-8375-1045-X. – S. 290-330 und passim zu Georg Weerths Romanfragment. – Zugl.: München, Univ., Diss., 2013 (darin S. 190-215 und passim zu Georg Weerths Romanfragment).

Humoristische Skizzen aus dem deutschen Handelsleben

9. **Grabbe, Katharina:** Ökonomie und ökonomisiertes Erzählen in Georg Weerths *Humoristischen Skizzen aus dem deutschen Handelsleben*. – In: Grabbe-Jahrbuch. – Bielefeld. – 32.2013 (2014), S. [158]-170.

10. **Künzel, Christine:** „Sorgend für uns, schadeten wir niemand – uns am wenigsten" : Zur Figur des Kaufmanns zwischen Händler, Unternehmer und Betrüger in Georg Weerths *Humoristischen Skizzen aus dem deutschen Handelsleben*. – In: Geld und Ökonomie im Vormärz / hrsg. von Jutta Nickel. – Bielefeld : Aisthesis-Verl., 2014. – (Jahrbuch / FVF, Forum Vormärz Forschung ; 19.2013). – ISBN 978-3-8498-1026-9. – S. [237]-254.

Skizzen aus dem sozialen und politischen Leben der Briten

11. **Perraudin, Michael:** Georg Weerth's *The flower festival of the English workers* and other sketches from Britain: proletarians and heroes. – In: Poetry, politics and pictures : culture and identity in Europe, 1840 – 1914 / Ingrid Hanson, Wilfred Jack Rhoden and E. E. Snyder (eds.). – Oxford [u.a.] : Lang, 2013. – ISBN 978-3-0343-0981-3. – S. [207]-224.

Adressen der MitarbeiterInnen des Bandes

Lisa Bergelt
Universität Hannover
Seminar für deutsche Literatur und Sprache
Königsworther Platz 1
30167 Hannover

Claudia Dahl
Lippische Landesbibliothek Detmold
Hornsche Str. 41
32756 Detmold

Henriette Dushe
Warschauer Str. 62
10243 Berlin

Dr. Joachim Eberhardt
Lippische Landesbibliothek Detmold, Direktor
Hornsche Str. 41
32756 Detmold

Prof. Dr. Lothar Ehrlich
Rainer-Maria-Rilke-Str. 8
99425 Weimar

Dr. Dirk Haverkamp
Kommandanturstr. 14
47495 Rheinberg

Dr. Kurt Jauslin
Ziegelweg 3
90518 Altdorf

Dr. Christian Katzschmann
Landestheater Detmold, Chefdramaturg
Theaterplatz 1
32756 Detmold

Dr. Kai Köhler
Emdener Str. 4
10551 Berlin

Prof. Dr. Detlev Kopp
Aisthesis Verlag
Oberntorwall 21
33602 Bielefeld

Daniel Löffelmann
Am Planetarium 37
07743 Jena

Anna-Katharina Müller
Brenzstr. 19
71636 Ludwigsburg

Tatjana Rese
Chausseestr. 3
10115 Berlin

Dr. Anastasia Risch
Käsereistr. 9
CH-9508 Weingarten

Dr. Peter Schütze
Grabbe-Gesellschaft, Präsident
Bruchstr. 27
32756 Detmold

Dr. Burkhard Stenzel
Am Weinberg 35
99425 Weimar

Dorothea Wagner
Karl-Liebknecht-Str. 60
04275 Leipzig

Robert Weber
Weberstieg 27
29229 Celle